ウィリアム・ウォーバートン。18世紀にヒエログリフに言及。

ナポレオン・ボナパルト。エジプト遠征の頃。

ジャン＝ジャック・バルテルミ。カルトゥーシュの意味の発見者。

ロゼッタストーン。現在の保存状態。
欠けた左下の角の部分には
表面をおおう黒いパラフィンと
白い充塡剤が見える。

ジョゼフ・フーリエの
エジプト様式の墓。
パリのペール・ラシューズ墓地。
その胸像は最近盗まれ、
隣りの墓のものが置かれている。

マリー＝アレクサンドル・ルノアール。
シャンポリオンがパリで学生だった頃、
ヒエログリフに関する本を出版した。

エドム＝フランソワ・ジョマールの墓。
パリのペール・ラシェーズ墓地。
エジプトのオベリスクの様式。

トーマス・ヤング。
ヒエログリフ解読をめぐる
シャンポリオンの
最大のライバル。

トーマス・ヤングの生家。
サマセット州ミルヴァートン。

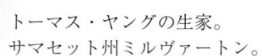

ジャン＝フランソワ・シャンポリオンの生家（現在は博物館）。フィジャックのラ・ブドゥケリ通りの端。

ジャン＝フランソワ（左）とジャック＝ジョゼフのシャンポリオン兄弟。19世紀初め。

グルノーブルの市立図書館と博物館の当時のままの門。ここでジャック＝ジョゼフと弟は働いていた。

ジャン＝フランソワ・シャンポリオン、1823年。手に持っているのは『ダシエ氏への書簡』中の表音文字表。

シャンポリオンがエジプト・コレクションの学芸員だった1830年頃のルーヴル宮の「方形中庭」の入口。

王家の谷のラメセス三世の墓の入口にある彩色されたレリーフ、『エジプト誌』より。

王家の谷のラメセス四世の墓の内側にあるラー神の連禱書の葬儀文。この近くにシャンポリオンの宿舎があった。

シャンポリオンの調査隊が仮の宿舎に使用した王家の谷のラメセス四世の墓に通ずる廊下。

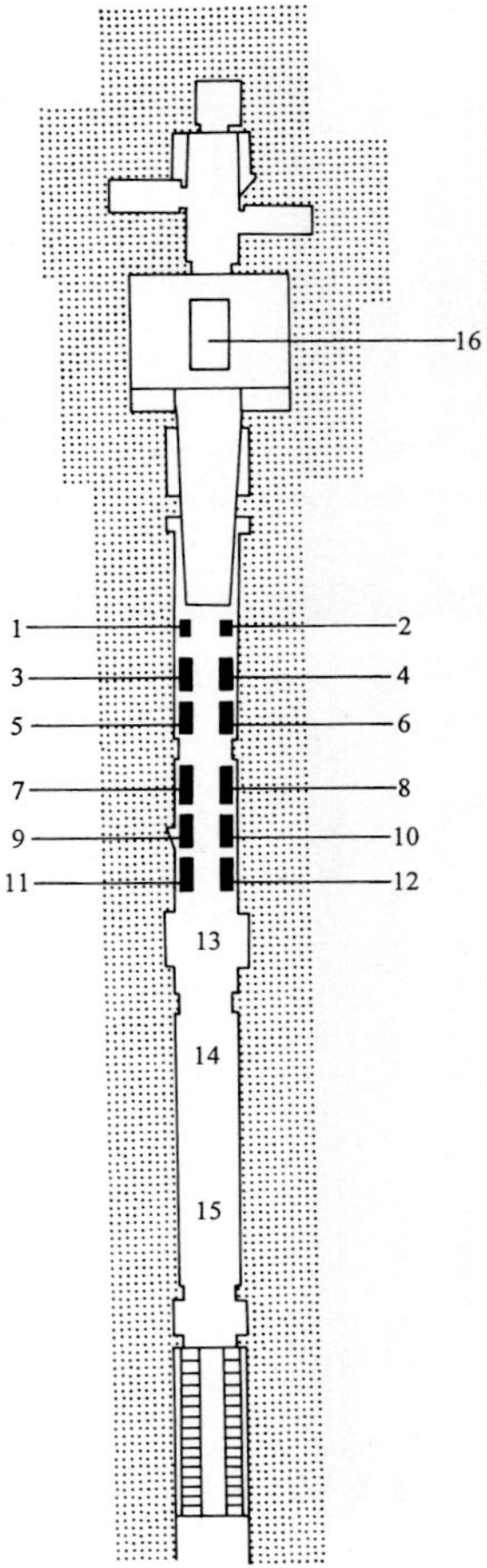

シャンポリオンの調査隊が
数週間生活したラメセス四
世の墓の平面図。

1　ガゼルの寝床。
2　大きな猫の寝床。
（どちらの動物もアブ・
シンベルで調査隊に贈られ、
ペットとして飼われていた）
3　リッチ
4　ガエタノ・ロッセリーニ
5　ロート
6　ケルビーニ
7　シャンポリオン
8　イッポリト・ロッセリーニ
9　ベルタン
10　デュシェーヌ
11　ルウ
12　アンジェレッリ
13　居間
14　食堂
15　共同休憩室
16　ラメセス四世の石棺

ファラオのトトメス四世（紀元前1419年から1386年頃まで治政）の誕生名の記されたカルトゥーシュ。カルナク。

慣用句のヒエログリフ。カルナク。𓌀（ウアス）、𓊽（ドゥジェド）、𓋹（アンク）、𓎟（ネブ）はこのようにいっしょに記され、「すべての力、安定、生命」を意味する。

カルナクの塔門壁のヒエログリフ。
ファラオのアメンヘテプ三世（紀元前1386年から1349年頃まで治政）のテキストを含む。

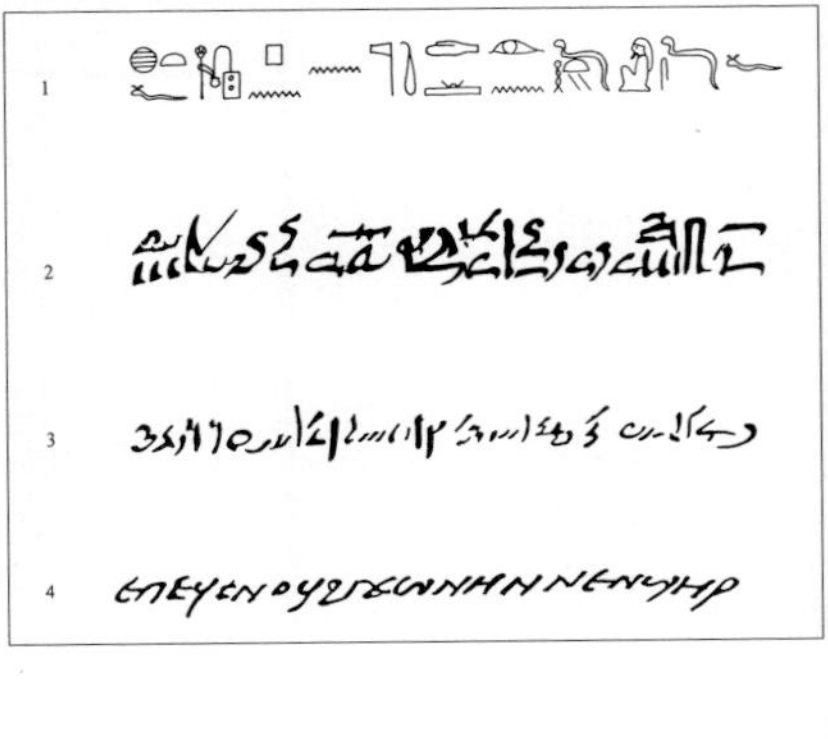

エジプト文字の書体。
1／ヒエログリフ
2／ヒエラティク
3／デモティク
4／コプト語

ヒエログリフとヒエラティクとデモティクの表音文字の比較対照表。シャンポリオンの『ヒエログリフ概要』から。

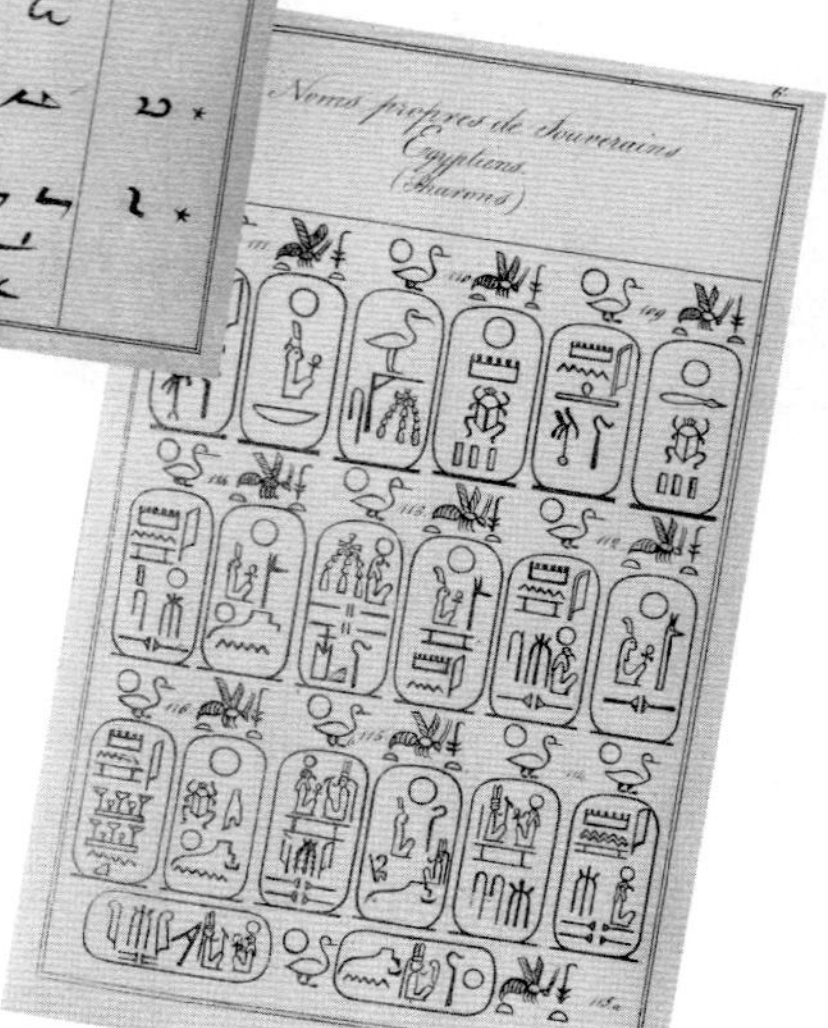

ファラオのカルトゥーシュ。シャンポリオンの『ヒエログリフ概要』から。

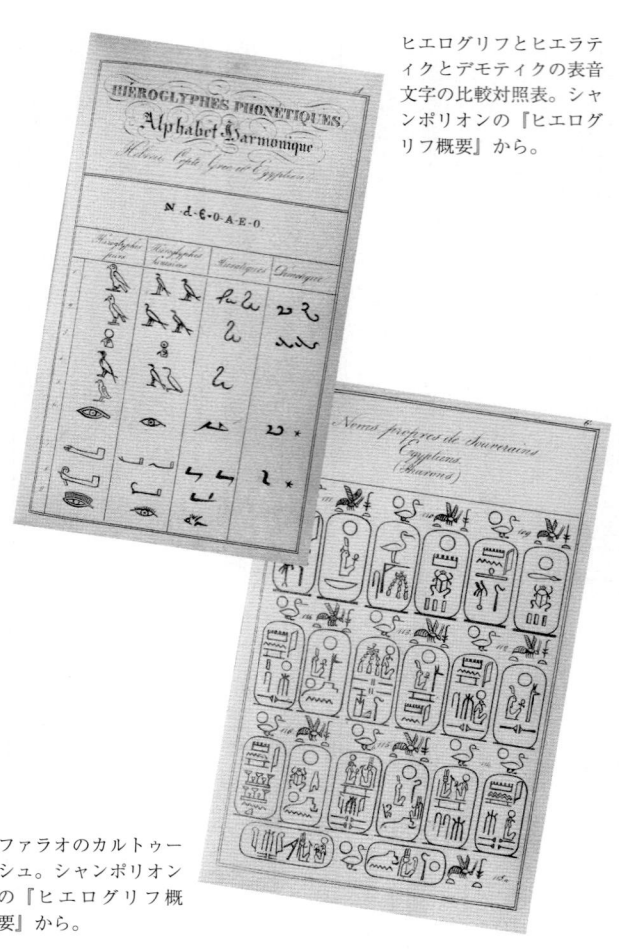

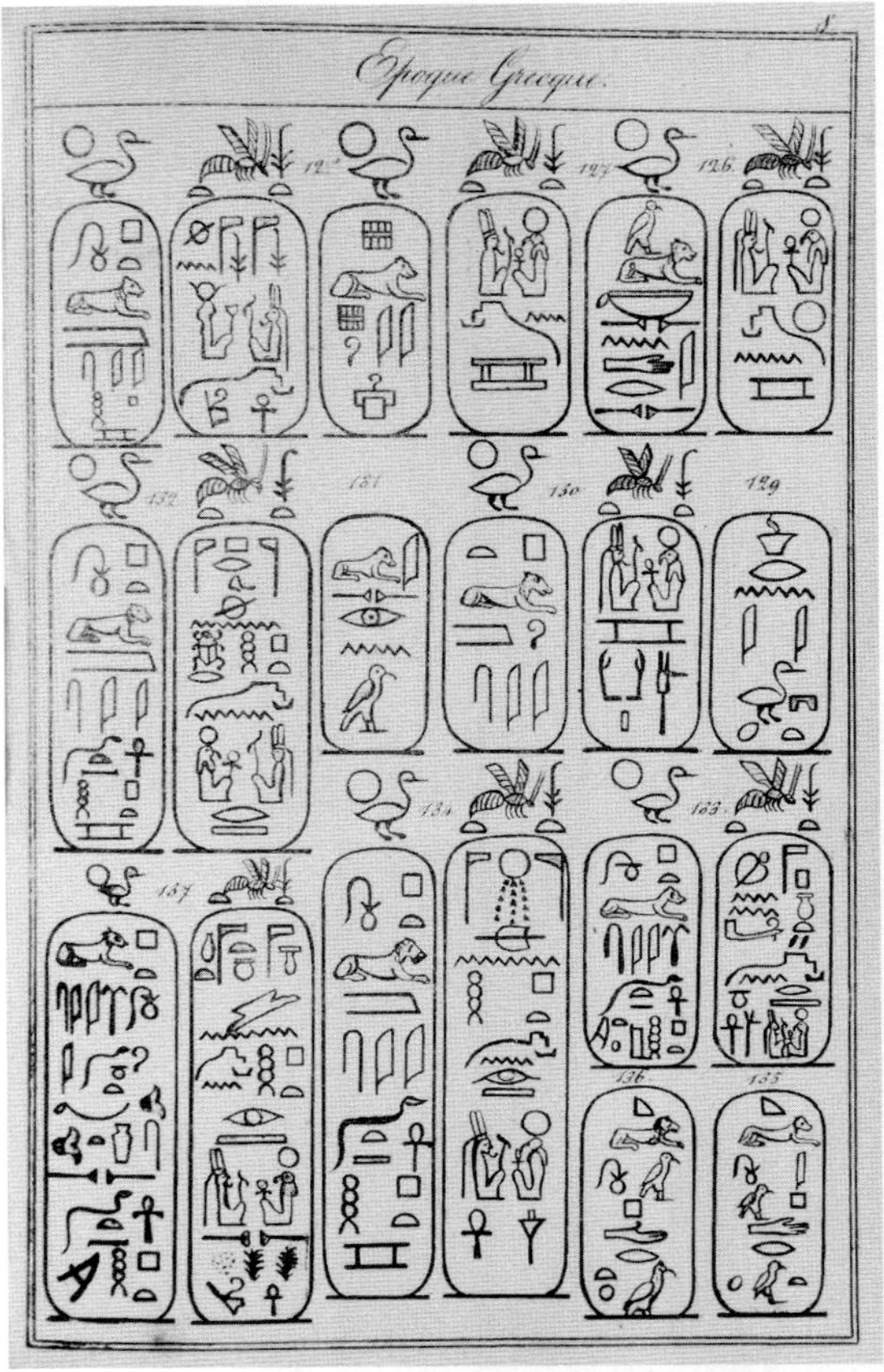

エジプトを支配したギリシア人のカルトゥーシュ。
シャンポリオンの『ヒエログリフ概要』から。

ジャン＝フランソワ・シャンポリオンを記念するエジプトのオベリスク様式。フィジャック。

シャンポリオンのオベリスク様式の墓。パリのペール・ラシェーズ墓地。

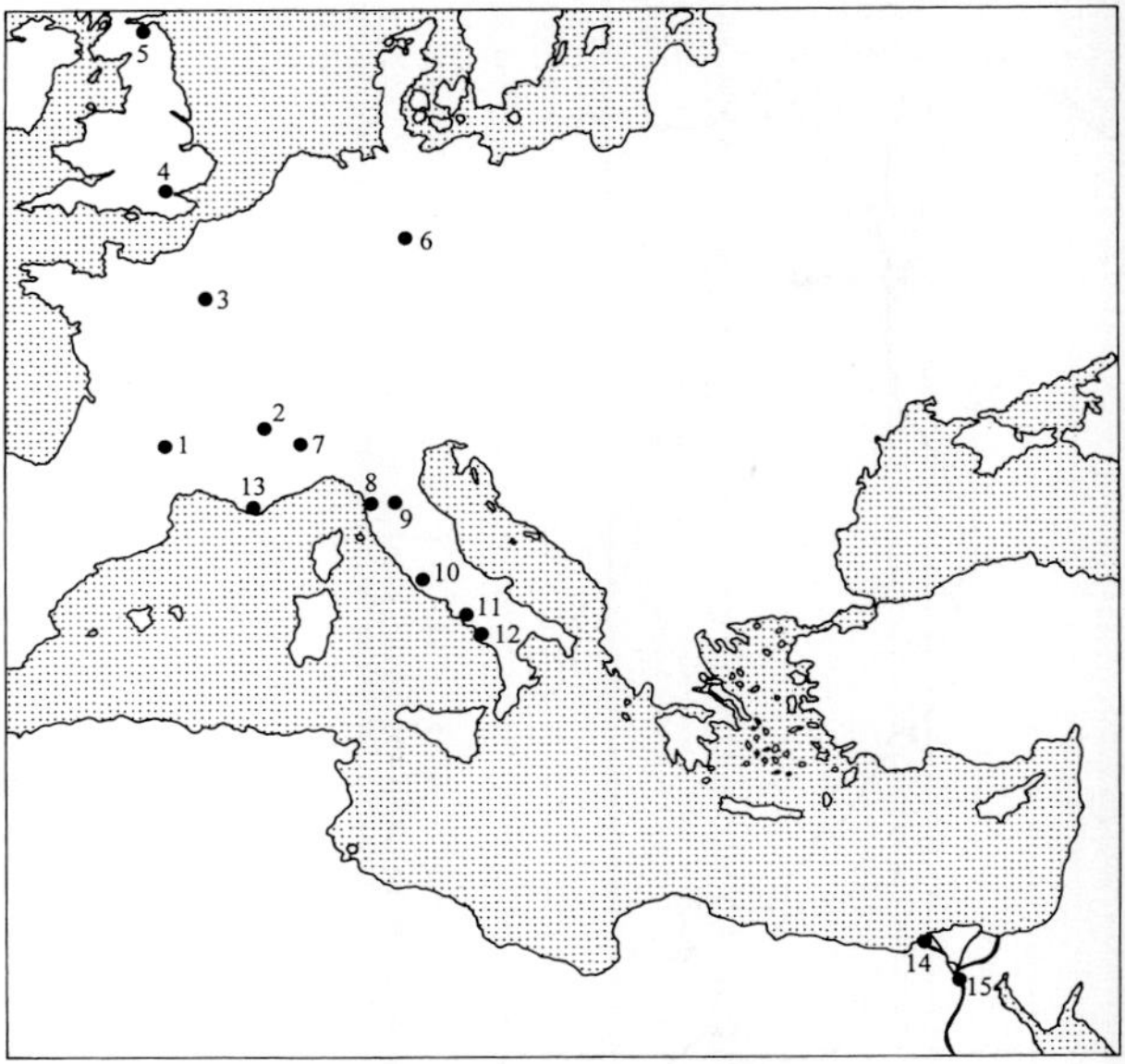

ヨーロッパとエジプトの地図

1	フィジャック	2	グルノーブル
3	パリ	4	ロンドン
5	エジンバラ	6	ゲッチンゲン
7	トリノ	8	リヴォルノ
9	フィレンツェ	10	ローマ
11	ナポリ	12	パエストゥム
13	トゥーロン	14	アレクサンドリア
15	カイロ		

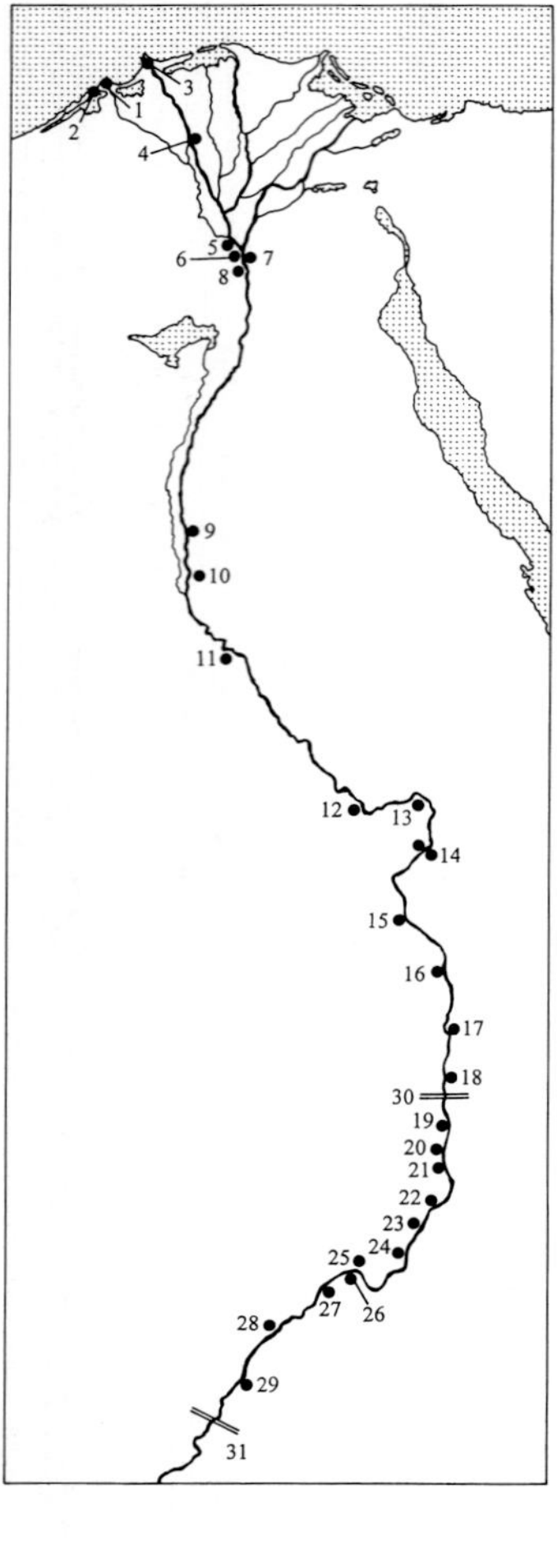

エジプトおよびヌビアの
ナイル川沿岸の地図。

1　アブーキール
2　アレクサンドリア
3　ロゼッタ
4　サイス
5　エンババ
6　ギザ
7　カイロ
8　サッカラ
9　ベニ・ハッサン
10　アル＝アマルナ
11　アシアウト
12　アビドス
13　デンデラ
14　テーベ、ルクソール、カルナク
15　エスナ
16　エドフ
17　コム・オンボ
18　アスワン／フィラエ
19　ケルタシ
20　ベイト＝アル＝ワリ
21　カラブシア
22　ギルフ・フセイン
23　ダッケ
24　ワディ・アル＝セボウア
25　アマダ
26　デル
27　カスル・イブリーム
28　アブ・シンベル
29　ワディ・ハルファ
30　第一瀑布
31　第二瀑布

新潮文庫

ロゼッタストーン解読

レスリー・アドキンズ
ロイ・アドキンズ
木原武一訳

新潮社版

8459

リズ、ジョン、そしてポピーへ
愛をこめて

ロゼッタストーン解読◇目次

ロゼッタストーン解読

時間の起源

ジャン＝フランソワ・シャンポリオンがヒエログリフの研究を行っていた、マザラン通り二十八番地の家は、兄のジャック＝ジョゼフが勤めていたフランス学士院から二百メートルもはなれていないところにあった。一八二二年九月十四日の昼近く、シャンポリオンはそのわずかな距離を全速力で駆け抜けていた。論文とノートと図版をかかえ、狭くて暗い道を学士院めざして突っ走った。体の不調からまだ十分に回復せず、また、極度に興奮していたためもあって、兄の部屋に飛び込んだときには息もたえだえだった。机の上に論文を投げ出し、彼は叫んだ。「わかったよ！」と。早朝からアブ・シンベルの碑文に取り組んでいた彼は、解読不能だったエジプトのヒエログリフの謎《なぞ》を解く鍵《かぎ》をついに発見したのだった。いまやすべてのヒエログリフ・テキストを読み解くのは時間の問題にすぎなかった。彼はジャック＝ジョゼフに自分の発見を説明しはじめたが、二言三言いうと意識を失って床に倒れた。一瞬、彼が死んでし

まったのではないかと兄は思った。

かねてから思っていた通りとはいかなかったが、これはシャンポリオンの波瀾《はらん》万丈の生涯におけるもっとも重要な転換点となるものだった。長年にわたってますますのめりこんでいったヒエログリフ研究で彼がめざしていたのはまさにこのゴールだった。自分のライフワークをきめる前から、また、ヒエログリフをまだ目にしたこともない頃から、手さぐりはすでにはじまっていた。彼の運命を引っぱっていたのは、世界の起源に関する飽くなき好奇心だった。幼い頃、両親にかまってもらえなかったため、兄と三人の姉が子守りとなり、甘やかされて育った。兄と姉たちにとって、かなり年のはなれたこの利口そうな弟は溺愛《できあい》の的だった。シャンポリオンのすぐれた知能と並はずれた言語的才能に気づいた兄は、これらの能力を無駄にしてはならないと考えた。フランス革命の大混乱のために十分な教育を受けられなかったジャック＝ジョゼフは、弟にはそんなことがないようにと、みずから教育に当った。学校がすべて閉鎖されていたからである。のちに家庭教師をつけたが、ナポレオンの台頭とともに不安定ながらも政情は回復し、学校は再開された。シャンポリオンは十二歳の頃にはラテン語とギリシア語に非常に熟達し、ヘブライ語とアラビア語、シリア語、カルデア語の勉強もはじめた。ラテン語とギリシア語によってすでにあらゆるテーマの書物に親しんでいたため、フランス南西部の小さな町、フィジャックの本屋の息子であるシャンポリオンにとって、東洋の言語への関心は単なる気まぐれのようにもみえる。しかし、実は、すでに世界の創造と時間の起源を探究するという、壮大なる知的挑戦に取り組む決意をしていたのであった。

革命によってカトリック教会は禁止され、宗教は弾圧されていたが、世界の起源についての唯一《ゆいいつ》のモデルが記されている旧約聖書は、神によって創造された地球の歴史を語るものと信じられていた。この理論を検証しようとする学者には、初期の聖書の異本や関連する文書を研究するため、東洋の言語について十分な知識が必要だった。天地創造の直後から人間は地球上に住んでいたと考えられていたため、その起源を調べるには、歴史学と文献学に頼るしかなかった。考古学と地質学はまだ未熟で、科学として認められていなかった。シャンポリオンの飽くなき好奇心はさまざまな学問分野へと向けられたが、古代エジプトに何か手がかりがありそうだと気づくや、的《まと》は定まった。この神秘の国、ユダヤ人の歴史と交錯するこの聖書の地に彼は心を奪われたが、エジプトの歴史（それに、エジプトに関するすべての知識）は、解読不可能なヒエログリフのなかに封印されていた。そこには想像をこえた秘密、世界の起源に関する正確な説明すら記されているかもしれない。ここにこそ彼の才能にふさわしいやり甲斐《がい》のある仕事があった。ヒエログリフを解読できさえすれば、ながいあいだ忘れられていた未知の世界を解明できるかもしれない。

シャンポリオンが偉業をなしとげるにあたって重要な役割をはたしたものとして、言語にたいする並はずれた才能のほかに、非常にすぐれた視覚的記憶力があった。これによって彼は数千のヒエログリフ文字のなかから同じものを抜き出すことができた。幼い頃、文字の書き方にとまどいを覚えたのも、このような視覚的記憶力のためだったようだ。子供の時、彼の目には文字が絵のように、絵が文字のように見えて、文字を書くことと絵を描くことをほとんど区別できなかった。このような特異で無頓着《むとんちやく》な習性は、幼い頃、本に書いてある文字をそっくりそのまま書き写して勉強していた結果のようだった。こんなところにも、自分流の独創的な方法で問題に取り組むという彼の才能があらわれている。まだ正規の教育を受けない、自由気ままな幼少時代に育《はぐく》まれた幅広い好奇心が、のちに彼の生涯を突き動かす原動力となるとともに、興味しだいで脇道《わきみち》にそれてしまうという習性をも生み出した。しかし、このような並はずれた幼少時代から受け継がれたものは必ずしも利点ばかりではなかった。革命にともなう社会不安のため、子供の外出は危険で、もっぱら家に閉じこもっていたシャンポリオンは、興味あることなら何でも自由に室内で探検することができた。しかし、このことがのちに学校の授業についていかなければならなくなったとき、支障となった。たとえば数学にはまったく興味を持つことができなかった。普通の生徒に合せようと何年間も努力したが、ついに適応することはできなかった。普通からはるかに懸け離れていたからだった。鋭いユーモアのセンスを持っていた彼は、なんとかきびしい学校生活を切り抜けようと、しだいに痛烈な皮肉や機知で自分を守るようになっていった。と言っても、友人や家族にはいつも思いやりがあり、人当りもよかった。

学校生活への不満からはじめは反発と嫌悪感《けんおかん》でいっぱいだったシャンポリオンも、不当な扱いにたいする憤《いきどお》りを抑え、退屈をまぎらすように精いっぱい努力してからは、わけもわからない、うんざりするような授業にも、また、生徒を鼓舞するというよりむしろ生徒の反感をかうような教師にも、いやいやながら慣れるようになった。だれの目にも歴然としていたのは、好きな課目にはすぐれた能力と情熱を発揮することだった。絵を描くことは、はじめは遊びにすぎなかったが、彼はその腕をみがき、ヒエログリフの研究になくてはならない大切な技術となった。植物学への熱中は終生つづいたが、言語マニアのシャンポリオンはしだいに古代史にはまりこんでいった。学業が進むにつれ、彼は余暇の時間を使って、ヒエログリフの研究で重要な役割をはたすことになる技術を身につけていった。ひとたびある課題に取り組むや、手にはいるすべての材料を辛抱強く調べあげるという、細心をきわめた研究を行うことができた。厳密な論理にもとづいて結論を出す前に、彼は、雑多な材料を列挙し、分類し、分析することを熱心に行った。なによりも彼は頑強な人間だった。仕事を中断あるいは中止するよう強制されても、また、何度も邪魔や妨害を受けても、けっしてあきらめることがなかった。また、自由な心で問題に取り組む勇気と自立心の持主でもあった。宗教が公《おおや》けに禁止され、弾圧されていたフランス革命の時代に生れ育ったが、彼は敬虔《けいけん》なカトリック信者だった者（その多くは革命前は司祭や修道士だった）の手で教育されたため、ヒエログリフの解読に欠かせない思考の柔軟性を身につけることができた。彼のライバルたちは党派や流派をかかげ（教会派と反教会派、ナポレオン派と反ナポレオン派といったように）、学問でも頑迷であることが多かったが、これにたいしてシャンポリオンは、ものごとの是非を検討し、自分独自の結論を出した。このような方法には良い面もあれば、悪い面もあった。学問研究においてはなによりも必要な方法だったが、政情不安の時代には不幸を招くこともあった。シャンポリオンははじめはナポレオンに批判的だったが、ナポレオンが失脚する数週間前に熱心なナポレオン派となったのは、まさに不運な決断だった。そのために復位したブルボン朝からはにらまれ、多くの王党派からは死ぬまで憎しみと反感をかうことになった。シャンポリオンの偉業を生んだ最後の要因は、たくさんの資料を利用できたことだった。それ以前の学者が扱うことのできたヒエログリフの数はたいへん限られていて、その多くは、かなり以前にヨーロッパに運ばれたエジプトの遺跡や遺物からのものだった。ながいことエジプトは外の世界にたいして国を閉ざしていたため、ヒエログリフ解読の試みは頓挫《とんざ》していた。不十分な資料では解読は不可能だったからである。ところが、ちょうどシャンポリオンが学校に通うようになった頃、ナポレオンはエジプトに遠征し、エジプトの全貌《ぜんぼう》が西ヨーロッパの人びと、とくにフランス人に明らかにされた。ナポレオンのエジプト遠征は軍事的には失敗に終ったが、遠征に同行した学者はヨーロッパ中の学者たちを驚かすことになる文書や絵画、遺物などを大量にフランスに持ち帰り、また、生還した兵士は異国の珍しい話を広め、それは話のたびに誇張され、尾鰭《おひれ》がつけられた。ナポレオン自身をはじめ、徴兵された最下層の兵士にいたるまで、エジプト遠征に加わったすべての人びとはその体験に圧倒され、エジプト熱（エジプトは新発見の国と言ってよかった）がフランス中に広がった。数十年後にはエジプト熱は冷めていったが、フランスが一度も植民地としたことのないエジプトにたいするフランス人の愛着は現在までつづいている。

一八〇七年、シャンポリオンははじめてパリを訪れたが、その頃のパリはヨーロッパでもっともすぐれた言語学者たちが集まるところとなっていた。そこにはナポレオンの遠征によってエジプトから持ち帰られたばかりの、まだ手つかずの興味ある資料が大量にあり、また、図書館にはナポレオン軍がヨーロッパ中から略奪した貴重な書物や手稿があふれていた。シャンポリオンがすでに着手していたヒエログリフ解読は、やがて彼とそのライバルのあいだの競争となった。それは闇《やみ》のなかで展開される奇妙な競争で、参加者が自分の研究成果を公けに発表するまでは、いったいだれが相手なのかわからなかった。ヨーロッパ中で学者たちがヒエログリフの研究をはじめていたが、とくに注目されていたのが新たに発見されたロゼッタストーンの碑文だった。そこには三種類のテキストが記されていて、ヒエログリフで記されたテキストとギリシア語によるものを比較すれば解読の鍵が得られるものと期待された。多くの人が加わったが、本格的な競争は二人の決闘のような様相を呈していた。当時の政治情勢を反映するかのように、一方はフランスのジャン゠フランソワ・シャンポリオン、もう一方はイギリスのトーマス・ヤングだった。それはだれでも参加できる競争で、だれでも解読に挑戦できたが、正式の競争というわけではなく、賞金もメダルも、なによりも、ルールもなかった。しかし、解読レースの参加者は全員、自分たちが何を求めているのか十分にわかっていた。それは歴史に残る偉業、古代エジプトを無知の闇から解放した人間という名誉——最初にヒエログリフを解読した人間に与えられる不滅の名声だった。

第一章　エジプトの大地

ジョゼフィーヌはエジプトへ行ったことがなかった。彼女はナポレオンに自分も連れて行ってほしいと頼んだ。ナポレオンは決めかねていた。エジプトへの遠征が一か八かの賭《かけ》であることを彼は知っていた。兵隊と食糧と兵器を満載したフランスの艦隊がイギリス海軍につかまったら、戦うことも逃げることもできない。ジョゼフィーヌがナポレオンに同行していたら、彼女はこの千年来、エジプトを訪れる最初の西洋の女性の一人ということになったであろう。状況は非常に危険で、ナイル川流域へ行こうというのは、大胆不敵なつわものか、愚か者、あるいは、自殺志願者のみだった。

一七九八年五月十九日、将軍ナポレオンはフランス艦隊に出港を命じた。妻のジョゼフィーヌを連れていかないことに決めたが、遠征隊がイギリス軍をかわすことに成功したら、彼女を呼び寄せるつもりだった。洗濯女や針子など、公式に認められた少数の者を除いて女性は乗船させないよう命令していたが、女性が戦場の夫や恋人に同行するのはめずらしいことではなく、この際もナポレオンの命令は厳守されなかった。何人かの将校の妻が公然と同行し、密航した女性や男装して乗り込んだ者もいた。全部で三百人ほどの女性がエジプトに向った。

出航して四日後、ナポレオンは危険をおかして、ジョゼフィーヌを呼び寄せることにした。彼女を連れてくるために、軍艦「ポモーヌ」が派遣されたが、軍艦が目的の港に着いたとき、ジョゼフィーヌは重傷のため旅行できない状態にあった。トゥーロンでナポレオンの出航を見送った彼女は湯治のためにロレーヌの保養地プロンビエールに向ったが、六月二十日、木製のバルコニーがこわれて五メートル下の地面に落下し、大怪我《おおけが》を負った。ジョゼフィーヌは回復するまで三か月という長い苦しい時を過ごさねばならなかった。その間、田舎医者が、ゆでたジャガイモとブランデーと樟脳《しょうのう》の湿布、それに、ヒルによる吸血、温浴、たびたびの浣腸《かんちょう》などによって治療にあたった。ふたたびペンを持つことができるようになった彼女は、友人あての手紙でエジプトへ行けなくなった不運を嘆いた。「ボナパルトからすてきな手紙をいただきました。わたしなしでは生きていけない、ナポリで船に乗って、はやくこちらに来るようにと言っています。健康が許せばすぐにでも飛んで行きたい思いですが、この体がいつなおるのかわかりません。十分間も立ったままでいたり、坐《すわ》ったままでいたりすると、腎臓《じんぞう》と背中がひどく痛むのです。泣いてばかりいます」

この思わぬ出来事がナポレオンとジョゼフィーヌにとって危機となった。彼女が旅行できるほど回復した頃、ナポレオンは彼女が浮気をしているという報告を受けていて、もはや彼女をエジプトに呼び寄せようとはしなかった。彼女と結婚したのは二年前だった。一時は六歳年上のこの女に心を奪われていたが、以前のような二人に戻ることはなかった。その後しばらくして、ナポレオンは愛人漁《あさ》りをはじめた。最初の相手は、ある陸軍中尉《ちゅうい》と結婚したばかりのポリーヌ・フーレで、彼女は兵士に変装して夫に同行し、隊員のあいだでクレオパトラと呼ばれていた。ギリシア語とヒエログリフで記されたこの名前がのちにヒエログリフ解読の鍵《かぎ》となる。

コルシカ島のアジャクシオの小貴族の息子として一七六九年に生まれたナポレオン・ボナパルトは、フランスで軍人としての教育を受け、一七八五年、フランス陸軍砲兵隊に入隊した。四年後に起ったフランス革命は、革命の波及を恐れるヨーロッパ各国との戦争を招き、一七九六年、ナポレオンはイタリア遠征でオーストリア軍を相手に圧倒的な勝利をあげた。フランスにとって当面の唯一《ゆいいつ》の手強《てごわ》い敵はイギリスだった。ナポレオンは、制海権なしにイギリスに攻め込むのは非常に危険だと考え、そのかわりエジプトを制圧することによってイギリスを打破するというのが彼の考えだった。

フランスがエジプトを支配すれば、イギリスはその富の源であるインドとの貿易ができなくなり、フランスはインドへの遠征の基地を確保できるであろう。

この時点では、政情不安定なパリから離れているほうがナポレオンには好都合だった。エジプトから凱旋《がいせん》して、クーデターの陰謀を封じるというのが彼の意図だった。総裁政府（一七九五年八月二十二日の革命憲法できめられた、最高権力を持つ五人の総裁による委員会）のメンバーたちは、遠征が失敗し、この野心的な若い将軍の命運も尽きることを期待して、出兵を歓迎した。ナポレオンが遠征隊の派遣を提案したとき、即座に同意したのもそのためだった。

フランスを出て六週間ほどして、遠征隊はエジプトに到着した。当時、エジプトは、約三世紀前からオスマン・トルコ帝国の一部となっていて、約九百年前にエジプトを侵略したアラブ人にかわって、トルコ人が支配していた。ナポレオン以前、ナイル川河口のデルタ地帯の南まで行ったのは、ほんのひと握りの旅行者——男にきまっていた——のみだった。商人たちはカイロ、アレクサンドリア、ロゼッタ、ダミエッタに居住を制限され、西洋の商人はおもにカイロ市内の、周囲を壁でかこまれ、トルコ兵の警護する区域に住んでいた。ナイル川のデルタ地帯でも、西洋人が兵士の護衛なしにこれらの居住区域外を出歩くことは危険で、デルタ地帯の南部への旅行など考えられないことだった。その結果、エジプトに住む五、六十人のフランス人商人はこの国について十分な情報を提供することができず、ナポレオンとその将校たちはエジプトに到着して、自分たちがこれから征服しようとする国についてほとんどなにも知らないことに気がついた。

遠征隊を乗せた艦隊は幸運にも、見つけしだいフランス艦隊を撃沈せんものと地中海を隈《くま》なく見張っていた強力なイギリス艦隊をたくみにかわして、一七九八年六月末、エジプト沿岸に到着した。遠征隊は四百隻《せき》の船に分乗した三万八千人の部隊からなり、六十の野戦砲と四十の重砲をそなえていたが、約三千人の騎馬兵のために用意されたのは千二百頭の馬にすぎなかった。ナポレオンは輸送用にラクダを使えると考えていたからだった。学者の一団も同行していた。目的地を知らないにもかかわらず、熱帯地方への旅行ということで、百五十人以上のフランス学士院会員が遠征隊に参加した。一七九五年にパリに設立されたこの学士院は、学問の各分野の著名人によって構成され、ナポレオンも一七九七年にその会員に選ばれたことをたいへん誇りにしていた。そのことも、これほど多くの学者（公式名簿では百六十七名）を大冒険へと誘《いざな》った一因となっている。もしイギリス軍がフランス艦隊を発見して、撃沈したとしたら、フランスの学問と芸術の粋は失われていたことであろう。こういったことも考慮してか、学者たちは少なくとも十七隻の船に分乗し、同じ専門分野の学者はそれぞれ別の船に乗った。

これらの学者グループには、天文学者、土木技師、製図家、言語学者、東洋学者、画家、詩人、音楽家などが含まれ、天才的な数学者、ジャン＝バティスト＝ジョゼフ・フーリエ、図形幾何学を発明した科学者で数学者のガスパール・モンジュ、化学者のクロード＝ルイ・ベルトレなどの著名人も加わっていた。そのほかに有名な学者として、鉛筆を発明したことで知られている発明家で気球乗りのニコラ・コンテ、ドロミテ山脈の名の由来となった、地質学者のデオダ・グラテ・ド・ドロミュー、博物学者のジョフロワ・サンティレール、画家で彫刻家のドミニク・ヴィヴァン・ドゥノン、詩人のフランソワ・オーギュスト・パルスヴァル・グランメゾン、技師で地理学者のエドム＝フランソワ・ジョマールなどがいた。

これほど大勢の才能あふれる市民を危険な戦場に連れていったナポレオンの真意は不明であるが、彼らが同行したことで、この遠征は軍事的征服ではなく、文化的使命を担《にな》っているという口実が成り立った。地中海と紅海を結んで、東方への新しい海路を開くために、スエズ地峡に運河をつくるという計画もあった。マケドニアのアレクサンドロス大王の偉業を継ぐ者と自任していたナポレオンにとって、これは願ってもない好機だった。アレクサンドロス大王は、ペルシア帝国を征服し、ヒンヅー・クシをこえてインドとアフガニスタンへと進撃するに先立って、紀元前三三一年、エジプトを支配下におさめた。バビロンで毒物あるいは熱病のために死んだアレクサンドロスは、彼が建設したばかりのエジプトのアレクサンドリアに埋葬のために運ばれた。彼はペルシア遠征に学者や科学者の一団を引き連れ、その後数百年というもの、東方に関するヨーロッパ人の知識のすべてはこれらの人びとが収集したものに依《よ》っていた。ナポレオンに同行した学者グループは、アレクサンドロスのそれに匹敵、ないしはそれを上回るものを目ざして編成されていたと言っていい。

ヒエログリフ解読の物語は、古代エジプトの遺跡に関心を持つ少数の学者とともにはじまった。各学者グループに求められていたのは、地質学、水理学、動植物の生態、宗教、農業、工業などを含め、この国のあらゆる面を記録することだった。それは、軍事的遠征という本来の目的とは無縁の仕事だった。古代遺跡の記録には大きな関心は払われなかった。というのは、学者たちは、古代遺跡がいかに大量に残存しているかをまったく知らなかったからだった。かりに科学者や技術者からすぐ役立つような情報が得られたとしたら、エジプトをフランスの植民地にするという目論見《もくろみ》のもとに、国の資産や戦略的価値、開発の可能性などを調査記録したであろうが、エジプトの植民地化は、当時のフランスの政治的混乱のなかでは不可能なことだった。アレクサンドロスの偉業をこえることを夢見ていたナポレオンにとって、学者たちをエジプトに連れてきたのは単なる思いつきにすぎなかったが、そのような思いつきがなければ、ヒエログリフはいまだに解読されていなかったかもしれない。墓や神殿の壁に記された数千点ものヒエログリフをたずさえて、学者たちがエジプトからフランスに帰還するや、ヒエログリフ解読の関心は再燃した。これほど大量の研究資料がもたらされたのははじめてのことで、その収集には艱難《かんなん》辛苦の三年間を要した。それはまたフランスにおけるエジプト熱のはじまりでもあった。

無事エジプトに到着したものの、上陸には一刻の猶予《ゆうよ》も許されなかった。軍隊が上陸し、艦隊が戦闘態勢をとる前にいつ何時《なんどき》イギリスの軍艦があらわれて攻撃をしかけてくるかもしれないことをフランス軍は知っていたからである。七月一日の正午ごろ、アレクサンドリアの西、マラブー海岸で上陸が開始されたが、船から海岸まで約五キロのあいだには岩礁《がんしょう》が点在し、そのうえ天候は急速に悪化していた。最初のボートが着岸したのは夜の八時のことで、夜を徹して部隊の上陸がつづけられた。高波のなか、岩礁を避けて岸までボートをこぐのに八時間もかかり、荒海で船からボートに乗り移る際、多くの者が怪我をしたり、海に投げ出された。上陸作戦で溺死《できし》したのはわずか十九人にすぎなかったとナポレオンは記録しているが、この数字は正確な記録というより宣伝用のもので、実際の犠牲者ははるかに多かった。

軍隊の上陸は七月三日に完了したが、待ち切れないナポレオンは、七月二日の早朝、約五千の部隊の先頭に立って、アレクサンドリアに向けて行軍を開始した。大砲や馬、飲料水もまだ陸揚げされていなかった。疲れはてた空腹の兵士は銃と衣類をたずさえただけで行軍した。上陸地からアレクサンドリアまで道路はなく、わずかに点在する井戸や貯水池は、フランス軍を執拗《しつよう》に妨害し、落伍者《らくごしゃ》を見つけしだい襲う遊牧アラブ人のベドウィンによって破壊されていた。捕えた者にたいするベドウィンの残虐《ざんぎゃく》行為を知って、兵士たちは行軍から落伍すまいと考えた。午前八時、フランス軍はアレクサンドリア郊外に到着し、ナポレオンは、酷暑と渇きのために兵士たちが疲労困憊《こんぱい》しているにもかかわらず、ただちに攻撃を命じた。兵力の乏しい住民は、進軍する部隊に恐れをなし、夜どおしカイロに援軍を要請した。渇きに苦しむフランス軍は、多少の抵抗に出合っただけで、三時間ほどで市を制圧した。

七月四日、学者たちが上陸した。主力部隊が下船するまで二の次にされ、食べものも与えられないまま、甲板で寝かされるという扱いを受ける者もいた。大半の者は、荷物を抱えてアレクサンドリア郊外に放置され、自分たちでなんとかやりくりしなければならなかった。アレクサンドリアはまさに悲惨な有様だった。七十万冊以上の蔵書をもつ図書館と寺院と劇場、宮殿、アレクサンドロス大王の墓などを誇る、かつての古代世界の文化と学問の中心地という面影はひとかけらもなかった。市内はかつて南北約一・六キロ、東西約五キロの広さに区切られ、その二つの港は、紀元前三世紀に建てられ、世界の七不思議のひとつとされていた有名なファロスの灯台によって護《まも》られていた。その人口は三十万をこえ、百万とも言われていたが、アラブ人によって七世紀半ばに征服されて以後、アレクサンドリアは衰退の一途をたどり、地震と沈降のために市の大部分は水没した。アレクサンドリアのかつての栄光が明らかにされたのはごく最近のことで、海中考古学者の研究の賜物《たまもの》だった。学者たちが目を疑ったのももっともだった。彼らが目にしたのは、わずか六千人の住む、狭苦しい路地に肩を寄せあって、いまにも崩れ落ちそうに並ぶあばら屋だったのである。

以前からアレクサンドリアに住んでいたヨーロッパ人の家や、フランス軍の到着前に避難したイギリス公使館などで夜露をしのいでいた学者たちをどのように扱ったらいいか、フランス軍には規定がなかった。学者への食糧の割り当てもきまらず、一般の兵士と同じ扱いにされていたことにたいして、地質学者のドロミューはナポレオンに直接抗議した。できるかぎり早くアレクサンドリアから先へ進みたいとナポレオンは考えていて、いたるところ騒然としていた。学者を管理する任にあたっていたカファレリ将軍には軍事技術者を指揮するゆとりしかなく、その他の者は放置されていた。戦局が進むにつれて、学者たちは軍隊の一員のように扱われることに慣れてきたが、はじめのうちは、最下等の兵士以下の扱いに憤慨し、使い走りのようなことをさせられるのは(カファレリは口やかましく苦情を言う者にはそんな仕事を押しつけた)、自分たちの才能の浪費だと感じていた。

軍人と学者とのあいだの軋轢《あつれき》はすでに航海中にひろがっていて、双方からナポレオンに苦情が持ち込まれた。彼は双方のキャンプに足を運んだが、不和の理由がわからず、苦情にいらいらした。ナポレオンはエジプト学士院なるものをつくるつもりで、その準備のために、毎日、学者と将校を集めてさまざまな問題について検討させたが、その際の論争が事態をさらに悪化させた。軍人たちは学者たちにさまざまな渾名《あだな》をつけたが、いちばんはやっていたのは「ロバ」という渾名だった。行軍中、荷物を運んでいた本物のロバは冗談のたねに「学者もどき」と呼ばれ、戦闘にそなえて部隊が防御方陣をとる際、「ロバと学者は方陣の中央に」という号令が下されると、きまって部隊中にどっと笑いがまきおこった。

アレクサンドリアに滞在中、学者たちは不潔な市内には見るべきものは何もなく、調査すべき古代遺跡もほとんどないと考えた。いちばん目立つ遺跡としては、市内を一望する丘の上に建てられたローマ時代の石柱、「ポンペイウスの柱」があった。これは紀元前一世紀のローマの将軍ポンペイウスに因《ちな》んだ名で、紀元前四八年、エジプトに逃れたポンペイウスはユリウス・カエサルによって捕えられ、断首されたが、この柱は、皇帝ディオクレティアヌス（在位二八四—三〇五）のアレクサンドリア来訪を記念して建てられたものだった。ディオクレティアヌスはエジプトに足跡を印した最後のローマ皇帝だった。それよりも興味深いものとしては、「クレオパトラの針」があった。二つのオベリスクからなり、一方はまだ立っていたが、もう一方は倒れて砂に埋まり、どちらも一面にヒエログリフが記されていた。これこそフランス人がはじめて目にする本物のエジプトの遺跡だったが、それはクレオパトラとは何の関係もなく、もともとは紀元前一五〇〇年頃、古代都市ヘリオポリス（いまではカイロ郊外の南にある）の寺院の入口に建てられたものである。この二本のオベリスクは紀元前一〇年、ローマ皇帝アウグストゥスによってアレクサンドリアに移された。直立するオベリスクの基部にはギリシア語とラテン語の碑文が彫られていたが、砂に埋もれて見えなくなっていた。これらの遺跡がはるか南のアスワン近くの石切り場からエジプトを縦断して運ばれてヘリオポリスで建立《こんりゅう》され、アレクサンドリアで再建されたことを、ヒエログリフの読めない学者たちは知らなかった。ナポレオンの数十年後、倒れていたオベリスクはロンドンのテムズ川河畔通りに運ばれ、「クレオパトラの針」として知られ、直立していたオベリスクの方はニューヨークに運ばれ、セントラルパークに建てられた。

学者たちがオベリスクで目にしたヒエログリフの碑文に記されていたのは大部分がカルトゥーシュ（訳注　国王、神の名が書かれている楕円形の枠）で囲まれた次のような名前である。

これは、「太陽神ラーの息子にして、アメン神に愛《め》でられしラメセス」という意味である。しかし、ほとんどファラオの名前や敬称しか記されていない、そのような献辞碑文はあまり一般的なものではないことを学者たちは知らなかった。というのは、彼らは、千五百年以上も前にローマ人がエジプトから略奪したオベリスクやその他の記念像などに刻まれたこの種のヒエログリフしか見たことがなかったからである。ナイル川デルタ地帯の南側で、それまでは砂漠と見る影もないアレクサンドリアの廃墟《はいきょ》しか見ていなかった彼らが、古代エジプト遺跡のすばらしさを発見するのは、それか

ら数か月後のことだった。

砂漠とはきわだって対照的に、毎年くりかえされる洪水はナイル川流域に湿った肥《ひ》沃《よく》な黒くて厚い沈層をつくり、ここから古代エジプトは（ケメツ＝黒い土地）とも呼ばれた。この肥沃な大地はエジプトの宝、（穀物）を産んだ。数千年にわたって毎年くりかえされる洪水が人びとの生活を支え、それはほとんど変ることがなかった。穀物や他の農作物によって国はゆたかになり、王のための巨大な墓や神々のための壮大な寺院の建設に必要な大量の労働者（奴隷《どれい》ではなく徴発された労働者）を養うことができた。神々が毎年ナイル川の洪水を規則的に起こし、毎日太陽が照るかぎり、変化を求める必要はまったくなかった。そのような沃土を隣国は放っておかなかった。エジプトはしばしば戦争にまきこまれ、何度も侵略の憂《う》き目にあった。ペルシア人の次にはアレクサンドロス大王、これを受け継いだプトレマイオス王朝はクレオパトラ七世が敗れて自害した紀元前三〇年にローマ人によって駆逐され、エジプトを征服したオクタヴィアヌスは、イタリアに凱旋《がいせん》して敵の裏をかき、初代のローマ皇帝となった。そして同時に、エジプトをローマ帝国の属州とした。

ローマ人にとって、その属州は途方もない戦利品――奇妙な神々とゆたかな富の大地だった。肥沃なナイル川流域の莫大《ばくだい》な量の穀物はローマ人にとって非常に貴重なものだったので、エジプトは皇帝の直轄地《ちょっかつち》とされた。エジプトでは金が豊富に産出されたので、むしろ銀のほうが高価な輸入品とされたほどだった。歴代のローマ皇帝たちのなかには、エジプトを訪れて、その古代の遺物に魅せられ、オベリスクやスフィンクスや、不思議な絵文字で飾られたさまざまな彫像をローマに持ち帰った者もいた。ローマ時代、エジプト熱はイタリア全土に広まり、ピラミッド型の墓やエジプト風に飾られた家や庭なども出現した。装飾のほどこされていないオベリスクにはエジプト風に見せるためににせの絵文字が彫られ、のちにナポレオンの遠征によってフランスにエジプト熱が広まったとき、解読者たちを混乱させた。フランスではエジプト風が流行し、墓石にはピラミッドの印がつけられ、パリの共同墓地には、千八百年前、ローマ市外でそうされたようにオベリスクが建てられたりした。

ローマの支配下で、ヒエログリフはしだいに使用されなくなり、キリスト教の台頭とともに、異教徒の寺院やそれと結びついたヒエログリフの碑文は禁止された。三九四年八月二十四日、上エジプトのアスワン近く、フィラエ島の神殿の門に記されたヒエログリフの碑文がその最後のものである。ヒエログリフを読める者はますます少数となり、たとえば  といった簡単な碑文も、シャンポリオンによって解読されるまで、読むことはできなかった。

一七九八年七月、アレクサンドリア到着五日後、学者たちは三つの集団に分けられた。ガスパール・モンジュとクロード＝ルイ・ベルトレは、カイロ攻略のために七月七日にアレクサンドリアを出発したナポレオンに随行した。翌日、別の集団は、海路ロゼッタに向うムヌー将軍に同行し、残りは、クレベール将軍とともにアレクサンドリアに滞在した。一刻も早いカイロ到着をめざすナポレオンは、砂漠経由でダマンフールへ将軍ドゥゼとレイニエの率いる先発隊を送り、そこで合流する予定だった。兵士たちの備えはそのような行軍には不向きだった。彼らが持っていたのは乾パンのみで、水筒は用意していなかった。事前に水をいれる容器をなんとか手に入れたのはごく少数で、行軍は渇きをいやすものを必死の思いで探しまわる兵士たちで混乱をきたした。

アレクサンドリアを出発して早々、部隊はまたもやベドウィンに悩まされ、カイロに着くまでその攻撃にさらされた。一年中でもっとも暑いエジプトの夏だった。日の出前に出発しても、太陽が昇るやいなや、兵士たちは灼熱《しゃくねつ》にさらされ、厚い軍服がわざわいし、飲み水の不足のために渇きは増した。ベドウィンによって破壊された井戸や溜池《ためいけ》の水はすぐになくなった。ドゥゼの率いる部隊がたくさん水を飲んでしまい、次に来たレイニエ隊にはほとんど水が残っていないといった有様だった。水の残っている溜池を見つけると、兵士たちは争って水を飲み、全員に行き渡ることはほとんどなかった。乾パンをやわらかくするための水もほとんどなく、兵士たちは渇きとともに餓えにも苦しんでいた。遠くに草木の生い茂る湖や泉が見えることがあったが、駆け寄ってみると、それは消え去るのみ。蜃気楼《しんきろう》を見たことのない兵士たちは、水を求めるあまり、何度もだまされた。ガスパール・モンジュが蜃気楼について研究し、その原因を解明したのはのちのことで、アレクサンドリアからカイロまでの行軍中、多くの兵士が絶望のあまり正気を失い、自殺した。

アレクサンドリアからダマンフールに向った一万八千の兵士のうち、ベドウィンに殺されたり、自殺したり、あるいは暑さと渇きのために死亡した者は数百人にものぼった。ナポレオンの見るところではこの犠牲者の数は少なかったが、しかし、七十キロにもおよぶ行軍は兵士たちにとっていつ終るとも知れぬ拷問《ごうもん》であって、約二百メートルあたり少なくとも一人が死亡したことになる。ある将校は、行軍のあとには死体が連なっていたと記している。航海での船酔いや、命がけのアレクサンドリア上陸と攻略によってすでに低下していた兵士たちの士気は、この行軍によって完全に失われた。兵士も将校もともにナポレオンの予測の甘さや不十分な装備を非難したのはもっともだった。士気を取りもどすには、マムルークを粉砕して大勝利をあげるしかないとナポレオンは痛感するようになった。

衰亡するオスマン帝国領だったエジプトはいぜんとしてコンスタンチノープルから派遣されたサルタンの支配下にあったが、実権を握っていたのはマムルークだった。「マムルーク」は「売られた人間」を意味するアラビア語で、マムルークは、カフカス地方などから子供のときに奴隷として売られたが、戦士として訓練され、軍人になれば自動的に解放された。マムルークはエジプトの貴族階級を形成し、人民から搾取《さくしゅ》した税金をもとに贅沢《ぜいたく》な暮しをしていた。マムルークは「ベイ」と呼ばれる地方長官によって国を支配し、しばしばオスマン・トルコ軍と戦闘をまじえていた。ナポレオンが侵略した頃、サルタンに代ってエジプトを支配していたのはイブラヒムとムーラドという二人の有力な地方長官だった。騎馬と殺人と略奪しか知らないマムルークは勇猛果敢ではあったが、やがてナポレオンも気づいたように、逃げ足も速かった。

七月九日、生き残った部隊はダマンフールに到着し、ナポレオンは合流した軍隊をナイル川沿岸のアル・ラーマニヤへと進めた。水位がいちばん低い時期ではあったが、ナイル川は満々と水をたたえていた。兵士は喚声をあげて川に飛び込み、はしゃぎまわった。長いあいだの渇きのために水を一気に飲みすぎて死ぬ者もいた。ムーラド地方長官の率いるマムルーク軍が十三キロ南のシュブラ・キットに進軍中という情報をたしかめるため、ナポレオンはナイル川沿いに南下した。強健、残忍、狡猾《こうかつ》な首領、ムーラドは戦争を生き甲斐《がい》とする男で、一度も勝ったことはなかったが、けっして敗北を認めなかった。ナポレオンは、ロゼッタで輸送用に徴発しておいた小艦隊でナイル川を進み、ムーラド軍と合流したというマムルークの艦隊を迎え撃つ計画だった。この小艦隊には、ガスパール・モンジュやクロード＝ルイ・ベルトレ、ポリーヌ・「クレオパトラ」・フーレなどの非戦闘員も乗船していた。

七月十三日、フランス軍はシュブラ・キットに到着し、マムルーク軍とはじめて交戦した。マムルーク軍の主力は騎兵隊だったが、歩兵隊もいて、その大部分はエジプトの農民で、武器といえば棍棒《こんぼう》のみだった。フランスの歩兵隊は方陣を敷き、その四隅に大砲をかまえ、少数の騎兵隊は防御のために方陣のなかに配置された。このような布陣にとまどい、マムルーク軍はいつもの突撃力を発揮できなかった。マムルークの兵士は戦いで捕虜になることはほとんどなかった。彼らは攻撃するのも退却するのもすばやく、勝つか、さっと退却するか、あるいは、殺されるかのいずれかだった。刀と投げ槍《やり》、棍棒、斧《おの》、短剣、騎銃、ときには何梃《ちょう》かの短銃などで武装したマムルークは色あざやかな絹や綿の服を着飾り、金貨や宝石など自分の全財産を携えていた。まず騎銃を、次に短銃を撃つというのが彼らの戦闘方法で、銃はうしろに控えた従者に渡して弾をこめてもらった。そして、槍を投げ、最後に、刀で切りかかってくる。手綱を口にくわえて、両手で刀を振りまわすこともあった。

数時間にわたってマムルークの騎兵隊はフランス軍の方陣の周囲をまわって、弱そうなところを見つけて攻撃の機会をうかがっていたが、両軍の砲艦から大砲が発射されるや、ようやく彼らは攻撃を開始した。突撃するマムルーク軍は手出しもできないまま、フランス軍の砲弾と銃火によって撃退され、一時間もすると、もとの位置に退却していた。フランス軍の砲艦が苦戦し、非戦闘員まで戦いに巻きこまれているのを目にしたナポレオンは、部隊に砲艦への掩護《えんご》射撃を命じた。その直後、一発の砲弾がマムルーク軍の旗艦に命中し、旗艦は大爆発とともに沈没した。フランス軍からはどっと喚声があがり、マムルークの騎兵隊は残りの軍勢を連れて逃げ去った。

シュブラ・キットでの勝利で一時的にフランス軍の士気は高まったが、しかし、ムーラドとその軍隊は取り逃してしまった。ふたたびカイロをめざして苛酷《かこく》な行軍がはじまり、熱射病と渇きと自殺によってフランス軍は一人二人と兵を失っていった。七月二十日、カイロを目前にして、フランス軍は、ムーラドがカイロ市の真北のエンババでナイル川の両岸に軍隊を集結していることを知った。翌日、十二時間にも及ぶ行軍ののち、午後二時、フランス軍はエンババに到着した。一日でもっとも暑い時刻だった。十六キロほど先にはピラミッドが見えた。「ピラミッドの戦い」として知られる戦いが行われた。回想録にナポレオンは、ピラミッドを指さしながら全軍に「兵士たちよ、四千年が諸君を見ているのだ」と呼びかけたと記している。兵士たちがピラミッドの意味を理解したかどうか、あるいは、それに注目したかどうかは疑わしい。いずれにせよ兵士たちは広い場所に分散していたので、ナポレオンの声を聞いたのは近くにいた少数の者にすぎなかったであろう。歴史的意義を訴えるこの演説は、兵士を鼓舞するというよりむしろ将校に向けた言葉だったようだ。

いくつもの方陣をつくりながらフランス軍は、マムルーク軍が塹壕《ざんごう》にすえつけた大砲の射程距離の外側に移動し、マムルークの騎兵隊の攻撃を誘った。フランス軍は銃撃を控え、マムルーク軍が五十メートルまで近づいたとき、一斉に火ぶたを切り、攻撃をくいとめた。一時間あまりマムルーク軍は方陣に攻撃をしかけたが無駄だった。そして、ついに塹壕に引きあげたちょうどそのとき、ドゥゼとレイニエの率いる前衛部隊が塹壕を攻撃した。マムルーク軍は大混乱におちいり、ムーラドは何人かの騎兵とともに逃げ、歩兵隊はナイル川を渡って遁走《とんそう》した。ムーラドを取り逃したものの、ナポレオンの望みどおりの大勝利だった。兵士たちは、ナイル川からマムルークの兵士の死体を引き上げ、金銀、宝石などを略奪したりして次の週をすごした。この勝利は、意気消沈して厭戦《えんせん》気分の軍隊を統率するために必要な転機となった。翌七月二十二日、カイロの支配者たちは、ナポレオンから突きつけられた降伏条件に応じ、二日後、ナポレオンは市内に入城した。

一七九八年七月のはじめに最初の部隊が上陸してから一か月もかかってフランス軍はアレクサンドリアとカイロを確保した。その間、ネルソンの率いるイギリス艦隊は、東地中海でフランス遠征軍を探しまわっていた。ホレイショ・ネルソンは、一七七〇年に海軍に入隊し、ながいあいだ西インド諸島で勤務についていた。彼は一七九四年、コルシカ島で右目を失明し、三年後にはテネリフェ島で右腕を失ったが、いぜんとして恐るべき少将にして海戦の雄だった。八月一日、ネルソンはアレクサンドリアに着き、フランス艦隊が数キロ東に投錨《とうびょう》したことを知るや、風向きもよしと直ちにアブーキールに向った。フランス艦隊司令長官ブリュエイスは輸送船や小型船をアレクサンドリア港に停泊させていたが、浅瀬と逆風を恐れて、十七隻《せき》の大型船はアブーキール湾に防御戦列をつくって投錨させていた。フランス軍の船員は補給品の調達に余念がなく、四分の一以上の者は上陸して、アレクサンドリアやロゼッタまで行って物資を徴発中だった。艦船は偉容を誇ってはいたが、海側からの攻撃に備えていただけで、陸側の砲には無人で、荷物などが邪魔になっていたものもあった。

ネルソンの艦隊がアブーキールの岬をまわったのは午後二時だった。地中海でのながい探索航海のあいだ、ネルソンとその部下たちには、戦術について検討する時間がたっぷりあった。フランス軍の意表をついて、イギリス軍はただちに戦闘態勢に移った。旗艦「オリアン」で会議を開いていた艦長たちはあわてふためいて自分たちの艦船に戻った。四時、イギリス艦隊の十四隻の艦船すべてが岬を通過し、それからちょうど二時間後、わずかに日が残るなかで戦闘が開始された。危機を察知したブリュエイスは上陸していた兵士たちに船に戻って戦闘準備にかかるよう信号を送った。しかし、船が投錨していたのは陸から約二・五キロ、フランス艦隊の陸側の守りになっていたかもしれない浅瀬からは八百メートル以上はなれた場所だった。イギリス軍の先頭の軍艦は、敵の艦隊の陸側にまわりこむというきわめて危険な作戦をとった。イギリスの艦隊はフランスの艦隊を両側からはさみ、二隻が一組になってフランス軍の船一隻ずつに攻撃をしかけるという作戦である。船列の端にいて、攻撃をしかけられていないフランス軍の船は救援したくともほとんどなすすべがなかった。

戦闘は夜中までつづき、フランス軍の船はいずれも少なくとも二倍の勢力の舷側砲《げんそくほう》で攻撃された。「ヴァンガード」に乗船していたネルソンは激しい歯の痛みに苦しんでいて、戦闘開始前、将校たちに「明日の今ごろまでに、私は爵位《しゃくい》を得ているか、あるいは、ウェストミンスター寺院（の墓）にはいっているだろう」と語った。夜の八時半ごろ、彼の額に鉄の破片が当り、傷口から垂れさがった皮膚が左目を覆《おお》い、目が見えなくなった。ベリィ艦長の腕に倒れかかったネルソンは、「もうだめだ。妻によろしく」とつぶやいた。乗船していた医師は、傷はたいしたことはないとネルソンに言いきかせ、治療ののち、視力もいくらか回復し、しばらくのあいだ甲板に出ることもできた。そこで彼はフランスの旗艦「オリアン」の撃沈を目撃した。その炎上のさまはアレクサンドリアでも見ることができた。爆風は四十キロはなれたところでも感じられた。ベリィ艦長はこう記している。「『オリアン』はすさまじい爆発とともに吹き飛んだ。その後、無気味な静寂が約三分間つづき、そびえ立っていたマストや帆桁《ほげた》などが海に沈み、あるいは、まわりの船に倒れかかった」

海戦は完全にイギリス軍の勝利に終った。逃れたフランスの軍艦は二隻のみで、フランス軍の犠牲は多大だった——死者千七百人、負傷者千五百人を数え、フランス軍は、学者たちの備品を含め、陸揚げしていなかったさまざまな荷をも失った。旗艦「オリアン」には、エジプトへの航海中、マルタ島で略奪した金銀、宝石が積まれていた。あるフランスの考古学者チームは、のちに「オリアン」の沈没した場所をつきとめ、船体の一部や乗組員の遺品とともに、金貨や名前の刻まれたブロンズのブローチなどを回収している。

「オリアン」と他の軍艦の撃沈は、東方征服というナポレオンの野望を砕くものだった。ナポレオンはそれにも挫《くじ》けず、いぜんとしてインドへの遠征について語ってはいたが、フランス軍はエジプトで足踏み状態だった。輸送船は持っていたが、フランスからの補給ルートをおびやかすイギリス海軍から輸送船を守る軍艦はなかった。軍事的結果よりも重大なのは政治的状況だった。ナポレオンの遠征軍が苦境に立たされるにともなって、トルコはフランスとの条約を破棄してフランスの敵国と同盟を結び、トルコ軍がエジプトのフランス軍に対抗するという雲行きになった。軍艦に積んでいた金銀を失ったことも大きな打撃だった。ナポレオンは、兵士たちに略奪をほしいままにさせるというこれまでのやり方をやめて、軍隊が必要とするものにはすべて金を支払って現住民を味方に引き入れるつもりだった。いまやその金が底をついてきた。

アブーキール湾でのイギリス軍の勝利はフランスとの戦いで最大の勝利で、それまでフランスでは不敗の将として通っていたナポレオンにとってはじめての敗北だった。ネルソンはイギリスの国民的英雄となり、ジョージ三世が彼に爵位を与える前から、『タイムズ』は「ネルソン卿《きょう》」と呼んでいた。その戦いは、「アブーキール湾の戦い」ではなく「ナイルの戦い」として知られ、ネルソンは「ナイルのネルソン男爵」となり、年二千ポンドの終身年金を与えられた。ネルソンが受け取った多くの栄誉や贈りもののなかに、ひとつ気味の悪いものがあった。「オリアン」の撃沈に加わった軍艦のひとつ、「スウィフトシャー」の艦長ハロウェルは、ネルソンに棺《ひつぎ》を贈ったのである。この贈りものにはこんな手紙が添えられていた。「ネルソン卿、ここにオリアンのマストの一部でつくられた棺をお贈りします。生に倦《う》んだとき、あなた自身の戦利品のなかに休らぐことができますように」。一八〇六年一月九日、ネルソン卿の遺体をおさめたこの棺は、ロンドンのセント・ポール寺院の地下納骨所に葬《ほうむ》られた。

学者たちは「ナイルの戦い」で、多くの書物や科学器具を失い、また、エジプトの調査完了後、ただちにフランスに帰るという希望も失った。アレクサンドリアでは、イギリス艦隊がいまにも攻撃してくるかもしれないという恐怖が広まり、発明家のニコラ・コンテは、敵艦に発射する赤熱《しゃくねつ》した砲弾をつくるための炉と、揚水式消火ポンプを考案した。のちにコンテはカイロに作業所をつくり、助手とともに失われた科学器具や兵器を補給する仕事に取り組んだ。そこでまず必要になったのは、精密器具の製造に必要な道具だった。この作業所で、コンパス、顕微鏡、望遠鏡、手術用具、製図・測量器具などの科学器具のほか、軍隊用に剣やラッパ、布地や軍服のボタンまで製造された。

一七九八年八月二十二日、ナポレオンはカイロにエジプト学士院を創設し、会員を選ぶための七人の委員を任命した。この学士院は四つの部門（数学、物理学、政治経済および文学・芸術）からなり、著名で有能な学者が参加し、数学者のジョゼフ・フーリエが終身院長に指名された。学士院は重要な成果をあげ、エジプトでの戦いが忘れ去られ、ナイルの戦いやその後二年間におよぶエジプトでのナポレオンの戦いが歴史のたんなる出来事にすぎなくなってからも、ながいあいだその成果は生きつづけた。

ナポレオンがいかに学士院と学者たちの仕事を重視していたかは、学者たちのために用意した研究設備を見るとよくわかる。カイロ郊外のナスリヤに、旧マムルーク朝宮殿を囲むように大きな建物が建てられ、ここには、会議室や化学実験室、図書館、天文台、印刷所、動物園と植物園、実験農場、コンテの作業所、さらには、鉱物や考古学のコレクションをおさめた小さな博物館まであった。学者たちは宮殿や周囲の家に住み、以前ハーレムだったところで会議を開き、毎晩、庭園に集《つど》って時をすごした。

学士院の目的は広範囲にわたっていた。エジプトの自然や産業、歴史に関する調査研究と出版物の刊行、そして、知識の普及である。はじめから学士院は専門分野をこえた活動を行うことを旨《むね》としていて、のちには、病院の建設や用水路、下水道、疫病《えきびょう》をなくすための検疫所の整備、あるいは郵便制度など、エジプト社会のほとんどあらゆる面についての研究計画も手がけるようになった。学士院のさまざまな研究成果は、一八〇九年から一八二八年に、『エジプト誌』として刊行された。その大部分はエジプトの古代遺跡に関するもので、これはエジプト学の進歩にとって非常に重要だった（エジプト学という言葉が使われるようになったのは十九世紀中頃以後だった）。フランス軍の撤退後に破壊された遺跡の唯一《ゆいいつ》の記録という意味でもこの本は重要だった。遺跡に刻まれたヒエログリフの図版が徐々に出版され、これが解読者の一次資料となった。しかし、のちにヒエログリフが解読され、これらの図版を遺跡そのものと照合するまで、図版の不正確さや誤りのためにいかに研究が混乱したか、だれも気づかなかった。

ナスリヤ地区に落ち着いた学者たちは、各自の専門を研究する一方で、これまで経験したことのない他の専門家との交流に興味を持つようになった。彼らはエジプトに関するありとあらゆる新発見に関心を寄せ、しだいにエジプトの習慣に慣れていった。トルココーヒーを飲んだり、水煙管《みずぎせる》を吸ったり、ひげを剃《そ》ったあごは奴隷《どれい》のしるしだということを知って、あごひげを伸したりする学者もいた。しかし、彼らの関心がカイロそのものへ広がることはほとんどなかった。大部分の兵士や学者はカイロについて同じ見方をしていた。技師のヴィリエ・デュ・テラージュは、三百もあるカイロのモスクの美しさをほめる一方で、不潔きわまりない街路にも気づいていた。画家のドゥノンは、カイロで目にした光景をがっかりした様子でこう記した。「大勢の人びと、幅の広い道、しかし、美しい街路や遺跡はひとつもない。野原のようなだだっぴろい空き地。壁に囲まれた宮殿は、街を飾っているというよりむしろ街を陰気にしている。どこよりも身なりのだらしない人びとが住む貧民窟《くつ》」。ナポレオンは、人口三十万のカイロについて、「世界でもっとも醜悪なごった煮」と言った。

フランス人がカイロに好感を抱けなかったように、カイロ市民もエジプトの慣習や宗教的伝統にさからうフランス人に反感を抱いていた。たとえば、いかに高位の者でも、市内に死体を埋葬することを禁止したり、建物税を課して、個人的な、ときには宗教的な意味をもつ建物に関する文書の提出を求めたり、また、街路の清掃やごみの片付けを強制するといった規則をたくさん定めたりした。フランス人の行動がエジプトの人びとにはふしだらに思えることもあった。彼らはフランス人がなぜ若者ではなく売春婦を好むのかわからなかった。もっと悪いことに、妻や娘たちがヨーロッパ風の自由な風習を真似《まね》て、ヴェールもつけずに侵略者と連れ立って街を歩いていることに男たちは憤慨していた。一八〇一年、フランス軍が撤退したとき、そのような女の多くは打ち首にされた。フランス人にたいする反感は狂信的な人びとやマムルークの煽動者《せんどうしゃ》によって助長された。マムルークは、オスマン・トルコの軍隊がフランス軍をエジプトから追い払うために進軍中で、イスラム教徒はフランスにたいする聖戦に立ち上るであろうと言っていた。祈り（一日五回）のたびにモスクの尖塔《せんとう》から聖戦の呼びかけがなされたが、フランス軍はそんな状況はつゆ知らず、十月二十一日の蜂起《ほうき》はまさに青天の霹靂《へきれき》だった。

反乱は早朝にはじまり、通りにはバリケードが築かれ、武装した男たちがモスクに集合し、店の扉は閉された。フランス軍は八時に警戒態勢を敷いたものの、司令部はいぜんとして危機を察知せず、ナポレオンと三人の将軍は市外に建設中の要塞《ようさい》を視察に出掛けるという有様だった。十時、大規模な暴動が発生したという一報を受けてナポレオンが市内に戻ると、街路は死屍《しし》累累《るいるい》、飛び交う砲火で、非イスラム地区は攻撃にさらされていた。カファレリ将軍の家では、暴徒が四人の学者を殺し、多くの科学器具を略奪ないし破壊していた。

フランス軍の手に残ったのは、要塞と兵舎、エスベキヤ街の司令本部、それにエジプト学士院の建物のみだった。市内の大部分を制圧した暴徒は、キリスト教かイスラム教徒かの見境いもなく商店を襲った。エスベキヤ街から三キロはなれたエジプト学士院は群集に包囲されていた。救援隊が来たのは夕方になってからだった。擲弾兵《てきだんへい》が四十梃《ちょう》のマスケット銃を持ってきたが、その使い方を知っている学者はほとんどいなかった。数学者のガスパール・モンジュは、器具や備品を守るために学士院の防衛隊を組織した。静かに夜は過ぎ、翌朝、フランス軍の二隊の偵察隊が救助に来るまで約二時間にわたって、学者たちはマスケット銃でなんとか暴徒に応戦して持ちこたえた。秩序を回復するためにナポレオンは、暴動の中心となっているエル・アズハール・モスクに部隊を集結し、モスクを砲撃した。それを合図に銃剣を持った三隊の歩兵大隊とサーベルを引き抜いた三百人の騎兵がモスクに突撃した。数百人の暴徒が捕えられ、モスクは徹底的に略奪され、汚《けが》された。日が暮れる頃に戦闘は終り、フランス軍は約三百人を失い、住民側の死者は五千人にのぼった。

カイロでの反乱は最悪の事態を招いたものの、フランス統治下の他の地域で起った蜂起はすばやく制圧された。しかし、いぜんとしてマムルークは機会をうかがっていた。ピラミッドの戦いで敗走したムーラドはふたたび軍隊を集結していた。十月の蜂起の約八週間前の一七九八年八月二十五日、ドゥゼ将軍は、二千八百六十一名の歩兵と二門の野戦砲を従えてムーラドの探索に上エジプトに向け出発した。五千キロ以上におよぶこの行軍は何か月もつづくことになる。ドゥゼは有能な将軍ではあったが、砂漠での戦いに長《た》けたムーラドを相手に、この戦いは勝ち目がなかった。しかし、この雄壮な行軍はエジプト学とヒエログリフの研究に大きな意味を持つことになった。というのは、ドゥゼには画家のヴィヴァン・ドゥノンが同行していたからである。十一月のはじめにドゥゼに合流したドゥノンは、ドゥゼ将軍および援軍とともに到着したばかりのベリアール将軍の率いる軍隊と九か月間、ナイル川流域を踏破した。

五十一歳のドミニク・ヴィヴァン・ドゥノンはもっとも高齢の学者のひとりで、かつてルイ十五世の宮廷に仕え、ポンパドゥール夫人の寵臣《ちょうしん》となるなど、輝やかしい経歴の持主だった。美術と文学とを学んだのち、画家となり、書画なども手がけ、また、春画集も含め、何冊かの本を出版し、大当りをとった戯曲もあった。旅行経験が豊富で、ロシア、スウェーデン、スイス、イタリアで外交官として活躍したこともあった。フランス革命がはじまったとき、彼はヴェネツィアにいた。フランスに帰国し、追放リストから自分の名前を消すことはできたものの、全財産は没収され、絵画や文筆で細ぼそと暮すしかなかった。やがて、芸術家や知識人のサークルに加わり、ジョゼフィーヌのサロンに出入りするようになり、そこで彼女の夫、ナポレオンに会った。ドゥノンが革命前、王室に関係を持っていたことをいぶかり、また、高齢であることを考え、ナポレオンははじめ彼をエジプト遠征隊に参加させることを拒否した。ジョゼフィーヌの取りなしでドゥノンは参加を許されたが、古代エジプトに西洋世界の目を開かせ、数十年間にわたってヨーロッパ中にエジプト様式を流行させることになる一連の出来事の発端はここにあった。

ドゥノンはエジプト上陸後、一時《いっとき》も休まず見たものすべてをスケッチしていて、それは膨大な量に達していた。学者たちはいつも補給品が不足していたが、彼は鉛筆がなくなってしまうことを心配して、カイロの作業場で鉛筆をつくっていたコンテにたえず催促していた。ドゥゼの軍隊への補給が追いつかなくなると、ドゥノンは鉛の砲弾を溶かして鉛筆をつくるという方法を考え出した。彼にとって鉛筆の不足より問題だったのは時間の不足だった。彼はいつも安全のために軍隊と行動をともにしたが、軍隊はムーラドを追ってすばやく移動し、一か所に長く留まることがなく、そのため、彼には、次の場所へ移動するまでの間、スケッチを完成するのにわずかな時間しかなかった。

軍隊はナイル川流域を南に向って進んだ。両岸は見渡すかぎりの砂漠だった。エジプトの古代遺跡といえばカイロ近くのピラミッドやスフィンクスばかりで、アレクサンドリアにはほとんどなく、期待を裏切られた感じだったが、しかし、上エジプトの信じられないような神殿や墓を前に人びとの落胆は驚きに変った。ドゥノンは機会を見つけてはそれらの遺跡を調べ、すばやくスケッチした。やがて気づいたのは、ほとんどすべての遺跡の表面にはヒエログリフが刻まれているということだった。スケッチだけでは限界があることがすぐわかった。彼はヒエログリフをめぐる難問を、「これが知られている言語であるとしても、読むには数か月を、書き写すには数年を要するだろう」と正しく見抜いていた。軍隊がデンデラに到着したとき、兵士も将校も神殿の光景に目を奪われ、隊列をはなれて神殿に駆け寄った。その日一日中、ドゥノンは描きつづけていたが、兵士と同様、その建造物のすばらしさに圧倒され、どこから描きはじめたらいいかわからないほどだった。建物の壁面やレリーフ、絵画、それに神殿の内側も外側もほとんど表面全体を覆《おお》うおびただしいヒエログリフの碑文など、すべてが一度に彼の目を惹《ひ》いた。彼はこう記している。「鉛筆を片手に、私は歩きまわった。心打たれるすべてを見て描き、分類するには私の目と手と頭は足りなかった。そのようなすばらしいものを十分に描くことができないことを私は恥じた」。無我夢中でドゥノンはあたりが暗くなるまで猛烈な勢いで描きつづけた。気がついたときには軍隊は行ってしまっていた。彼の友人のベリアール将軍が警護のために残っていて、二人は馬を飛ばして日暮れ前に軍隊に追いついた。

デンデラは軍人たちが間近に目にした最初の大きな遺跡で、兵士たちの多くはその偉容に圧倒された。まったく未知の建築様式で建てられた神殿はヒエログリフで覆われ、部屋の天井には黄道《こうどう》の十二宮を示す不思議な絵が刻まれていた。ドゥノンはその驚きを、「私は、自分の体験したことを読者の立場で味わうことができたらと思ったほどだった。まったく驚いた」と記している。その晩、ある若い将校がやってきて、他の多くの者も感じていたことを彼に話した。「エジプトに来てから、ばかばかしいことばかりで、いつも気が沈み、嫌気がさしていた。デンデラで元気がでた。きょう見たものは、これまでの苦労を吹きとばしてくれた。これからの遠征中に何が起ころうとも、そこに行ったことを生涯忘れることはないだろう」

マムルークの指導者、ムーラドの追跡はつづき、ドゥノンは可能なかぎりすべてをスケッチしつづけた。「私は坐《すわ》っているときも立っているときも、馬上にあるときも描きつづけた。なにひとつ自分の気に入るように完成はできなかった。というのは、定規を使うために必要なしっかりしたテーブルがなかったからである」。しかし、親切な兵士が画板を支え、強い日差しから守ってくれることもあった。一七九九年一月二十七日、一行は湾曲した川岸を曲がり、古代のテーベの全景をはじめて目にした。兵士たちは驚きのあまり歩みを止め、一斉に喚声をあげた。ドゥノンにとっては心残りの種が増すばかりだった。軍隊は停止することができないため、彼は騎兵を伴って神殿や墓地を駆けめぐって、軍隊に追いつかねばならなかった。一行はその他の古代遺跡を通って、南へ十日間で四百キロ進み、二月二日、マムルークが二日前までいたアスワンに着いた。ここでベリアール将軍は日記に、壮大な瀑布《ばくふ》と広大な砂漠を目にして、自然は「止まれ、先へ行くな」と言っているように思ったと記している。アスワン到着二日後、彼らは北に引き返し、五十日間、約九百キロにわたって、マムルークを追ってナイル川を南へ北へと行軍した。

軍隊が古代遺跡のある場所を何度も通ったおかげで、ドゥノンはそれぞれの遺跡について詳しいスケッチを描くことができるようになり、スケッチ帳の重要性はしだいに増した。彼はけっしてそれから目を離さず、寝るときにはそれを枕《まくら》にした。また、壺《つぼ》や彫像、あるいは、王家の谷の墓で発見した女性のミイラの足など、持ち運べる遺物なら何でも収集した。のちにこの足から着想を得て、テオフィル・ゴーチェは一八四〇年、短編小説『ミイラの足』を発表した。これはミイラをテーマにした最初の小説ではなかったが、のちに一連のホラー映画を生むことになるホラー小説の端緒となった。ドゥノンのコレクションの逸品に、テーベで入手したヒエログリフの記されたパピルスの巻物があった。何人かのイスラムの族長の身柄引渡し交渉中、パピルスの巻物を手に握ったミイラが彼のところに運ばれた。彼は感激のあまりわれを忘れるほどだった。「声が出なかった……この宝物をこわさないようにするには、どう扱っていいかわからなかった。この巻物に触れる勇気がなかった。今日まで知られている最古の巻物……そこに記された文字と同様、自分がどのような本を書くのかわからないまま、一瞬、私はエジプトに関する調査報告書の概要を手にしたと思った」

こうしてドゥノンが古代の遺跡や遺物を記録したり収集しているあいだに、フランス軍はマムルークを見つけ、攻撃した。ムーラドの戦術はいつも同じだった。フランス軍より数日前に村に来て、農民たちを煽動して軍隊に入れたり、徴用した。フランス軍が攻撃してくると、ムーラドは農民たちを矢おもてに立たせ、フランス軍が戦闘に気を取られているあいだに、マムルークは砂漠へと姿を消した。農民は何千と殺されたが、フランス軍の犠牲者はいつもマムルークを上回った。マムルークはナイル川沿いの別の場所へ移動し、新たに農民を集めて消耗戦を続行した。フランス軍から見ると、軍隊がなくなるまでこの戦いはつづくように思われた。しかし、マムルークの地方長官のあいだにも対立があり、フランス軍との戦闘の際、自分たちの部下の安全をはかり、ライバルの兵士たちがフランス軍の犠牲になるようにと、すばやい逃げ足を見せた。フランス軍には統制が取れているように見えたが、一七九九年三月中旬、ムーラド軍は分裂しはじめ、なおもフランス軍の追跡がつづいた。いつ再集結して大勢力となるかもしれなかったからである。ドゥゼは何度もマムルークの族長たちと取り引きしようとして軍を混乱させたが、ベリアールはナイル川沿いに追跡をつづけ、見つけしだいマムルークを攻撃した。

三月にも、主任技術者のピエール・ジラールの率いる技術者たちが、ナイル川を調査し、土地の肥沃化《ひよくか》に川を利用する方法を検討するために、カイロからベリアール将軍のもとへ派遣された。二人の技術者、プロスペル・ジョロワとエドゥアール・ド・ヴィリエ・デュ・テラージュは古代遺跡に強烈な印象を受け、できるかぎりたくさん記録したいと考えた。この気持は、五月二十五日、ケーナでヴィヴァン・ドゥノンに会って、デンデラの信じがたいような遺跡のスケッチを見せられ、さらに高まった。ナイル川の対岸のケーナに滞在中、彼らは何度もデンデラを訪れ、平面図や断面図、立体図などを作成し、建築様式と建築法を研究した。画家ではなく技術者として、遺跡を記録する彼らの方法は科学的だった。黄道十二宮の記録はドゥノンのものよりはるかに正確だった。二人が遺跡にばかり関心を寄せていることに不満を持ったジラールはそれを止《や》めさせようとしたが、二人はナイル川に関する研究を仕上げるや、ふたたび遺跡に取り組んだ。彼らの研究の重要性をドゥノンから聞いていたベリアール将軍は、ジラールのためにいろいろ便宜をはかったりもした。この二人の技術者は、デンデラのほか、アスワン近くのフィラエ島、コム・オンボ、エドフ、エスナの神殿や、テーベの神殿と墓を訪れ、数百枚におよぶヒエログリフの複写とともに、建物の平面図などを作成した。ドゥノンと同様、彼らもコンテがカイロで製造した鉛筆が足りなくなって、砲弾を溶かし、鉛をアシの茎の筒に流し込んで鉛筆を調達しなければならなかった。

一七九九年七月十九日、ナポレオンは、上エジプトの古代遺跡の科学的研究と正確な記録のために、数学者のジョゼフ・フーリエとルイ・コスタをリーダーとした二つの学者による委員会をつくった。しかし、八月中旬、ドゥノンがカイロに帰ってきて、その仕事がいかに大変なものであるかを知った。ドゥノンがみずから目にしたものすべてについて話し、スケッチや遺物を見せると、彼らはたいへん驚き、ピラミッドを含め、下エジプトにある数少ない遺跡は、デンデラやテーベの驚くべき遺跡にくらべたら無に等しいことがわかった。まさにドゥノンは、ほとんどすべてを覆っているヒエログリフがいかに重要であるかを明らかにしたのであった。もしヒエログリフが解読できれば、遺跡を解明することができる。しかし、とりあえずできるのはその写しをとることだけだった。学者は委員会の議事録のなかで、これらのヒエログリフのかたちについて述べるだけで、その意味については触れることができなかった。二つの委員会の委員は、八月二十日、カイロを出発し、上エジプトでジョロワとヴィリエ・

デュ・テラージュに合流した。フーリエとコスタはこの二人の技術者の仕事と重複するようなことはしないことにきめ、まだ記録されていないものに目を向けた。その成果たる大量のノート、スケッチ、パピルス、ミイラ、彫像、その他のさまざまな遺物は今後の研究のためにカイロに送られた。

ナポレオンが上エジプトを研究するための委員会をつくったその日に、ヒエログリフを解読する決め手となるもののひとつがロゼッタで発見された。一団の兵士が、フランス軍によってジュリアン要塞《ようさい》と名を改められた、荒れはてたラシッド要塞を補強しているときのことだった。その要塞はロゼッタの北西数キロのところにあった。崩れかけた壁を取りこわしているとき、ドプールという名の兵士が、片面に碑文のある暗緑色の石板を発見した。作業を監督していたピエール・フランソワ・ザビエル・ブシャール中尉《ちゅうい》は、これは何か重要なものにちがいないと考え、上官のミシェル＝アンジュ・ランクルに報告した。ランクルが調べたところ、三つの異なった文字で記された三つの碑文があることがわかった。そのひとつがギリシア語であることは彼にもわかった。もうひとつはヒエログリフで、残りは未知の文字だった。ギリシア語の碑文を訳すと、紀元前二〇四年から一八〇年までエジプトを支配したプトレマイオス五世エピファネスをたたえる、紀元前一九六年三月二十七日という日付けのある、神官の布告であることがわかった。三つの碑文は同一の内容を三つの異なる文字で記したものであって、ヒエログリフ解読の鍵《かぎ》になるものと思われた。

高さ約一・二メートル、重さ四分の三トンもあるこの大きな石はブシャールに託されてカイロに運ばれた。エジプト学士院会員に選ばれたばかりのランクルは会員たちにこう伝えた。「技術者付きの将校、市民ブシャールは、ロゼッタでその調査にたいへん興味が持たれる石碑を発見した」。石碑がカイロに届くや、学者たちはその碑文の正確な複製をつくる方法を検討し、さまざまな拓本や模写、鋳型《いがた》がつくられた。学者たちはヒエログリフ解読の突破口になるものと期待を寄せた。しかし、その期待は早すぎた。ヒエログリフが解読されるまで、二十三年の歳月と涙ぐましい努力が必要だった。学者たちはラシッド要塞で発見された石をロゼッタストーンと呼ぶようになり、やがて世界でもっとも有名な遺物のひとつとなった。

学者たちは自分たちの苦労と研究を償う輝かしい成果をあげ、ドゥゼとベリアールの両将軍はナイル川沿岸の秩序と支配を回復した。しかし、大軍を引き連れたナポレオンの遠征は成功したとは言えなかった。イギリスによるエジプト封鎖の結果、物資や人間の輸送、情報の伝達はきわめて限られ、もっと悪いことに、トルコが公然と反旗をひるがえし、一七九九年二月、シリアからエジプトへ南下する軍隊と海路伝いの軍隊とによる挾撃《きょうげき》作戦が進行中であることをナポレオンは知った。これに対抗するためにナポレオンは、トルコの地上軍が集結する前にこれを粉砕すべくシリアに大軍を向けた。もしこの作戦が成功し、マムルークとアラブ人が軍隊に加わるならば、アレクサンドロス大王の向うを張ってインドまで遠征するという夢はかなえられたかもしれない。しかし、またもや不運なことにシリア出征は失敗し、ナポレオンは、トルコ軍のエジプトへの進軍を止めることができず、ただ遅らせただけで、アクレに退却せざるをえなかった。

六月十四日、カイロに戻ったナポレオンは、あたかも作戦が成功したかのように見せかけたが、フランスからの物資の補給と援軍がないかぎり、やがてエジプトを支配しつづけることができなくなるのはあきらかだった。七月、イギリス海軍に伴われたトルコ艦隊がアブーキール湾（数か月前、ネルソンがフランス艦隊を沈めた場所である）で大軍を上陸させているという情報が伝えられた。アブーキール湾に急進撃したフランス軍はトルコ軍を撃破した。また、イギリスの司令官と捕虜を交換した際、フランスの経済が非常に悪化し、王党派が王政復古を画策し、総裁政府転覆のクーデタがあるかもしれないとナポレオンは耳にした。ナポレオンにとって待ちに待った権力掌握の機会だったが、しかし、パリへの帰還が遅れて間に合わない恐れがあった。

彼は、八月十七日、アレクサンドリアに急行し、五日後、フランスに向けて出航した。同行したのは、ベルティエ、ランヌ、ミュラーの各将軍、少数の警護兵、学者のモンジュとベルトレ、ドゥノン、それに三人のエジプト学士院会員と兵士のみ。いざ出発というときになって、この極秘の出航をかぎつけた詩人のパルスヴァル・グランメゾンは船に飛び乗り、帆柱にしがみついてフランスへの帰国を嘆願した。学者たちの取りなしがなければ、ナポレオンは詩人を船から放り出すところだった。

幸いにも、アブーキールでトルコ軍大敗というニュースが伝わった直後にフランスに到着したおかげで、ナポレオンはエジプト遠征を成功で飾ることができた。一か月にもおよぶ画策のすえ、彼は十一月九日のクーデターの主導権を握り、総裁政府にかわって三人の執政による執政政府が誕生した。ナポレオンは十年任期の第一執政に指名され、のちに、この見せかけの民主政治の仮面をはぎとり、他の二人の執政を追放し、一八〇四年十二月、戴冠式《たいかんしき》を挙行した。

ナポレオンがエジプトを去ると、全権はクレベール将軍に委《ゆだ》ねられた。ナポレオンの出航を知らされなかったクレベール将軍は、ナポレオンが遠征隊を置きざりにしたことに怒りをおぼえた。ナポレオンの指令書（冒頭に「将軍よ、これを読む頃には、余は大海原にいるであろう」と記されていた）を無視して、クレベールはただちにイギリス軍の司令官とエジプトからのフランス軍の撤兵について交渉し、合意が成立し、協定が調印された。一八〇〇年二月四日、約四十人の学者が帰国の準備をはじめた。疫病《えきびょう》の発生で遅れたが、三月二十七日、ロゼッタストーンを含め、すべての収集品とともにアレクサンドリアで乗船し、のちに他の学者たちも合流した。この時点でフランスに向けて出航していたならば、現在、ロゼッタストーンは大英博物館ではなくルーヴル美術館に展示されていたことであろう。協定締結のニュースがイギリスに伝えられたが、フランスの無条件降伏を主張するイギリス政府はこれを認めず、そのため、出航許可は延期された。

一か月というもの、来る日も来る日も故国への帰還を船のなかで待ちわびていたが、すぐには撤兵できないことがわかり、学者たちは下船した。ひどく落胆し、悪条件のエジプトにうんざりしていたが、学者たちはしぶしぶ仕事に戻った。出航できたのはそれから十八か月後のことで、その間、イギリスとの交渉がつづき、それは学者たちの所持品にまで及び、喧嘩腰《けんかごし》の交渉になることもあった。結局、学者たちはすべての記録と大部分の収集品を持ち帰ってよいことになったが、しかし、イギリス側は貴重なロゼッタストーンをはじめ重要なものを没収した。

一七九九年に発見されるや、ロゼッタストーンの三種類の碑文のインクによる拓本はエジプトからパリのフランス学士院の会員を含め、ヨーロッパ中の学者に配布された。降伏文書に従って引き渡された遺物（全部で五十トン）はイギリスに運ばれ、一八〇二年二月、ロゼッタストーンは、アレクサンドリア港でフランス軍から没収されたフリゲート艦、「レジプシェンヌ」に積まれてポーツマスに到着した。ロゼッタストーンはそこからロンドンの古物協会に移され、オックスフォード、ケンブリッジ、エジンバラ、トリニティ・カレッジ、ダブリンの各大学のために石膏《せっこう》模型がつくられ、また、ヨーロッパ中の学術団体に配布するために図版が作成された。図版は、一八〇一年三月から一八〇三年五月までの英仏休戦期間中にパリの国立図書館にも配布された。ロゼッタストーンそのものは最終的に、一八〇二年末、大英博物館に保管されたが、ギリシア語とデモティク文字とヒエログリフのテキストの図版が古物協会から出版されたのは一八一五年のことだった。

ナポレオンが公式の数字を操作したため、エジプト遠征の正確な犠牲者数は不明である。エジプトに遠征した五万人の軍隊のうち、半分以上が命を失い、数千人が失明あるいは負傷した。三年間におよぶ戦いは学者たちにも被害が及び、少なくとも二十五人がエジプトで死亡し（大部分はペストや他の疫病による。戦闘で殺されたり、暗殺された者もいた）、全員がどこかしら病に蝕《むしば》まれていた。病気は兵士にとっても学者にとっても油断のできない脅威で、サングラスのない時代には、ほとんど全員、強い日射や吹きつける砂埃《すなぼこり》が原因の目の病気、眼炎に悩まされていた。最悪の場合、眼炎によって失明することもあった。眼炎にかかったエジプト人の五人に一人が少なくとも片方の目を失明しており、多くの学者たちも目の不調が原因で何週間も、ときには何か月間も満足に仕事ができないことがあった。兵士と学者たちは、不潔な飲料水中のヒルのために喉《のど》や胃や鼻に痛みを感じていた。風土病の赤痢や日射病、チフスなどの熱病も脅威だった。これらの病気や食糧と水の不足もさることながら、もっとも恐れられていたのが、いつ襲ってくるかもしれない腺《せん》ペストだった。この疫病で何人かの学者と数百人の兵士が死んだ。

軍事的には遠征は失敗だった。三年におよぶ戦闘のすえ、フランスは東方帝国を奪うことができず、最終的にエジプトを放棄せざるをえなかった。この戦いで成功したことといえば、エジプトにたいするマムルークの支配力を打破したことだった。オスマン帝国によるエジプト支配が復活し、十年後にはマムルークは一掃された。フランス軍のエジプト遠征後、ナイル川の旅行は安全になり、ヨーロッパ人が訪れるようになった。ナポレオンの政治的野望は挫折《ざせつ》したが、彼は急遽《きゅうきょ》フランスに帰国し、権力を握ることができた。しかし、真の成功は学者たちのものである。記録と収集品を携えての学者たちの帰国はまさに科学の勝利を示すもので、軍事的には遠征が失敗に終っただけに、その勝利は大きかった。フランスとエジプトの特別な結びつきはこのあとも途絶えることはなかった。

一七九九年、ナポレオンに同行したヴィヴァン・ドゥノンはフランスに最初に帰国した学者の一人だった。彼はただちにノートを整理し、スケッチから図版をつくらせ、図版入りの本、『エジプト旅行記』は一八〇二年に出版され、大成功を収めた。十九世紀中に四十版も版を重ね、いくつかの外国語に訳された。なによりもこの大ベストセラーはフランスばかりでなく西ヨーロッパ中で一般の人びとにエジプトへの関心を高め、のちにはこれを真似《まね》て、エジプト旅行記を書く者もあらわれた。

学者たちの研究の公式記録の作成には少しばかり時間がかかった。最初の二人の編《へん》纂者《さんしゃ》（ニコラ・コンテとその後継者のミシェル＝アンジュ・ランクル）は第一巻の出版前に亡《な》くなり、三人目の編纂者、技術者で地理学者のエドム＝フランソワ・ジョマールは仕事の完成に二十年を費し、ジョゼフ・フーリエによるエジプト史に関する序文を含め、全二十巻の『エジプト誌』はパリで一八〇九年から一八二八年にかけて出版された。多くは色刷りの数百点の図版をそなえたこの著作は、ドゥノンの本が一般の人びとに与えたのと同じような大きな衝撃を西ヨーロッパ中の学者に与えた。しかし、大冊で巻数が多かったため非常に高価で、比較的少部数しか出版されなかった。ナポレオンのエジプト遠征から生れたこの本の出版によって、読者はこれまで見たことも聞いたこともない、その存在自体、少数の学者にしか知られていなかった、数千年前の文明の遺物を知ることとなった。ドゥノンの言うように、エジプトは「ヨーロッパの人びとがその名前しか知らなかった国」だった。突如として西ヨーロッパの人びとにとって世界は以前よりはるかに広く、古く、そして、不思議なものになった。それだけでも西ヨーロッパ中にエジプト熱を広めるきっかけとなったが、フランスでこれをさらに煽《あお》ったのがナポレオンだった。彼は、旧体制の様式を借りずに、自分の帝国と宮廷に威厳を与えるための新しいスタイルをつくらねばならないと感じていた。権力を掌握したナポレオンは、エジプトでの軍事的失敗を勝利と言いくるめ、エジプト風の建築や家具や装飾品が大流行した。一八〇六年の法令によってパリにつくられた十五の新しい噴水のうち六つはエジプト様式で、スフィンクスや塔門、ピラミッドが建築装飾としてしばしば使われた。このようなエジプト様式の流行は多くの人びとの関心を呼び、戯曲やオペラにもエジプト風の舞台装置があらわれた。そのもっとも有名な例がモーツァルトの歌劇『魔笛』で、ヨーロッパ各地のオペラ劇場で上演された。

ドゥノンの本の図版は、建築家やデザイナーにアイデアを提供し、とくに家具や室内装飾に大きな影響を与えた。当時、パリはヨーロッパのファッションの中心地だった。セーヴルの磁器工場は、たとえば、ドゥノンの絵から借用したエジプトの風景をあしらったエジプト風食器セットと、フィラエの神殿やルクソールのオベリスク、エドフ神殿の塔門、雄羊の頭をしたスフィンクスなどが描かれた大きなテーブルセンターを製造した。

旧時代のフランス王朝とは一線を画すために、ナポレオンは（ブルボン王朝を連想させる）百合《ゆり》のシンボルを、ヒエログリフから借用した蜂《はち》のシンボルに変えるといったことさえした。当時は知られていなかったが、蜂は下エジプトを意味する絵文字で、菅《すげ》が上エジプトを意味し、エジプト全体を支配するファラオは（菅と蜂なる者）と称《たた》えられていた。ナポレオンが蜂のシンボルを採用したのは、「支配者は甘味に針も混ぜねばならぬ」ゆえに蜂こそエジプトの王権の象徴なり、という古代ローマの文人、アンミアヌス・マルケリヌス（紀元三二五頃―三九五頃）の言葉に拠《よ》ったものであろう。蜂はナポレオンの帝国の紋章となり、他にも星や月桂樹なども使われた。月桂樹の葉はギリシア・ローマ時代、勝利の象徴で、ローマ皇帝は月桂樹の冠を役人を示す印として使った。五角形の星はヒエログリフの⋆と同じ形をしていて、これは「神聖なるもの」を意味すると誤って考えられていた（正しくは「星」を意味する）。それで、ナポレオンの肖像には星と蜂とが描かれたものがあるが、これは「神聖なる王」を意味するものとされた。

ヨーロッパ中に広まったエジプト熱はヒエログリフ解読の意欲をいっそう煽った。後世に残る名誉とできれば富をわがものにせんと、多くの学者はこの絵文字を解く鍵を求めて探索に乗り出し、ながいあいだ激しい対立と非難の応酬を繰り返すこととなったのである。

第二章　生徒

ヒエログリフはジャン＝フランソワ・シャンポリオンによって解読され、彼はフランスの伝説的人物となった。この輝かしい偉業を予言するような幼少時代の不思議な出来事について人びとは語っているが、いまとなってはその幼い頃の生活記録について事実と作り話と誇張とを区別するのはむずかしい。彼の父、ジャック・シャンポリオンは、アルプスの町、グルノーブルの南にあるヴァルボネで本の行商をしていた。ヴァルボネは生活がたいへんきびしい所で、若い男も老人も何か月間も家をあとにして行商人あるいは物乞《ものご》いまでして生計を立てていたほどだった。一七七〇年、ジャックはオーヴェルニュの西のはずれ、フランス南西部のケルシー地方のフィジャックという町に移って、商店街に最初の本屋を開き、宗教書や祈禱書《きとうしょ》、政治関係の本やパンフレット、辞書、新聞、それに医学や農業などに関する実用書の新本や古本を扱っていた。フィジャックはスペインのサンティアゴ・デ・コンポステラ寺院への巡礼ルートのひとつに位置していて、ここでジャックははじめて豊かな暮しというものを知り、二年後、家を買うことができた。一七七三年、町工場を経営していた地方の資産家の娘、ジャンヌ＝フランソワーズ・ガリュと結婚したが、この本屋の女房は、なんと、読み書きができなかった。結婚したとき二人とも三十歳で、七人の子供を儲《もう》け、そのうち二人の息子、ギヨームは生れたときに、ジャン＝バティストは二歳にならずに亡《な》くなった。ジャン＝フランソワは末っ子で、兄（ジャック＝ジョゼフ）と三人の姉（テレーズ、ペトロニーユ、マリー＝ジャンヌ）がいた。

ジャン＝フランソワ・シャンポリオンが生れた年の一月、母親が重病になり、リウマチ痛でほとんど麻痺《まひ》していた。医者はなすすべがなかった。「魔法使い」のジャクーというその地方の治療師が呼ばれ、薬草を使って手当がほどこされるや、病人は元気を取り戻しはじめた。ジャクーはそれを見て、こう予言した。彼女は完全に回復し、八年ぶりの出産ではあるが、何世紀にもわたって名声を博するような息子を産むであろうと。彼女はしだいに回復し、最初の予言は的中するように見えた。第二の予言も的中するかもしれないという期待で町中が湧《わ》いた。

少なくともその町ではシャンポリオンの誕生についてこのような言い伝えがあって、作り話としてしりぞけるのは簡単であるが、予言は別にして、まったく信用できない話ではない。現代の医者がアスピリンを使うようにヒルが使われていた時代には、「魔法使い」の薬草はそれなりに効果があったであろう。また、保健衛生事情が劣悪だった時代に、四十六歳の女性が重病後、一年もしないうちに健康な男の子を出産したというのはたしかに注目すべきことである。ジャン＝フランソワ・シャンポリオンは、一七九〇年十二月二十三日の早朝、一年のうちもっとも暗い季節に、フィジャックの両親の家で生まれた。同じ日に、丘の上にあって中世以来いまでも町を見下しているノートルダム＝デュ＝ピュイ教会で洗礼を受けた。十二歳年上の兄、ジャック＝ジョゼフと叔母のドロテ・ガリュが名づけの父親と母親となった。

シャンポリオンはフランス革命の子であった。彼が生れ育った家は薄暗くて狭いラ・ブドゥケリ通りにあって、約三十メートルほどはなれた狭い広場にはギロチンが据えつけられ、革命の象徴であり、政治集会と式典の目印でもある自由の樹《き》が植えられていた。恐ろしい処刑を見物する群衆の喚声や革命の騒乱などが幼な子の耳に届いたことであろう。特権を与えられ、大部分は課税を免れていた貴族と、重税に苦しみ、ますます抑圧される人民とのあいだの緊張が高まって、一七八九年、シャンポリオンが生れる前年に革命が勃発《ぼっぱつ》した。それにつづく十年間、ブルボン王朝はフランス王位を追われ、国王ルイ十六世と多くの貴族がギロチンで処刑された。カトリック教会は弾圧され、王朝にかわって一連の臨時政府が生れた。

革命のあいだ、人びとは新体制に反対しているという廉《かど》で自分たちの敵を政府に告発し、その多くは現在の革命政府を批判したというだけで処刑された。フィジャックでも、フランスの他の地方と同様、子供が街頭で遊ぶのは危険で、学校は大部分が宗教団体によって運営されていたため、閉鎖された。家に閉じこもっていなければならなかったシャンポリオンは子供時代を奪われたが、ある意味で彼は子供とは言えなかった。多くの才能ある子供と同様、彼は早熟で、大人の仲間入りをするのが好きだった。彼が七歳のとき、ナポレオンはエジプト遠征に出発したが、それまで彼は教育を受けていなかった。母親はふたたび病気になって、彼の面倒を見ることができず、父親は留守がちで、彼の世話をしていたのは兄と姉たちだった。彼には家や本屋に閉じこもって、ひとりで遊ぶ時間がたっぷりあった。五人も子供のいる家族にとって高い建物にぎっしり囲まれた、「ソレイロ」つきの三階建ての家は狭すぎた。「ソレイロ」は、石積みあるいは木の柱で支えられた屋根つきの屋上の物置きで、この地方特有のものだった。家の密集した町では「ソレイロ」は裏庭のような場所で、薪《まき》を貯蔵したり洗濯物を干したり、あるいは野菜を栽培したりするために使われ、子供たちの遊び場でもあった。

シャンポリオンは知能が高かったために、飽きっぽく、狭量《きょうりょう》なところがわざわいして怒りっぽく、いま騒々しく遊んでいたかと思うと、次の瞬間には、物思いに沈んだり、何かに気を取られて熱中したりといった具合だった。短気と癇癪《かんしゃく》はその頃からのもので、そのために生じた面倒なことから身を守る強靭《きょうじん》な性格も彼は身につけていった。好きな動物はライオン (lion) で、自分を「リオン」と呼んだ。たぶんそれはシャンポリオン (Champollion) を発音しやすく縮めたものであろう。のちにパリの学生時代、アラビア語で Assad Saïd al-Mansour (勝利のライオン) と手紙に署名した。

正式の教育は受けなかったが、本に囲まれて彼は読み書きを独習し、ある程度できるようになった。伝説では、これが未知の言葉の解読に寄せる情熱の出発点とされている。絵を模写することもはじめ (シャンポリオンにとって「書くこと」は文字を模写することを意味していた)、これが生涯にわたってつづくことになる画才と絵画への情熱の出発点となった。文字を絵のように、絵を文字のように見ることができる柔軟な能力はこの頃からのものであろう。生涯にわたってつづくもうひとつの習性も幼い頃にあらわれていた。彼はすぐそばに近寄って火に当るところをしばしば目撃されていた。シャンポリオンはナポレオンと同じように、暖かさが好きで、寒いのは嫌いだった。家の炉辺の楣《まぐさ》の上に、木の両側に立つ二頭の跳びはねる犬を描いたものであろう古びた盾が置かれていて、彼の目にはそれがライオンに見えて、自分のシンボルに意を強くした。

シャンポリオンがわずか四歳のとき、十六歳の兄、ジャック゠ジョゼフはフィジャックの市役所に就職した。ジャック゠ジョゼフは革命のために初等教育しか受けていなかったものの勉強熱心で、まもなく新しい法令を記録し、パスポート（国外だけでなくフランス国内を旅行するにも必要だった）を発行する任に就いた。彼は読書家で、のちの弟と同様に古代史に興味を持っていたが、当時の多くの若者と同じように、「無敵の」将軍ナポレオンの活躍に熱狂していた。一七九八年はじめ、ジャック゠ジョゼフは、英雄ナポレオンが遠征軍を組織していることを知り、それに加わろうとした。入隊が許可されず、また、遠征先がエジプトと知って彼は二重に失望した。数か月後の七月、ジャック゠ジョゼフの父親は、従兄弟《いとこ》たちとグルノーブルで共同経営している「シャトル・シャンポリオン・リフ商会」の仕事を彼に斡旋《あっせん》した。その商会は繊維製品を扱っていて、遠くアメリカとも取り引きがあった。ジャック゠ジョゼフはラテン語やギリシア語、古代史の能力を生かして知識を身につけ、暇な時間を見つけては勉学をつづけていた。

シャンポリオンは兄から勉強を教えてもらっていたが、兄がグルノーブルへ行くことなって、愛する兄とも離ればなれになり、勉強は中断した。もうすぐ八歳になるという、一七九八年十一月、フィジャックで再開された小学校に通いはじめたものの、授業になじめず、また、嫌いな課目が多いのが不満だった。ある課目はやさしすぎたし、機械的な教え方は退屈で、なにもかもまったく興味が湧かなかった。算数、とくに暗算が大嫌いで、そのためにいつも叱《しか》られ、また奇妙な文字の書き方も槍玉《やりだま》にあげられた。学校がこのような知能の高い子供特有の欲求にこたえられないように、彼も学校になじめなかった。兄の勧めで彼は小学校をやめ、家庭教師のドン・カルメルの手に委《ゆだ》ねられた。

革命で修道院が閉鎖されるまでベネディクト派の修道士だったドン・カルメルは二年間シャンポリオンを教えた。彼は、フィジャックの町と周辺の田園を散歩しながら、生徒が目にしたり、質問したりするあらゆることについて話し合うといった教え方もした。少年の観察力と判断力を育てるためである。当時、フィジャックは三角形のかたちに中世の城壁で囲まれ、狭い路地には中世以来の石造りの建物がひしめいていた。セレ川の北側のゆるやかな斜面に位置していたため、町を囲む緑の丘は数少ない広場からしか見えなかった。

シャンポリオンは早くも語学の才能をあらわし、ラテン語とギリシア語が上達し、町をめぐる散歩では美術や建築とともに博物学にも興味をおぼえた。しかし、進歩はちぐはぐだった。文字の書き方はいまだに下手で、気分がすぐ変りやすかった。シャンポリオンを教えて一年後、ドン・カルメルはジャック＝ジョゼフにその勉強の進み具合を報告し、こう付け加えた。「学習意欲は大いにあるが、まったく意欲のないときもあって、そんなときは扱いにくい。なんでも学ぼうとする日があるかと思えば、まったく何もしない日もある」。その頃、少年にとって兄だけが敬愛の的だったようだ。ジャック＝ジョゼフは、弟を元気づけたり、命令したり、ときには赦《ゆる》したりしてやる気を引き出そうと努めた。

やがてシャンポリオンは家庭教師の手におえなくなり、ドン・カルメルは、この少年の才能を伸ばすにはグルノーブルにいる教師のほうがいいと助言した。その結果、ジャック＝ジョゼフは弟に手紙を書いて、「もしこちらに来て私といっしょにいたいのなら、ちゃんと勉強しなさい。無知は何の役にも立たない」と注意した。一八〇一年三月、シャンポリオンは兄といっしょに暮すために三百キロ以上もはなれたグルノーブルへ向った。母親とは二度と会えなかった。それほど離れていても、ジャック＝ジョゼフはいちばん影響力のある彼の教育係であり、いまやその全権を握ることとなった。グルノーブルに着いたとき、少年は十歳と三か月で、顔は日に焼けて黒く、黒い髪は縮れ、つりあがった黒い目は鋭敏な知性と激しい気性をうかがわせた。馬車から降り立った少年が目にしたのは富と名声の町だった。フランス南東部の都市、グルノーブルは山間《やまあい》にあって、ジャック＝ジョゼフの勤める商会と住いのある大通りからはすべての通りが見渡せ、また、一年中、雪で覆《おお》われた山が見えた。この小さな町はイゼール川とドラック川が合流する平野に位置し、十七世紀の防壁（いまでは大部分が崩れている）で囲まれていた。二つの川は流れが急で、何度も洪水を引き起こした。シャンポリオンは、生れ故郷のフィジャックよりグルノーブルに親しみと愛着を感じるようになっていった。

グルノーブルのいいところは、つい最近までフランスの多くの都市の歴史を汚《けが》していた残虐《ざんぎゃく》行為や流血の記憶をほとんど持っていないことだった。騒乱のはじまる十年前に国王にフランス議会の召集を認めさせた。この地域の貴族が革命の先頭に立っていたため、他の都市で起ったような過激な行動や市民との対立などを避けることができた。ただ一度、恐怖時代に、罪もない人びとを次つぎと処刑した革命委員会が町にもつくられようとしたとき、平和なグルノーブルは脅威にさらされた。一七九四年七月、恐怖時代の革命政府の指導者、マクシミリアン・ロベスピエールは逮捕され、処刑された。彼の失脚によって、マリー＝ジョゼフ＝ローズ・ド・ボアルネという名の若い貴族の未亡人を含め、パリの牢獄《ろうごく》で処刑を待っていた数百人の生命《いのち》が救われた。同時にグルノーブルの革命委員会の設置も中止となり、パリで起っていたような魔女狩りや殺戮《さつりく》から町は救われた。危機は去り、グルノーブルは商業と学問の中心地となり、ここでシャンポリオンは青年時代を過ごすこととなった。一方、若い未亡人、ボアルネ夫人は再婚し、フランスの未来の皇后、ジョゼフィーヌ・ボナパルトとなった。

ジャック＝ジョゼフは、グルノーブルに来てからしばらく後、名前をシャンポリオンからシャンポリオン＝フィジャックに変えた。これは、弟のジャン＝フランソワと区別するためのもので、また、弟が偉大な人物になるであろうと考えていたことを、示すものだとも解釈されている。それよりも、グルノーブルの従兄弟たちと区別するための改名だったようで、そこにはブルジョワの野心もあらわれていた。一旗あげたいという人びとのあいだでは、出身地の地名を姓につけて威厳のある名前を名のるという習慣があった。革命前、ジャック＝ジョゼフは、貴族的な響きをつけるべく、「シャンポリオン・ド・フィジャック」と改名しようとしたことがあったが、革命後は、貴族と思われるのは危険だった。多くの貴族と同様、ド・ボアルネ夫人は「ド」をはずして「市民ボアルネ」と署名した。ジャン＝フランソワはのちにシャンポリオン＝フィジャックの名で呼ばれることもあったが、彼はこの流行の改名には反発を感じていて、「シャンポリオン・ル・ジューヌ（弟のシャンポリオン）」と署名した。幼い頃から彼は言葉の力と正確な伝達の重要性（下手な字ではあったが）を心得ていて、他の人びとが贈り物や刃物を使いわけるように、のちに彼は言葉、とくに渾名《あだな》を多用するようになった。兄が採用した名前に反発を感じていたことは、すでにこの少年時代、社会にたいして抱いていた態度にあらわれていた。シャンポリオンは、兄のような社会的野心も、また、困ったことに動乱の時代をたくみに乗り切る処世術も持ち合せていなかった。

グルノーブルに来て最初の二十か月間、シャンポリオンははじめ家庭教師から、次いで兄だけから教育を受けた。彼はいぜんとして気分屋で、ジャック＝ジョゼフはドン・カルメルにこう嘆いた。「気分が乗ると無我夢中になって勉強し、そうかと思うと、急に落ちこんでしまって、なにもかも難しく思えて、先に進めなくなる」――以前、ドン・カルメル自身が書いたのとそっくり同じである。ジャック＝ジョゼフは、このような勉強に集中できない性質を叱ったが、それはまたたく間に改善されることとなった。一八〇二年十一月、シャンポリオンはデュセール神父の私立学校に入学した。授業料は高かったが、デュセール神父は非常に評判の高い教師だった。弟を最高の学校に入れるためにジャック＝ジョゼフは大きな犠牲を払ったが、これもひとえにその天才的な語学能力を認め、これを伸ばす機会を与えたかったからである。

デュセールの学校は、当時のフランスの公立学校のひとつ、「中央校」と提携していた。シャンポリオンはデュセール神父から外国語を教わり、他の課目は中央校で学んだ。その語学的才能はめきめきとあらわれ、一年後、ラテン語とギリシア語は十分に熟達したので、ヘブライ語とアラビア語、シリア語、カルデア語などのセム語を学ぶことを許された。これらの言語は、彼が暇な時間にはじめていた研究に役立つようにと選ばれたものだった。わずか十二歳だったが、人類の起源に興味を持っていて、聖書は世界の創造について語る、知られているかぎり最古の歴史的文献であるというところから、彼は、翻訳の誤りに惑わされることなく、原語で読んでみたいと思った。古代民族について作成した年表は兄にもほめられた。ジャック＝ジョゼフは、革命で零落した人たちから捨て値でたくさんの本を買い集め、その大量の蔵書は弟の研究のために大いに役立った。これこそ、シャンポリオンの生涯にわたる研究の出発点だった。

シャンポリオンはグルノーブルが最初から気に入っていた。古代語に没頭できるばかりでなく、中央校でさまざまな勉強ができるのも楽しかった。数学はいぜんとしていちばん嫌いな課目だったが、絵のほうはますます腕をあげ、また、植物学に非常に興味を持つようになった。フィジャックで家庭教師と散策しながら出会うものすべてを教材にしたように、植物を調べ、採集するために周辺の山に足をのばすこともあった。グルノーブルに来たばかりの頃、新任の知事に会って話をするという信じられないような機会にめぐまれたことがあった。その知事とは、ナポレオンのエジプト遠征に加わったもっとも著名な学者の一人で、カイロのエジプト学士院の責任者であった、ジャン＝バティスト＝ジョゼフ・フーリエである。遠征前にも彼は科学者および数学者として知られ、三十三歳で帰国後、『エジプト誌』に歴史に関する序文を執筆することになっていた。エジプトから帰国数か月後の一八〇二年はじめ、イゼール県の知事としてグルノーブルに赴任したフーリエはちょっとした名士だった。

エジプトに渡った学者たちは自分たちを「エジプト人」と呼び、エジプトに関連のあるものすべてに興味を抱いていた。フーリエもその例外ではなく、『エジプト誌』に関わる仕事のほかに、彼は知事としての仕事が許すかぎり、古代エジプトのさまざまな問題、とくに黄道十二宮の研究に没頭していた。知事としての仕事のひとつに、公立学校を視察するという仕事があった。訪れたある学校で、ジャン＝フランソワ・シャンポリオンという生徒がエジプトにたいへん関心を持っていることを知り、遺物のコレクションを見せるためにその生徒を招いた。県庁に招かれ、有名な科学者の

「エジプト人」、グルノーブルでもっとも権力のある人物、フーリエの前に立った十一歳の少年は、緊張のあまり話すことができず、フーリエから質問されても答えることができなかった。知事がエジプトについて話し、遺物を見せると、ようやく少年は落ち着きをとりもどした。石やパピルスの断片に記されたヒエログリフ、解読されていない碑文をその目で見たシャンポリオンは、この古代の文字を研究して解読したいと思っていること、そして、かならずそれに成功してみせます、と言って部屋を出た。これが意気さかんな若者の予感なのか、あるいは、単なる法螺《ほら》にすぎないとしても、その後、シャンポリオンとフーリエは、フーリエが亡《な》くなる一八三〇年までたがいに影響を与えあい、最後には、パリのペール・ラシェーズ墓地で隣り合せに並ぶこととなる。

フーリエがグルノーブルで発見したように、エジプトはいまだにフランス中で大きな話題となっていた。というのも、ナポレオンのエジプト遠征は大成功だったと政府が宣伝していたからだった。エジプト熱が広まり、『エジプト誌』の編纂《へんさん》と刊行のための万全の支援がなされた。学者たちはこの記念すべき出版のためにパリで自分たちのノートを調べ、一方、グルノーブルでフーリエはその序文に取りかかっていた。そして、シャンポリオンはデュセール神父の個人授業と公立の中央校での授業を受け、毎日が楽しく、気まぐれもなくなった。しかし、あいにく公立学校制度が大改革されることになって、ふたたび学業に専念できるようになるまでしばらく時間を要した。最後の革命政府である総裁政府が一七九九年、エジプトから帰国したナポレオンによって廃止され、それに代って三人の執政による執政政府がつくられ、その第一執政となったナポレオンが事実上の独裁者だった。数年間、彼は、フランスの教育制度の改革に関心を寄せ、一八〇二年の法律によってフランス中に四十五の「リセ（国立高等中学校）」がつくられ、それぞれのリセの百八十名の生徒の寮費は国費でまかなわれた。リセは、政府によってカリキュラムや制服、軍事教練などが定められた、エリートのための男子学校だった。すべての学校が同じ教科書を使用するようにと、図書館の五百二十六冊の本も政府によって指定されていた。そのうち五十六冊はフランス文学、百四十二冊はギリシア、ローマの古典で、授業課目は、ラテン語とギリシア語、数学のほか、博物学、化学、絵画、地理学などで構成されていた。哲学は、再興されたカトリック教会に譲歩して授業課目から外され、歴史は論争の多い課目と見なされて、ほとんど時間が与えられなかった。

リセは全寮制の学校で、生徒は全員、制服と二つの尖《とが》りがある帽子を着用した。制服ははじめ紺色だったが、フランスの植民地から輸入していた染料がフランスの敵国による海上封鎖で入手困難になったため、灰色に変更された。生徒は軍隊なみの規律を強制され、歩兵連隊にならって各部隊と各階級に分けられ、朝の五時半から夜の九時まで、一日の日課の時間割は軍隊の太鼓の連打で告げられた。グルノーブルでは、リセは一八〇四年、以前の中央校を引き継いで設立された。その年のはじめ、シャンポリオンは試験に合格して、リセへの入学を許可され、寮費を免除されたが、しかし、「監獄」と呼んでいた、この新しい学校にあまり期待していなかった。

ヨーロッパ大陸に安定したというよりむしろ不安定で静かな平和がつづいていたが、オーストリアやロシアなど、フランス帝国に近接した大国は時機をうかがっていた。一八〇三年五月、イギリスとフランスはふたたび敵対した。翌年末にはナポレオンは権力の絶頂にあって、一八〇四年十二月二日、皇帝として戴冠《たいかん》し、妻のジョゼフィーヌは皇后となった。同じ頃、もうすぐ十四歳になるシャンポリオンは意気消沈していた。リセに入学してまだ二週間だというのに、本気で退学を考えていた。リセにおける必要以上に強制的で時間を空費するだけの軍隊的なやり方に不平不満をつのらせ、自分の思うとおりに勉強する自由を得たいと思っていた。以前の学校の友人たちと別れ、なによりも兄とは離れればなれだった。

シャンポリオンは約二年半のあいだリセの寮で生活したが、その間、ほとんど毎日のように兄に手紙を書いていた。これらの手紙から当時の彼の生活や考えや感情を詳細に知ることができるが、ほとんどの手紙には日付がなく、そのことにジャック＝ジョゼフも触れている。「弟よ、君が書いた手紙を受け取ったが、いつのものかわからない。いつものように日付がないから」と。ジャック＝ジョゼフはシャンポリオンがいつも注意を怠って大急ぎで手紙を書く癖に腹を立て、こう注意した。「言語的観点から、もっと注意して手紙を書いてほしいと思う。何を言いたいのかわからないこともしばしばで、これは非常によくないことだ。というのは、下手な文章しか書けなくなってしまうからだ」。シャンポリオンが公《おおや》けに発表した文章ははじめから水準の高いものだったが、意味のよくわからない走り書きのような手紙を卒業するには数年かかった。

逃げ出すのはむずかしいと諦《あきら》めたシャンポリオンは、他の学校に移りたいと何度も兄に手紙を書いた。兄がそれに反対なのは知っていた。「リセからぼくを救出できないものでしょうか。お兄さんを困らせないようにいままで努力してきましたが、もう我慢も限界です。こんなふうに押し込められて生活するのに耐えられません。ここに長いことといたら、ぼくは死んでしまうでしょう」。全寮制学校の生徒の多くが感じているように、新しい学校にとまどい、はじめて家をはなれて暮すことのストレスに苦しんでいたのはまちがいない。シャンポリオンはリセの制度に重大な疑問を感じていたのである。

やさしすぎて退屈な課目もあれば、数学のように難しすぎて興味の湧《わ》かない課目もあったが、厳格にカリキュラムを押しつけられて、シャンポリオンは、熱中と意気消沈とが目紛《めまぐる》しく交錯するという、小学校時代の悪い癖に戻ってしまった。勉強に意欲を見せている場合ですら、その自立心と本気が教師の反発を買い、怠け者で傲慢《ごうまん》、反抗的と烙印《らくいん》を押された。リセを管理している教師陣との軋轢《あつれき》のほかにも問題があった。彼が受け取る奨学金だけでは出費の四分の三もまかなえず、四分の一は兄から出してもらっていたが、兄にもそれほどの余裕はなかった。シャンポリオンの財布はいつも空っぽで、それに引きかえ友人たちの多くは裕福な家の子弟で、小遣いに困らなかったため、そのことをいっそう身にしみて感じていた。彼には、靴や服、そしてなにより本を買う金がなかった。金欠病について当時の兄あての手紙に繰り返し記されているが、それは生涯にわたってつづくこととなる。

なんとか我慢して授業を受けることよりつらかったのは、暇な時間に自分の研究をすることを禁止されていたことだった。ヘブライ語やアラビア語など、授業課目外の本は隠しておいて、夜の見回りが終ってからこっそり読んだ。毎晩のこの内緒の研究は、体力だけでなく、目を、とくに左目を損ねた。部屋に射《さ》し込む近くの街灯の明りで本を読むために、左側を下にしてベッドに横になっていたからだった。シャンポリオンはたえず自己憐憫《れんびん》に胸を引き裂かれ、みじめな状態から逃れるために自分自身の研究に楽しみを求めた。「ぼくの大好きな東洋の言語を研究できるのは一日に一回だけです……ギリシア語、ヘブライ語とその方言、アラビア語、そこにこそぼくが夢中で学びたいものがある」。兄あての手紙にはほしい本の注文が書き散らされているが、それを見ると彼が年齢不相応の高い学識を持っていたことがわかる。「その他の本をお忘れなく。それからルドルフの辞書とエチオピア語文法書も。他の勉強のさしさわりになるようなことはありません」。「お兄さん、ホメロスを送ってください。遅くとも今晩、送ってくれたら本当にうれしい。とってもほしいのです」

手紙で無愛想な頼み方をしているときでも、彼は兄にたいする愛情と感謝の気持をしばしば記している。「ぼくにたいするお兄さんの優しい思いやりと親のような心遣いをぼくが一瞬でも忘れるとは思っていないでしょうね」。のちに彼はその優しい思いやりにたいして、苦境に立たされた兄を懸命に支え、兄の子供たちを教えるなどして報いた。シャンポリオンは、兄が自分の要求すべてに応ずる余裕のないこと、そして、両親はそれよりさらに金に困っていたこともよく知っていた。援助を申し出た父親にたいして、状況を十分承知のシャンポリオンは、言葉たくみにこれを断っている。「必要なものはありません。親切なお申し出に感謝します。お兄さんが必要なものはすべて用意してくれます。お兄さんへ感謝の気持をお伝えください。弟を思うお兄さんの気持を十分に生かして、お兄さんがけっして恩知らずの人間を助けているのではないことを証明したいと思います」

リセでの長い冬のような数か月と、兄と過ごすことのできる自由と太陽の数週間の休暇とが何度かめぐるうちに、十代の月日は過ぎ、シャンポリオンはしだいにあらゆる面での自由、とくに思想の自由を求めるようになった。英雄崇拝にも近いような愛着と尊敬の念を兄に感じ、また、リセこそ兄が自分に与えてくれることのできる最良の教育であることを知っていたので、兄の支援にたいする感謝の気持から退学は断念した。リセが嫌いで、いやな思いばかりしてはいたが、落第生というわけではなかった。多くの級友に人気があり、リセの寮生たちがつくった研究クラブのリーダーにもなった。級長に選ばれたこともたびたびで、監督生に似たこの地位は十五日ごとに交代された。嫌いな課目が多かったにもかかわらず、彼の成績は学校で一番だった。

リセで自分自身の研究ができないことがシャンポリオンにはいちばんつらかった。一八〇四年の夏休みのあいだ、彼は「最初の愚論」とのちに呼ぶ、「ヘブライ語の語源から見た巨人伝説考」という論文を書いていた。ギリシア神話に登場する名前の語源を分析し、勉強していた東洋の言語にまで遡《さかのぼ》って調べた。間違いも少なくなく、たいした成果はあがらなかったが、その方法に惹《ひ》かれ、古代について研究する最善の方法は言語であると考えた。エジプト語は数年間ほど勉強したが、シャンポリオンはまだヒエログリフには関心を持っていなかった。彼の関心はいぜんとして人類の年代学と起源に向いていた。この目的のために彼は同級生にはおよびもつかないほどたくさんの本を読んだ。しかし、人類のもっとも初期の記録（聖書よりも古い）の記された解読されていない未知の文献を、コプト語（エジプトのキリスト教徒が使っていた）やヒエログリフなどによって調べたほうがいいかもしれない、そして、千年以上ものあいだ学者が手をこまねいてきたヒエログリフもその秘密が解明されるにちがいない、と考えはじめていた。

十五、六世紀に多くの古代ギリシア語とラテン語の文献が発見され、出版され（もっとも初期に印刷された本に含まれる）、ルネサンス世界にギリシアとローマの歴史家によるヒエログリフに関する記述が伝えられた。これらの古代の著者たちはヒエログリフを理解できず、その文字（大部分は動植物や人工物から成り立っていた）は象徴的あるいは寓意《ぐうい》的な意味を持つという誤った見方が広められていた。一四一九年、ホラポロンという人物によって四、五世紀に書かれた『ヒエログリフィカ』というギリシア語の写本がイタリアに持ってこられた。百八十九の断章はいずれもある特殊なヒエログリフについて述べていて、著者はヒエログリフについてある程度正しい知識を持っていたにもかかわらず、多くの文字について空想たくましい寓意的な解釈を与え、実際には存在しない絵文字まで考案している。その写本の複製が大量につくられ、フィレンツェで発行され、一五〇五年、はじめて活版印刷によって出版された。十七世紀には各国で多くの版が出版され、『ヒエログリフィカ』は、イタリア・ルネサンスの芸術家や知識人にとどまらず、広くヒエログリフにたいする関心を喚起した。文字どおりすべてのものが、夢や風景、彗星《すいせい》までもが解釈可能なシンボルとして分析されていた時代に、ヒエログリフは真の知識の鍵《かぎ》と見なされていたのである。古代エジプトの宗教はキリスト教を予言するものであり、ヒエログリフは単なる言葉にはあらわれない、知識のない者に隠された聖なる真理を伝えるシンボルであると信じられていた。

その後三世紀以上にわたって、ヒエログリフは、記された単語の示す情報ではなく象徴的な意味を持っている、という見方がその解読を誤らせることとなった。それに輪を掛けたのが、エジプト人は聖なる寓意的文字と通俗文字を使ったという古代の著述家の説である。ギリシアの歴史家ヘロドトスは、「ヒエラ（聖なる）」と「デモティカ（通常の）」という言い方をしている。初期の頃の学者には知られていなかったが、単純化された筆記体文字は、日常的なことをエジプト語で速く書くためにヒエログリフから生れたものであった。ヒエラティクはもっとも初期の筆記体文字で、エジプト史の大部分の時期に使用された。エジプト語が時代とともに変化するにしたがい、ヒエラティク文字も変化し、紀元前六五〇年頃、言葉も文字も大きく変わり、今日ではともに「デモティク」と呼ばれている。デモティクは読むのが難しく、ヒエラティクおよびヒエログリフから変化したものとは思われないほどであるが、ロゼッタストーンなどの遺跡の碑文に使われていたのはこのデモティクである。デモティクとともにヒエログリフも使われつづけ、ローマ時代になると、ギリシア文字とデモティクのアルファベットからなるコプト文字として知られる新しい文字が、ゆるやかに変化するエジプト語を書くために使用された。七世紀にアラビア語がエジプトにはいってきたが、キリスト教徒はエジプト（コプト）語を使いつづけた。「コプト」とは「エジプト人」という意味である。シャンポリオンが最初に興味を持ったのは、このコプト語であった。各言語の関係をまとめると次のようになる。

文字	話し言葉
ヒエログリフ（正式の文字） ヒエラティク（筆記体）	古代エジプト語
デモティク（紀元前六五〇年以後、デモティクのみに使われる）	デモティク（古代エジプト語から発展）
コプト文字（紀元二五〇年以後、コプト語のみに使われる）	コプト語（デモティクから発展）

ヒエログリフは、今日、書物や記念碑に見られるような、印刷された公式文書と同

じものと考えられ、一方、ヒエラティクはカッパープレート書体（訳注 細太の線の対照の著しい曲線的な書体）に相当する。ヒエラティクをカッパープレート書体とすれば、デモティクは普通の手書き文字で、ヒエログリフやヒエラティクの整った美しい書体に比較すると、なぐり書きのように見える。コプト語はデモティクから発展したにもかかわらず、コプト文字は、ヒエログリフやヒエラティク、デモティクとはまったく異なり、ギリシア文字といくつかのデモティク文字から成り立っていて、はじめて母音が記されている。

一五〇五年にはじめて『ヒエログリフィカ』が出版されると、ヒエログリフの研究がイタリアで盛んになったが、しかし、いずれもそれまでの誤った見解を引き継いでいた。ヒエログリフ研究にとりつかれたピエリオ・ヴァレリアーノは、その膨大な研究成果を、同じく『ヒエログリフィカ』と名づけた全五十八巻の本にまとめた。ヴァレリアーノの死後、一五五八年に出版されたこの本では、ヒエログリフは、異教の神々、体の部分、植物といった項目に分類され、それぞれの絵文字が持つと考えられる宗教的および哲学的意味が論じられている。この本は、それ以前のものより正確というわけではなかったが、二百年近くにわたってこの問題に関する権威ある書と見なされ、多くの版を重ね、イタリア語やドイツ語、フランス語に訳された。シンボルとしてのヒエログリフについての研究が熱心につづけられたが、後の時代になってつづくられたヒエログリフと本来のエジプト語のヒエログリフとを区別する研究はほとんどなされなかった。

十七世紀になって、ヒエログリフ解読の最初の実質的な研究がアタナシウス・キルヒャーによってはじめられた。彼は三十年戦争でドイツからローマに逃れた有能な東洋学者で、コプト語の研究者として、エジプトから持ち帰られたばかりのコプト語の語彙《ごい》と文法の記された手稿に関する研究書の出版に携わっていた。当時もキリスト教徒のエジプト人が典礼の際に使っていたコプト語は、古代のファラオ時代のエジプト語と同じものであり、したがってコプト語の知識はヒエログリフ解読に不可欠であるというキルヒャーの推定は正しかった。彼はローマにあった本物のエジプトの遺物によって本物のヒエログリフを研究した最初の学者だった。しかし、ヒエログリフを文字ではなく意味深長なシンボルと見なす立場に立っていたため、彼の解釈はまったく見当はずれだった。コプト語を研究する学者が増えたことが、彼の研究の大きな成果のひとつと言っていい。

エジプトをすべての知恵の源と見る、キルヒャーやその他の学者の考え方はしだいに疑問視され、旅行者はエジプトを神秘の土地とは考えなくなっていた。一七四一年、ウィリアム・ウォーバートンは『モーセの神聖なる使節』という本を出版した。ヒエログリフについても詳しく触れているこの本は三年後にフランス語に翻訳された。ヒエログリフそのものを研究したわけではないが、このイギリス人主教が解読法について述べていることはほぼ正しく、その通り行われていたならば、はるかに早く解読されていたことであろう。今日ヒエラティクと呼ばれているものはヒエログリフに起源をもつとさえ彼は推論した。ルネサンスの思想家とは対照的に、彼は、ヒエログリフは、「自分たちの知識を民衆から隠し、秘密にするために」古代エジプト人によって発明されたものではないと、学者たちの意表を突くような、しかし正しいことを言っている。キルヒャーの神秘的な見方にたいする厳しい反論によって、ウォーバートンはヒエログリフを科学的に分析する新しい時代を開いた。

それから約二十年後、パリ勲章受章者のジャン＝ジャック・バルテルミ神父は、ヒエログリフの碑文にしばしば見られる、端に線のある長円形の輪（いまではカルトゥーシュと呼ばれる）のなかには、王や神々の名前が記されているとはじめて指摘した。数年後、この見解をさらに発展させたのが、パリのコレージュ・ド・フランスのシリア語教授、ジョゼフ・ド・ギーニュである。中国語を研究していたド・ギーニュは、カルトゥーシュは中国語で人名を示すために使われていることから、エジプトの碑文でも王の名前を示すために使われていたと考えた。ところが、このような符合から、彼は、かつて中国はエジプトの植民地であって、エジプト語がギリシア語によってしだいに変化する一方で、中国語は本来の変化を受けないエジプト語をとどめているという奇妙な考えにとりつかれてしまった。そして、中国語とコプト語はヒエログリフ解読のきめ手であると主張した。このような見方が広まったため、解読をめざす多くの人びとを誤った方向に向けた。エジプトのヒエログリフと中国語との関連は証明されていなかったので、シャンポリオンが利用できたヒエログリフ関係の書物はさまざまな理論を扱っていた。

新しい、もっとも重要な文献として、デンマークの学者でコプト語の専門家、ヨーアン・ゾエガのものがあった。一七八三年、彼はローマに移り住んで、オベリスクの研究を行い、ヒエログリフについて重要な意見を発表し、先人たちの多くの誤りを批判した。彼ははじめて全部で九百五十八のヒエログリフの構成要素を集め、それらをまだまったく知られていない意味によってではなく、植物や道具、哺乳《ほにゆう》動物の体の一部といったように、描かれているものにしたがって分類した。たとえば 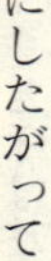 は人間のさまざまな姿を、 はさまざまな鳥をあらわしている。また、彼は、碑文を読む方向は、絵が顔を向けている方向できまるという重要な意見を述べている。たとえば、「生き、栄え、健康であるように」という意味のヒエログリフ

」は、左から右へ読む。絵文字が左を向いているからである。この同じ文章は、「」と書くこともできる。意味は同じであるが、絵文字は右を向いているので、右から左へ読む。ヒエログリフは常に文章の最初の方向を「見ている」。また、たて書きのヒエログリフは常に上から下へ読む。ゾエガ自身はヒエログリフの解読には取り組まなかったが、カルトゥーシュには人名あるいは宗教的慣用句が記されていると繰り返し述べ、それにもとづいて後の学者たちはロゼッタストーンをめぐってヒエログリフのそのような点を研究することとなる。

ナポレオンのエジプト遠征に加わった学者たちの研究が知れ渡り、一七九九年にロゼッタストーンが発見されるまで、ヒエログリフ解読の試みは足踏み状態にあった。ナポレオンの軍隊がエジプトの奥地に進撃し、学者たちがそのあとをたどって行き、はじめて大量のヒエログリフが発見された。その大部分はエジプトの外では見ることができないものであることがわかった。そして、学者たちは、ヨーロッパにあるわずかな遺物に記された碑文からヒエログリフを解読しようという、これまでの試みがいかに空《むな》しいものであったかに気づいた。ロゼッタストーンには、三つの碑文が刻まれているが、言語としては二か国語からなっている。ギリシア語は大文字で、エジプト語はヒエログリフ（残念なことにこの部分の損傷がいちばん大きい）で記され、第三

の碑文はデモティクで記された後代のエジプト語である。学者たちがエジプトから持ち帰ったロゼッタストーンの写しと鋳型《いがた》はすでにパリで研究されはじめ、ギリシア語の碑文は翻訳されていた。ロゼッタストーンに記された碑文の内容そのものはとくに重要なものでも、興味を惹くものでもなく、紀元前一九六年、マケドニアのギリシア人である王、プトレマイオス五世エピファネスを讃美《さんび》する神官の言葉を記したものにすぎない。長々しい讃美の言葉からなる碑文はこうはじまる。「エジプトをつくり、神々を敬い、敵を破り、人びとに豊かな生活をつくりあげた、偉大なる栄光の国王たる父から王権を継いだ、若き三十年祭の王の御代《みよ》に……」。こんな調子でさらにつづく。この碑文の重要性は、同じ内容がヒエログリフとデモティクとギリシア語で記されていると思われるところにあって、これがデモティクとヒエログリフを解読する手がかりとなった。

一八〇二年、シャンポリオンはまだ十一歳で、グルノーブルのリセに入学する以前の頃であるが、パリにいた東洋学者のシルヴェストル・ド・サシはロゼッタストーンの研究を決意した。彼はデモティク文字のなかにギリシア語テキストに出てくる固有名詞を探し求めたが、「プトレマイオス」と「アレクサンドロス」という名があるらしい場所を確認することすらできなかった。手に負えないことがわかったサシは、彼の教え子で、以前、コンスタンチノープルで外交官として働いていたスウェーデンの語学者、ヨーナス・ダヴィド・オーケルブラドにロゼッタストーンの写しを渡した。言語学の研究者だったオーケルブラドは、なんと二か月でギリシア語テキストにあるすべての固有名詞をデモティク・テキストのなかに確認することに成功したのである。そして、それらは、アルファベットと同じように一文字が一音を示す、表音文字のアルファベットで記されていることを示した。こうしてプトレマイオス、クレオパトラ、アレクサンドロス、ベレニケ、アルシノエ、アレクサンドリアなどの名はデモティクで読むことができるようになった。コプト語の知識をデモティクに応用してオーケルブラドは、「神殿」、「エジプト人」、「ギリシア人」などの言葉も確認した。また、いくつかの言葉はコプト語とデモティクでほとんど同一であって、このことはコプト語は古代エジプト語が生き残ったものであることを示すと述べ、二十九のデモティクのアルファベット文字を取り出した。しかし、のちにその半数は誤りであるとされた。その研究成果は、シルヴェストル・ド・サシへの長文の手紙として発表され、一八〇二年に出版された。ド・サシは返書でオーケルブラドの発見のいくつかを批判しているが、最後は元気づける言葉でこう結んだ。「光栄にもあなたが私にあてた手紙を出版される際には、この返書も入れてくだされればたいへん嬉《うれ》しい。あなたの研究を最初に賞讃したという名誉が私のものになるからです」

オーケルブラドとド・サシは、ギリシア文字と同様、デモティク文字もすべてアルファベットと考えていたため、デモティクのテキストをそれ以上解明することができなかった。数詞に関するあまり重要ではない研究のほかには、ヒエログリフを研究するところまでも行かなかった。いぜんとしてだれもヒエログリフを一語たりとも読むことができなかったが、スウェーデンの東洋学者で外交官のニルス・グスタフ・パリン伯爵《はくしゃく》は、碑文の不完全な写しを使ってロゼッタストーンに記されたヒエログリフの解読に挑んだ。彼は、オーケルブラドが研究中の頃、この問題に関するいくつかの論文を発表したが、彼の理論は、中国はエジプトの植民地だったというド・ギーニュの考え方と同様、奇妙なものだった。中国語とエジプトのヒエログリフは起源も意味も同一であると考えたパリンはこう述べている。「ダビデの詩編を中国語に訳し、それを中国語の古代文字で書きあらわせば、ミイラの持っていたエジプトのパピルス写本と同じものを復元できる」と。彼はのちにローマで、エジプトの遺物の高価なコレクションを強盗から守ろうとして殺害されるという、悲劇的な最期《さいご》を迎えた。

十九世紀のはじめ、多くの人びとがヒエログリフ解読という難問に取り組んだが、実質的な進歩はなかった。それはスタートラインもなく、だれが競争相手なのかもわからない非公認の競争となっていた。ド・サシやオーケルブラドは、競争が本格的にはじまる前に脱落した。ヒエログリフは巷間《こうかん》の話題となり、「無教養の物好きや変人が駄弁詭弁《きべん》を弄《ろう》した」。ロゼッタストーンに寄せられた期待は裏切られ、はじめは強かった関心も薄れていった。それが発見されたとき、学者たちは、数週間もすればその秘密は解かれるものと考えていたが、そうはならなかった。すぐに解明されそうにはなかったが、学者たちは、ロゼッタストーンこそヒエログリフ解明の唯一《ゆいいつ》の手段であるかのように、これをめぐる議論をつづけた。ジャック゠ジョゼフもこれを研究し、一八〇四年夏、グルノーブルのアカデミーにギリシア語の碑文に関する論文を提出することとなる。

いとこの会社で働きながら、ジャック゠ジョゼフはできるかぎり独学で勉強をつづけていた。さらに蔵書を増やし、グルノーブルの教養ある資産家たちとの交流を深めていた。彼はいまや一人前の言語学者で、古代史一般にも強い関心を寄せていた。グルノーブル時代、二人の兄弟はほぼ同じような関心を持っていたのである。市内の古い建物について研究したジャック゠ジョゼフは有能な古物研究家として知られるようになり、ナポレオンのエジプト遠征に参加した学者の一人で、歴史のさまざまな面に強い関心を寄せていたジョゼフ・フーリエの目にとまった。グルノーブルで建築工事中に、グラチアノポリスと呼ばれるローマ都市跡から、ラテン語による古代の碑文が発見されたことがあった。イゼール県の知事であるフーリエは、その碑文の記録係にジャック゠ジョゼフを任命した。その後まもなく、一八〇三年末、ジャック゠ジョゼフはアカデミー・デルフィナールの会員となった。フランス中のすべての学術団体と同様、このアカデミーも革命で閉鎖されたが、一七九五年、「グルノーブル芸術・科学アカデミー」いう名称で再開され、のちに以前の名前に戻った。アカデミーはその地方でもっとも権威ある学術団体で、フランス内外で高く評価されていた。わずか二十五歳で、大学教育も受けず、グルノーブルに来てわずか五年にすぎないジャック゠ジョゼフ・シャンポリオン゠フィジャックが会員になったことは、その能力と熱意の賜物《たまもの》だった。こうしてアカデミーの会員となり、フーリエの知遇を得ることによって、ジャック゠ジョゼフは学者としての評価と社会的地位をともに高めることができた。

フーリエと交際するようになったジャック゠ジョゼフは、フーリエが執筆中の詳細にわたる序文のための研究調査を手伝い、エジプト遠征の記録、『エジプト誌』の出版の仕事に深く関わるようになった。シャンポリオンもそのためにさまざまな報告書を作成したが、フーリエははじめそのことに気づいていないようだった。一八〇四年以前から二人の兄弟は古代エジプトの研究に没頭していて、その年、ジャック゠ジョゼフはアカデミーの副事務長に選ばれ、二年後、事務長となり、その後十年間、何度も再選された。彼は、一八〇六年、フーリエあての公開書簡、『デンデラ神殿のギリシア語碑文に関する手紙』というエジプトに関する論文を発表した。

シャンポリオン自身は古代エジプトのすべてに関心を寄せていたが、それ以前の学者の研究を読んだ結果、コプト語は古代エジプト語とまちがいなく関連があると確信し、当面の目標はコプト語を学ぶことだと考えた。しかし、それは規律のやかましいリセでは容易なことではなかった。一八〇五年、彼は、グルノーブルに来ていた、以前コプト派のキリスト教修道士だった、ドン・ラファエル・ド・モナシスという人物に会った。彼は、エジプト遠征隊とともに帰国し、ナポレオンからパリの東洋語学校のアラビア語教師に任命されていた。グルノーブル滞在中、彼はシャンポリオンにコプト語を教え、数か月後、コプト語文法書など、たくさんの本を携えて戻ってきた。いまやシャンポリオンはライフワークをエジプトに定め、この国に忠誠を誓った。

「ぼくはこの古代の国を時間をかけて徹底的に研究したい……ぼくが熱烈に愛する国民のなかで、エジプト人にかなうものはないと誓う」

この時点では、ライバルたちがヒエログリフ解読に懸命に取り組んでいるとはまったく知らず、学校の教師や仲間たちに較《くら》べ、ライバルたちのことはほとんど考えたこともなかった。彼にはジョアンニ・ワンジュイという親友がいたが、シャンポリオンを嫌う教師の一人ができるだけ二人を近づけまいとしなかったなら、その名前すら伝わらなかったことであろう。彼は兄あての手紙で怒りもあらわに、教師たちのひどい仕打について激しい口調で語った。

友人は彼らの忠告を無視した。彼はいつもぼくの心のなぐさめだった。怪物たちは彼を目の敵にして、ぼくとちがうクラスに替えたばかりだ。すれちがいに目を合せるしかないだろう……ぼくの頭はもうぼく自身のものではない――ぼくは怒りではちきれそうだ。いつこの苦しみは終るのだろうか……このリセでだれか不満と不幸を感じている者がいるとしたら、それはぼくだ！　やつらはぼくの首を引っこ抜いてしまうだろう。

この二人の若者のあいだに同性愛的な関係があったと指摘する者もいる。兄あての怒りに満ちた手紙にシャンポリオンは、教師がワンジュイに彼と付き合ってはいけない、きみは「堕落」していると注意したと書いている。しかし、それよりむしろ、有能すぎるシャンポリオンを扱いにくいと考えた、あまり有能ではない教師が、彼の影響力をできるかぎり抑えようとしたということではなかろうか。兄あての手紙には、ワンジュイと引き離されたことのほかに、教師にたいする不平不満も記されていた。シャンポリオンは、石頭の偽善者と呼ぶある教師がジャック＝ジョゼフの悪口を言っていると知らせた。親友もつくるが敵もつくってしまうという、後に顕著になるシャンポリオンの習癖がはやくもあらわれていた。融通のなさと単刀直入の毀誉褒貶《きよほうへん》のため、そのつもりはないのに反感を招いてしまうのである。

二人が引き離されて数か月後、ワンジュイは病気になり、家で療養するためにリセを去った。学校の報告書では健康優良とされていたが、シャンポリオンも体調を崩していた。兄あての手紙には、薄暗い光で本を読みすぎたために目が悪くなり、睡眠不足で疲れるといったことのほかに、体の不調やさまざまな症状が記されていた。それらがどれほど深刻なものだったか推定しがたいが、それらの苦情はリセから解放されたいという気持と結びついていて、多少の誇張はあったようだ。兄あての別の手紙には、自分の態度や熱心に勉強していないことにたいする弁解とともに、兄にたいする感謝の言葉が記されていた。リセ在学中、彼の心は混乱していた。自分を最良の学校に入れ、個人的な研究を援助するために、兄がいかに多くの犠牲を払っていたかをよく知っていた。そして、このことが、自分は最善を尽さねばならないという圧力になった。しかし、授業や、リセにみなぎる狂信的なナポレオン崇拝、狭量《きょうりょう》で意地悪な職員、息のつまりそうな校則、そしてなによりも自分自身の選んだことを研究するという自由を奪われていることに彼は嫌気がさしていた。

一八〇六年八月、学期末にシャンポリオンは、リセにおける教育の高さを示すために、ジョゼフ・フーリエ知事の前で公開スピーチを行う生徒に選ばれた。大勢の人の前で話をしなければならないと聞いてびっくり仰天したシャンポリオンは、なんとかしてこれを中止できないものかと兄に手紙を書いた。「知事がぼくに与えたいと思っている名誉に実は困っているのです。臆病《おくびょう》に打ち克《か》つのは不可能だと思います。四人の人間を前にしてもどぎまぎしてしまうのに、千人も前にしたらどうなることでしょう。そんなことにならないようにできるかぎりのことをしてくださるようお願いします」。その場になって、彼は臆病を克服し、ヘブライ語の『創世記』に関する説明は大成功だった。彼の話に知事がたいへん満足していたと地元の新聞は伝えていた。その自信のない様子とは裏腹に、シャンポリオンのきわだった才能は広く知られるようになった。十一月の新学期でリセに戻ったシャンポリオンはまもなく十六歳で、もうその頃には、言語学とエジプトの研究は飛躍的に前進していた。リセを抜け出したいという兄への懇願はいまだに感情的ではあったが、ますます執拗《しつよう》で真剣なものになっていた。ジャック＝ジョゼフはシャンポリオンがパリで学べるよう準備をはじめていた。しかし、すぐにというわけにはいかなかった。首都へ行くまでもう一年リセで我慢しなければならないと知って彼は大いに落胆した。

やがてはリセを去ってパリへ行けるという望みが彼に新しい力を与えたようで、それまでに集めた資料をもとに『東洋地理事典』の編纂《へんさん》を思い立った。それまで熱心にデータの照合分類を行ってきたことから考えると、それはいかにもシャンポリオンにはふさわしい事典だった。何語であれ、エジプトに関する文献をすべて読むために、イタリア語、英語、ドイツ語の独習をはじめたが、ドイツ語だけはマスターすることができなかった。この事典のための研究は聖書にも及んだ。彼は聖書を信仰者の目ではなく、批判と分析を旨《むね》とする歴史学者の目で読んでいた。エジプトで育ったモーセは聖書の最初の五書の著者とされているが、彼はこのことに疑問を持った。というのは、五書はモーセの母国語のエジプト語で書かれていないからである。同時に、シャンポリオンは、「エジプト語のシンボリックな記号」に関する膨大な量のノートの整理をはじめた。それは、あまり信頼はできないものの、当時としてはヒエログリフの意味に関する最良の古代の文献である、ホラポロンの『ヒエログリフィカ』を主として研究したノートだった。

この精力的な研究は一八〇七年のはじめ、リセで起った寄宿生の暴動騒ぎで中断された。何人かの生徒にたいするきびしい不当な処罰に憤慨した寄宿生の一団が、昼間棒切れや石を集めておいて、夜になって騒ぎをおこしたのである。寮の窓に石を投げて窓ガラスをすべて割り、開き窓を寝室用便器で叩《たた》きこわした。リセの教頭も事態を鎮《しず》めることができず、銃剣を持った軍隊が出動してようやく暴動はおさまった。当時、寄宿舎を守り、秩序を保つために軍隊が常駐していた。兄あての手紙でシャンポリオンは自分は無実だと(「ぼくはそれに加わっていません」)と言っているが、しかし、常日頃リセへの反感を抱いていたこと、暴動の様子が詳しく記されていることなどから察するに、それは信じがたい。真相はどうであれ、暴動は彼のためには得になったようだ。というのは、リセから出してほしいとふたたび兄に頼み、今度はフーリエ知事の同意を得ることができたからである。寄宿舎から解放されたシャンポリオンはふたたび兄といっしょに住むことができ、リセの選択課目の授業にだけ出ればいいことになった。いまや自分自身の研究をする時間と自由はたっぷりあって、進歩はめざましかった。

シャンポリオンは一八〇七年秋に勉強のためにパリへ行くことにきまったが、その準備に忙しい長い夏休みは一連の出来事で中断された。六月十九日、パリへ行く前に両親に会いたいと手紙を書いた直後、母親が亡《な》くなった。翌月、二人の兄弟はプロヴァンスで数日を過ごし、毎年、本の売買に出掛けていたボケールの市で鰥夫《やもめ》になった父親に会った。十六世紀のはじめ以来、そのような市には西ヨーロッパ中から行商人が集まり、フランクフルトの書籍市はドイツのみならず国際的な中心地となっていた。一七五〇年頃には、フランクフルトにかわってライプチヒが中心地になりつつあった。その結果、フランスの出版社はフランクフルトに出展することはなくなり、パリやボケールなどの地方の市に力を注いでいた。

ジャック＝ジョゼフは七月のはじめ、グルノーブルの旧家の娘、ゾエ・ベリアと結婚したばかりだった。彼女の父親は町の弁護士会の会長で、とくに富裕な家ではなかったが、彼女は結婚にあたって、グルノーブルの真南、ヴィフにある館《やかた》を親から譲られた。兄とはとても仲がよかったシャンポリオンは羨望《せんぼう》というより驚きを感じたが、結婚を歓迎し、義理の姉と仲良くした。彼女にからかわれても彼は腹を立てたりせず、末っ子であるところから「cadet（おちびちゃん）」と呼ばれてちやほやされた。彼はファーストネームのかわりに cadet と署名したりしたが、アラビア語の seghir がほぼこれと同じ意味を持つことを知ったゾエから、名前を変えたらどうかと言われ、それ以後、彼は家族や友人には Seghir で通ることとなった。

一八〇七年八月二十七日、リセで卒業式が行われ、シャンポリオンは卒業証書を授与された。パリの学校に入学することはすでにきまっていた。彼にとって卒業式はそれまでの学業の成果を印すものではなく、未来への夢と、なによりもあれほど嫌いだった場所からの解放を意味していた。式のあいだ感激のあまり気を失いそうになったほどだった。リセでの勉強にかわって彼自身の研究がはじまろうとしていたが、卒業証書は、五日後にアカデミー・デルフィナールで受けることになる名誉に較べたら無に等しかった。その地方のすぐれた学者や知識人を前に、この十六歳の少年が「カンビュセス征服前のエジプトの地理についての論考」という講演を行った。すでにその卓越した言語能力は知れ渡っていたが、この論考は、資料を対照分析し、その成果をわかりやすく提示するという独創的な研究能力をはじめて人びとに示すものとなった。この講演は研究の質の高さで人びとを圧倒し、ただちにシャンポリオンはアカデミー会員に推挙された。この輝かしい名誉は六か月後に正式に承認された。彼は有頂天だった。兄に手紙でこう書いている。「グルノーブル・アカデミーの会員になれて本当にうれしい。いちばんうれしいのは、これでぼくも少しはあなたの弟らしくなれたことです」

第三章　大都会

シャンポリオンとジャック＝ジョゼフは、九月十日の早朝、乗合馬車に乗って約五百キロはなれたパリに向った。シャンポリオンはこれ以後二年以上もグルノーブルを離れることになる。睡眠不足と盗賊の危険にさらされながらフランスを横断し、日夜、悪路に揺られ、疲労困憊《こんぱい》の長旅のすえ、十三日にパリに到着した。ちょうどその翌日、イギリス軍は撤兵条約に調印し、エジプトの未来は決定された。一八〇一年末、エジプトに遠征したフランス軍が帰国するや、エジプトで権力争いが生じ、トルコとイギリス、それにいくつかのエジプトの部族が巻き込まれた。フランスの敗北後、ただちにエジプトを去ったイギリス軍はマムルークを支援するために再侵略したが、それは大失敗に終った。イギリスとトルコと、ムハンマド・アリの率いるアルバニア人傭兵《ようへい》隊《たい》とのあいだの交渉によって、イギリス軍は撤退し、ムハンマド・アリがトルコに代ってエジプトの支配権を握ることとなった。

長年の願いがかなってリセから解放されパリに来たシャンポリオンには、このあこがれの首都に失望するとは信じられないことだった。教師や教育施設が悪いというのではなく、パリそのものが気に入らなかったのである。グルノーブルを囲む壮大な美しい山々や、フィジャックのセレ川峡谷の絵のような風景にかわって彼が目にしたのは、騒々しい、不潔なごみごみしたパリだった。密室に閉じ込められたようなリセから友だちもいないパリに来て、彼はホームシックになった。グルノーブルに帰った兄に痛切にこう訴えている。「ぼくは一度もお兄さんから離れたことがありません。いまやぼくは独りぼっちです。時どき手紙をください」と。さらに悪いことに、空気のきれいな山岳地帯から空気のよどんだ低地地帯のパリに移ったために心身ともに健康を害《そこ》ねてしまった。「脇腹《わきばら》がひどく痛い。パリの空気がぼくをむしばむ。ぼくは狂人のようにつばを吐き、体から力が抜ける。ここは恐ろしいところです。いつも足元は水びたし。泥の川（誇張ではなく）が通りを流れ、もうヘドが出そうです」。当時のパリは荒廃した不潔な場所で、壊れかけた建物や人の住まない荒れはてた建物が並んでいた。歴史的記念碑や建物は破壊され、あるいは、取りこわされ、街路は非常に狭くて暗く、きたならしく、舗装されず、側溝や下水道も備わっていないために悪臭がただよっていた。通りにはありとあらゆるごみの山がたまり、それらが流れ込む、土手も橋もあまりないセーヌ川は蓋《ふた》のない大きな下水に等しかった。パリが広々とした大通りを持つ都市に生れ変わるのは、ジョゼフィーヌの孫が数十年後にフランスを支配するようになってからのことである。シャンポリオンが知っていたパリは、革命時代の傷跡がまだ修復されていない、じめじめした汚い、病巣《びょうそう》のような都会だった。

それとは対照的にパリの学問と文化は抜きんでていた。リセで狂信的なナポレオン崇拝を腹立たしく思っていたシャンポリオンは反帝政主義者となっていたが、彼の軽《けい》蔑《べつ》する帝政主義こそ、エジプトを西ヨーロッパ世界に開き、パリをヨーロッパの学問の中心地とした原動力だった。パリの図書館はナポレオンが占領地から略奪した本や手稿であふれ、また、公共の美術館や個人の収蔵庫はヨーロッパ中の美術品でいっぱいだった。シャンポリオンはその年の十一月に兄にこう報告している。「ナポレオン美術館で、ドイツ、プロイセン、ロシアから略奪したすばらしい絵画とともに、古代の財宝やエジプトの彫像の断片などがたくさん展示されました」。ナポレオンは、公僕としてささやかな年金を与えられている著名な学者が最新の研究を発表している権威ある団体、フランス学士院をとくに重視していた。パリは以前から多くの学問分野の重要な中心であったが、いまやフランスのみならず多くの国から最高の有名な学者や教師を集め、すべての科学と芸術の革新の拠点であると同時に、ヨーロッパの社交界の中心地でもあった。フランスとの戦争を一時中断して休戦状態にあったイギリス人ですら、群をなしてパリに押しかけ、一八一四年、ナポレオンの第一次追放の際には多くの旅行者が訪れ、「世界のすべてがパリにある」という歌が流行したほどだった。ナポレオンが敗北し、大部分の略奪品がヨーロッパ各国、とくにイタリアとドイツに返還される以前、パリには学問研究の最良の便宜がととのっていた。幸いにもシャンポリオンはそのもっともよい時期にパリで学ぶことができた。

パリに反感を抱いていたために、彼は雑多なものに気を取られることなく、自分自身の研究に没頭することができた。彼は自分の時間をコレージュ・ド・フランスと東洋語専門学校、国立図書館、そして、『エジプト誌』の出版を進めていたエジプト委員会に振り分けた。二、三か月もすると、セーヌ川を行ったり来たりしながらパリを駆けめぐる道順も確立された。その日課を兄あての手紙にこう記している。

月曜日、午前八時十五分出発。コレージュ・ド・フランスに九時に到着。どれくらい遠いかご存知ですね。パンテオンの近く、カンブレ街にあります。午前九時から十時までド・サシ氏のペルシア語の講義。ペルシア語の講義が終り、正午にシリア語とカルデア語の講義がはじまる。月曜日と水曜日と金曜日に午前十時から正午までぼくのために時間をとってくれているオードラン氏のところへ急行。彼は大学内に住んでいる。東洋語について話をしたり、ヘブライ語、シリア語、カルデア語、アラビア語などを訳したりして二時間を過ごす。いつも三十分かけて彼の『カルデア語とシリア語文法』を学ぶ。正午、辞去、彼はヘブライ語の講義。彼はぼくのことを「クラスの大司教」と呼ぶ。ぼくがいちばんできるから。講義後、午後一時、パリを横断して専門学校へ。午後二時、ラングレス氏の講義が開始。彼はぼくに目をかけている……火曜日、午後一時、専門学校のド・サシ氏の講義へ。水曜日、午前九時、コレージュ・ド・フランスへ。十時、オードラン氏のところへ行く。正午、彼の講義に出る。午後一時、ラングレス氏の講義（二時間）を受けに専門学校へ行く。そして、夕方の五時、ドン・ラファエルの講義。ラ・フォンテーヌの寓話《ぐうわ》をアラビア語に訳す。木曜日、午後一時、ド・サシ氏の講義。金曜日、月曜日と同じようにコレージュ・ド・フランスへ行き、オードラン氏とド・サシ氏。土曜日、午後二時、ラングレス氏。

これ以外の時間は自分自身の研究や、サン＝ロック教会司祭からのコプト語の個人授業、兄から頼まれた用事などに費された。

こうしてついにシャンポリオンは本当に興味のある講義に出席し、気のすすまない勉強を強制されることなく自分自身の研究に専念する自由を満喫した。彼は目標を見きわめ、もっとも重要な点に全力を集中するという能力を発揮しはじめたが、この能力がのちに挫折《ざせつ》や中断にもめげずに研究を続行するうえで大いに役立つこととなる。パリでの勉学によって必要な知識や方法を身につけたばかりでなく、多くの著名な言語学者や東洋学者と交わり、親交を結ぶこともできた。当時、ルイ・ラングレスとシルヴェストル・ド・サシという二人の教授がヨーロッパで最高の東洋学者だった。王党派でカトリック教会の支持者であるアントワーヌ・イサーク・シルヴェストル・ド・サシは、革命をなんとか生きのび、一八〇三年、ナポレオンから、レジオン・ドヌール勲章を与えられた。三年後、四十七歳のとき、コレージュ・ド・フランスのアラビア語の教授に任命され、非常に有能な言語学者として、シャンポリオンにペルシア語とアラビア語を教えたばかりでなく、大きな影響を与え、その研究を鼓舞した。ド・サシのロゼッタストーン研究はさしたる成果をあげなかったが、ヒエログリフに強い関心を持ちつづけ、古代エジプトをめぐる学者たちの議論や論争の中心にいた。はじめは彼に圧倒され、そばにいるだけで萎縮《いしゅく》していたシャンポリオンはすぐにうちとけ、ド・サシがラングレスより謙虚ではあるが、一人の友人も持たない人物であることに気づいた。ド・サシはのちにこう記している。「はじめて会ったときのことはよく憶《おぼ》えている。私は強い印象を受けた。言うまでもなく、この新入生は自分の使命に忠実で、首都まで来て探し求めていた授業を熱心に受けた」

ラングレスとシャンポリオンとの関係はそれほど心のこもったものではなかった。ルイ゠マチュー・ラングレスは東洋語専門学校の創立者の一人で、ここでシャンポリオンにペルシア語を教えた。彼もド・サシの教え子だったが、すべての人を軽蔑し、アジアの言語の研究に全身全霊をささげる人間しか気に入らなかった。はじめラングレスはシャンポリオンの関心をエジプトからアジアへ換えようとしたが、しかし、これに失敗するや、彼に敵意を持つようになり、それがたちまち自分自身にはね返ってくることとなった。辛辣《しんらつ》で味な渾名《あだな》をつけるのが好きなシャンポリオンはラングレスを「ラングレ（イギリス人）」と呼んだが、フランスとイギリスとのあいだでつづく戦争のことを考えると、刺《とげ》のある侮辱的な渾名だった。

偉大なヘブライ語学者、プロスペル・オードランは、ヘブライ語とともにアラム語など関連する言語を教えたが、シャンポリオンの並はずれた語学力にいたく感心し、二人のあいだに深い友情が生れた。オードランはシャンポリオンに課外授業を行い、編纂《へんさん》中のシリア語文法書と、アラビア語とヘブライ語の比較文法書に協力を求めた。

オードランがいかにシャンポリオンの能力に全幅の信頼を置いていたかは、この十七歳の少年にときどきヘブライ語の授業をまかせていたことからもうかがえる。その生徒たちの大部分は、聖書を研究するためにヘブライ語を学んでいる聖職者で、語学の才能のある者はほとんどいなかった。オードランがつけたシャンポリオンの渾名「大司教」は彼らには耳が痛かったことであろう。シャンポリオンは上機嫌で兄に書いている。「ぼくはわれらの教授オードラン氏のお気に入りになりました。〈君は若い、君には勇気がある。われわれは何か役に立つことができるだろう〉と彼は言いました……彼はぼくをとても大事にしてくれます」

グルノーブルでコプト語を習ったことのあるドン・ラファエル・ド・モナシスから、シャンポリオンはコプト語とアラビア語の講義を受けていたが、自嘲《じちょう》的に「ぼくはアラビア語にひどく咳《せき》こんでいます」と記している。その年の末、あまりアラビア語を勉強しすぎたため、「悪いことにアラビア語がぼくの声を一変させ、しわがれた軟口《なんこう》蓋音《がいおん》しか出ません。ほとんど唇を動かさずに喋《しゃべ》るからです」。ドン・ラファエルからサン＝ロック教会の司祭、ジュアン・シフティシを紹介され、シャンポリオンはコプト語会話を習い、エジプトの人名と地名について学んだ。いまやシャンポリオンは、他の人びともヒエログリフを研究していることをよく知っていたが、若者特有の自信から自分がきっと成功することを確信し、当座は、得意なコプト語やその他の東洋語に専念することにきめていた。「ラングレス氏は、ぼくがペルシア語をいともたやすく訳すので感心しています。アラビア語がいちばん美しい言葉だとしたら、ペルシア語はもっとも甘い言葉です。エチオピア語には苦労しましたが、ものになりました。ヘブライ語やアラビア語との関係を研究し、いまでは難なく訳せます」

シャンポリオンがパリで学んでいた頃、聖書のより古い、より正確と思われる原文を研究するために東洋語学を学ぶことは、人目に触れない秘密の仕事ではなく、最先端の研究と見なされていた。学問分野の分化はまだはじまったばかりで、科学と芸術とは分離していなかった。世界の創造の年代とその初期の歴史はいまだに旧約聖書による年代記に完全にもとづいていた。エジプトの遺跡を研究した学者が、それらの遺跡は聖書に記された年代以前に、つまり世界の創造以前に遡《さかのぼ》ると考えはじめるまで、その年代記はほとんど絶対のものとされていた。世界の創造以前にエジプトの遺跡が存在していたというのはまさに驚くべき見解だった。

グルノーブルで『エジプト誌』の仕事をつづけていた知事のジョゼフ・フーリエを通して、シャンポリオンもパリでその仕事に携わることとなり、技術者で地理学者、古物研究者のエドム＝フランソワ・ジョマールを紹介された。彼はナポレオンのエジプト遠征に参加し、最初の二人の編纂者の死後、『エジプト誌』の編纂を担当していた。すでに数年も経《た》っていたが、第一巻は未刊だった。初対面のときからシャンポリオンは自分のやりたいことを伝え、グルノーブルのアカデミーで発表した古代エジプトの地図の写しをジョマールに見せた。みずからエジプトの地理を研究し、ヒエログリフ解読に熱意を燃すジョマールはこの厚かましい若い学生にひどく機嫌をそこね、たちまちシャンポリオンにいわれのない嫌悪《けんお》をおぼえ、彼を危険なほど有能なライバルと見なした。ジョマールは兄のジャック＝ジョゼフとは友好的だったが、シャンポリオンの生涯の敵となり、機会あるたびに彼の邪魔をすることとなる。エジプト遠征で遺跡や遺物の記録に大きな役割をはたした、プロスペル・ジョロワとエドゥアール・ド・ヴィリエ・デュ・テラージュという二人の技術者がいたが、シャンポリオンはこの二人とは馬が合った。『エジプト誌』に携わる学者と付き合うことによって、彼はエジプトに関する最新の理論を知ることも、また、出版されるかなり前に、学者や技術者が描いた神殿や墓に刻まれたヒエログリフの図版を直接見ることもできた。これは大部分のライバルにくらべ大いに有利な点だった。

寸暇を惜しんで勉学にはげみ、講義から講義へとパリを走りまわるという生活がつづくうちに、シャンポリオンの健康は害なわれていった。激しい頭痛と体の節々の痛み、息苦しさと咳、疲労感と発熱にしばしば悩まされ、これにたいして処方された甘い冷い飲みものが多少の効果をあげた。この時期の兄あての手紙に記された自分の健康状態に関する報告は、リセ時代のものとは調子が異なっていて、パリからの手紙のほうが感情が抑えられていて、同情を求めてはいるものの、もはや現状からの解放を求めるような言葉はなかった。とは言え、一八〇七年末にはあまりにもやせたため、まわりの人は彼が結核になったのではないかと危ぶむほどだった。翌年の七月、やせた体つきとこけた頬のため自分はアラブ人に似てきた、とシャンポリオンは言っていた。

健康を害ねたからといって研究にはとくに支障はなかったが、その原因は多分に貧乏な生活にあった。パリの生活はリセ時代よりも貧しかった。ジャック゠ジョゼフは政府奨学金の増額を申し込み、シャンポリオンに国立図書館の仕事を斡旋《あっせん》しようとしたが、うまくいかなかった。彼がグルノーブル市から受け取っていた奨学金は出費の四分の三ほどにしかならず、残りはジャック゠ジョゼフからの仕送りに頼っていた。シャンポリオンは贅沢《ぜいたく》な暮しをしていたわけではなかったが、やりくりがうまくいかなかった。兄あての手紙にはいつも金の催促が、兄からの手紙には無駄遣いを戒め、あまりお金を遣いすぎないようにという注意が記されていた。ジャック゠ジョゼフは弟がリセにいた頃よりも余裕はあったが、しかし、パリで暮すシャンポリオンへの仕送りは大きな負担となっていた。

いまやジャック＝ジョゼフには一人の息子がいたが、その子が生れる前、シャンポリオンはアラビア語の名前をつけることで相談を受けた。「ぼくの未来の甥《おい》のためにアラビア語の名前を選ぶのにずいぶん時間がかかりました。アリ（愛される者）という名前がいいでしょう。フランス人の耳には抵抗のない名前です。姪《めい》のばあいはゾライード（春の花）がいいでしょう。生れるのと同じ季節です」。のちにシャンポリオンはゾライードという名前を自分の娘につけている。ジャック＝ジョゼフはなるべく出費を抑えるために、自分のかわりに弟がパリで多くの用事をしてくれることを期待していたようだった。一八〇八年の秋ごろには、二人のあいだに溝《みぞ》ができつつあった。シャンポリオンはみじめな状況に置かれていた。服はボロ同然で、人前に出るのもはばかられる有様だった。兄に書いている。「ズボンはもうはけません。ナンキン木綿のズボンは夏からはきっぱなしです。ぼくはそんな主義主張は持ちあわせていませんが、文字通りのサンキュロットです……服と靴さえあれば、どんな用事でもかわりにします。人前に出ることができますから。もしお望みなら、皇帝にも会いに行くでしょう」。過激な革命派、サンキュロット（文字通りには「半ズボンなし」）がこの名を採用したのは、キュロット、つまり、膝《ひざ》までの半ズボンを貴族がはいていたからだった。サンキュロットはいまだに記憶に鮮明だったが、もはやフランスでは危険な勢力ではなく、人びとは密告の恐怖なしにこれを冗談のたねにすることができた。レチェル＝サントノレ通りの部屋の家賃を女主人のマダム・メクランに払うことができなくなったシャンポリオンは兄に緊急の送金を頼んだ。「マダム・メクランは部屋代を払えといってやかましいのです。もしまだでしたら、至急お金を送ってください」。どうしていいかわからないシャンポリオンが父親に送金を頼むにいたって、雲行きがあやしくなった。父親から金は送られてきたが、そのことを知った兄は弟をきびしい口調で非難し、弟もそれにやり返した。しかし、危機は二人のあいだに深い溝をつくるというよりもむしろ、雨降って地かたまるで、二人の関係はより堅固なものになり、年末までには一件落着した。

シャンポリオンは体の不調のために研究に支障をきたすこともなく、貧乏生活にも慣れてきたが、心配のたねはいつ徴兵されるかもしれないということだった。シャンポリオンがはじめてパリに来たときナポレオンはまだ権力の絶頂期にあったが、いまではそれもしだいに揺らぎ、軍隊増強のために多くの若者を徴兵していた。シャンポリオンは一八〇七年十二月二十三日、十七歳になったときから、いつも徴兵の恐怖におびえていた。ジャック＝ジョゼフは、教育相のアントワーヌ・フールクロワの友人であるフーリエ知事を通して、シャンポリオンが徴兵されないよう工作していた。翌年の夏の終り、兵力の不足したナポレオンはふたたび徴兵を開始した。シャンポリオンは慌《あわ》てて兄に手紙を出したが、ジャック＝ジョゼフからは、心配しなくていいと自信たっぷりの返事が返ってきた。今度は、フーリエ自身がナポレオンにこれこれの学生は「科学のために」兵役免除になるよう取りはからっていただきたいと嘆願するよう工作した。今回も、シャンポリオンは兵役を免れた。

ジョゼフ・フーリエはそれまでこの二人の兄弟には、『エジプト誌』の長大な序文のために大いに力を借りていた。とは言え、ジャック＝ジョゼフは、知事の影響力はいつも効果があるとはかぎらないのを知っていたので、シャンポリオンにエコール・ノルマルに入学するよう勧めた。これは二年間、自由なコースを学べる新設の学校で、卒業生は少なくとも十年間、教職に就かねばならなかった。エコール・ノルマルの学生の有利なところは、他の学生とちがって自動的に兵役を免除されていたことだった。一方、学校の運営方針である厳格な軍隊式規律に従わねばならないという不都合な点もあった。シャンポリオンにとってエコール・ノルマルの非人間的な日課は軍隊の非人間的な規則とさして変らず、さらに悪いことに、長期間、自分の研究を続行できなくなり、エジプトへの旅行など、長年の夢を実現できなくなるだろう。彼は提案を断り、徴兵の影におびえ、そのために生ずる苦境と危険を耐え忍ぶ道を選んだ。

若者は徴兵されるだけでなく、パリの東洋語学校の有能な生徒のばあい、フランスの領事に任命されることがあった。シャンポリオンにペルシア語を教えていたラングレス自身は旅行が嫌いだったが（約十年前、ナポレオンのエジプト遠征への参加を断った）、シャンポリオンに駐ペルシア領事になるよう勧めた。しかし、シャンポリオンは口実をもうけてこれを断った。それ以後は極力ラングレスを避けたが、それから数か月後の一八〇八年三月、ラングレスが自分をそのポストに推薦していることを知った。兄への説明によると、彼が領事として行きたい場所はエジプトのほかにはなかった。「エジプトはコンスタンチノープルやトロイア、ペルセポリスなどよりひどい状態ですが、危険をものともしないほど強い力でぼくを惹《ひ》きつけるのです」。あいにく駐エジプト領事のポストはなかった。またもやジャック゠ジョゼフはシャンポリオンを苦境から救うために奔走した。ラングレスは、シャンポリオンがそのポストを蹴《け》ったことに立腹し、意趣返しにその年の修了証を出さなかった。

グルノーブルに帰る金もないシャンポリオンは、パリの休日をひたすら自分自身の研究のために費した。一八〇七年八月、グルノーブルのアカデミーで概略を発表したエジプトの地理に関する研究をさらに拡充することがおもな仕事だった。パリ滞在一年目の終り頃、いまでは『ファラオ治下のエジプト』と呼んでいた本の第一稿を完成した。これはしだいに知識の増したコプト語の地名に主としてもとづいていた。研究の大部分は国立図書館で行われたが、古代部門担当のオーバン＝ルイ・ミラン・ド・グランメゾンの助力を大いに受けた。彼は数年前からジャック＝ジョゼフと定期的に情報交換をしていて、雑誌『百科事典』の編集長でもあった。この図書館でシャンポリオンは、ナポレオン戦役で略奪され、まだ分類されていない大量の外国書を閲覧できるという特権を与えられていた。すべてのコプト語文献の研究に着手したが、その大部分はローマのヴァティカン図書館から略奪されたものだった。のちにこれらの文献がイタリアに返還された際、イギリスの古物研究者、サー・ウィリアム・ジェルはこう言った。「コプト語とシャンポリオンについて言えば、彼が目を通していないコプト語の文献はヨーロッパにはほとんどないと私は思う。私の友人のある高名な学者によると、シャンポリオンはヴァティカン図書館のコプト語文献のほとんど各ページに書き込みをしているという。文献がパリにあったときに記されたものである」。手元にあるコプト語の辞書や文法書では不十分であることに気づいたシャンポリオンは、文献を調べる一方で、コプト語の文法書と辞書を編纂するという大仕事に取りかかった。これがヒエログリフ研究へとつながって行った。

この研究段階では、ヒエログリフはエジプト語を綴《つづ》るためのアルファベットから成っていて、古代エジプト語とコプト語はほとんど差異がないとシャンポリオンは考えていた。もしそうならば、コプト語を十分に修得しさえすれば、あと必要なのは、コプト語とヒエログリフのアルファベットがどう対応するかを発見することである。その暁には、古代エジプトのすべてのテキストを読むことができるだろう。のちにこの理論が完全な誤りであること、また、コプト語が古代エジプト語の発展したものであるとしても、ヒエログリフは単純なアルファベットではないことに気づいたが、しかし、この理論は、解読方法を考えるうえで有益な出発点となった。

シャンポリオンが学んでいた他の言語、アラビア語やヘブライ語では母音は「発音区別符」で示されるが、コプト語には、ギリシア語風のアルファベットを使った母音がある。シャンポリオンはコプト語の該博な知識によってヒエログリフで書かれた古代エジプト語の単語を理解できたはずである。しかし、ヒエログリフには母音がないため、読み方がむずかしい。多くの単語は、現代の言葉の略語と似た形になるからである。たとえば、「pkg, grg, gdns」はこれだけでは意味がわからないが、貸家広告ではそれらが、parking（駐車場）、garage（車庫）、gardens（庭）の縮小形であることが理解される。同様にもっとも有名なファラオの名、ツタンカーメンは、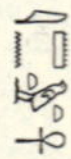と書かれる。これらのヒエログリフを翻字すると、*imntwtʿnḫ* となる。この名前は、と、、の三つの部分からなり、それぞれ「アメン」、「姿」、「生ける」を意味し、「アメン神の生ける姿」と訳される。この *imntwtʿnḫ* という名前のなかには母音はない。*w*は「ウ」の音に近く、音標符号*i*とʿは「弱子音」（半母音とも呼ばれる）を示し、ヘブライ語などのセム語に出てくる。音標符号 *ḫ* は「ク」と発音される。さきほどの例でgdnsがgoodness（徳）ではなくgardensを意味していることを知らなければならないように、古代エジプト人の言葉を正しく発音するためには、彼らがそれぞれの特定の単語のなかでどの母音を使っていたかを知らねばならない。しかし、いまやそれを知る者はなく、唯一《ゆいいつ》の手がかりとなるのがコプト語である。

　ファラオの名前を発音可能にするために、現在では子音のあいだに母音を入れることにしている。便宜的な理由からしばしばeが挿入され、*imntwtʿnḫ* は「イメンツテンク」となる。単調な響きをなくすために他の母音が使われることもあって、この名前はたとえば「アメンツタンク」となる。古代エジプト人は敬意を表するために神の名を最初に置くが、今日では言葉の要素が意味の順にならべかえられ、「生きた姿-アメン」は「ツタンカーメン」となる。このような事情は、ツタンカーメン Tutankhamun というファラオの名前に、聖書や古代ギリシアの文献に「アメン」あるいは「アモン」と記された神の名が含まれているために複雑となる（エジプト人が必ずしもそのように発音していたというわけではない）。そのため、名前のその部分は今日では amun, amon, amen と表記されている。このようなことが多くのファラオの名前についても起こり、さまざまな表記と発音が生れる。ただし、どの発音も、古代エジプト人の発音と一致しているかどうかは証明不可能である。

コプト語の勉強をひとまず終え、いまやシャンポリオンは三種類の碑文をもつロゼッタストーンに取り組む準備ができていた。簡単な仕事だ、と彼は思っていた。一八〇八年夏、ド・テルサン長老神父がロンドンの大英博物館でつくったロゼッタストーンの複製を利用することができた。古物研究家のシャルル・フィリップ・カンピオン・ド・テルサンはパリ近くのアベイ・オ・ボワの自宅に古物の大コレクションを持っていて、シャンポリオンはしばしば彼を訪ねたことがあった。シャンポリオンはまず最初にデモティクの碑文に着目し、これをギリシア語のものと比較し、コプト語の知識を生かして、いくつかのデモティクのアルファベットを見つけ出した。嬉《うれ》しいことに、彼の発見はヨーナス・オーケルブラドのそれと一致していた。彼は六年前にシルヴェストル・ド・サシあての書簡という形で論文を発表していたが、そのド・サシはいまやシャンポリオンの先生である。

同時に、シャンポリオンは、ロゼッタストーンに記されたデモティク碑文と比較するために、ヒエラティク（筆記体のヒエログリフ）の記されたパピルスの研究をはじめた。しかし、デモティクとヒエラティクは異なる筆記体であることは知らなかった。八月の末には、両者が同一のものであることを証明し、ヴィヴァン・ドゥノンがエジプトから持って帰ったパピルスのある文章を解読したとまで言っている。わずか数週後、シャンポリオンは兄あての手紙で、あるパピルスの一行半を解読し、ロゼッタストーンからアルファベット一字を拾い出したものの、その先がまったくわからないと書いている。「もうお手上げです！（符号の）群がぼくの前で停止している。ぼくはそれらについて一日中、研究し、考えた……しかし、なにひとつわからない！」。そしてさらに、かわりにイタリアで栄えた前ローマ文明、エトルリアに没頭していると言っている。「なぜかと言うと、エトルリア人はエジプトから来ているからです」。テルサン神父のコレクションにはエトルリアのものもたくさんあって、それに魅了されたシャンポリオンは、エトルリア語は北アフリカのフェニキア語を通してエジプト語とつながっていて、フェニキア語のアルファベットは、アルファベットそのものの起源となるエジプト語に由来すると考えた（これはまったくの誤りだった）。彼は古代の楽器の名前にいたるまで、関連するありとあらゆる事柄を手当りしだいに研究しはじめたが、これにはジャック＝ジョゼフも腹を立て、ヒエログリフの研究をそっちのけにしていると戒めた。「君は一行半ほど訳し、アルファベット一字を見つけ、それで一休みというわけだ。君のことがわからない。エジプトに注がれた情熱はどこへ行ってしまったのか」

一八〇八年末、マリー＝アレクサンドル・ルノアールがまったく予告もなしに『ヒエログリフの新解釈』全四巻の第一巻を出版し、ヒエログリフを解読したと発表した。まさに青天の霹靂《へきれき》だった。シャンポリオンより二十九歳年上のルノアールは、古代エジプトよりも中世フランスの専門家として知られていた。彼は革命中、みずからの生命の危険を冒してまで古いフランスの記念建造物を破壊から守り、のちにその功によりロンドン古物協会から名誉会員に推挙された。ナポレオン時代、彼は隠然たる力を持っていた。というのは皇后ジョゼフィーヌ付きの美術顧問で、パリの真西にある彼女の館《やかた》、シャトー・ド・マルメゾンを飾るためにパリのフランス記念物博物館から装飾品を選ぶにあたって、彼女に協力したことがあったからだった。ルノアールの本を手に取るまでシャンポリオンは、ヒエログリフ解読競争で敗けたのではないかと心配していた。しかし、一読するや、そこに書かれていることが完全に誤っていることを発見した。多くの学者がそれ以前に誤ったのと同じように、ルノアールもヒエログリフを神秘的なシンボルとして解釈していたのであった。ルノアールのヒエログリフ解釈は、ジャック＝ジョゼフには心配のたねを除去する下剤となるだろうとさえ彼は言った。シャンポリオンの研究不足を心配しなくてもいいからである。

このルノアールの一件で、自分が最初にヒエログリフを解読するというシャンポリオンの確信は揺らぎ、突如として彼は気づいた、自分は確固たる基礎を築きつつあるが、大勢の学者が競争相手であることは無視できない、と。だれが競争相手なのかもわからず、いつ誰が成果を発表して、名誉を手にするかもしれない。シャンポリオンが解読に成功したとき、ライバルたちがいかに変わり者で妄念にとりつかれ、妬《ねた》み深く、執念深い人びとであったかが明らかになった。しかしながら、彼はコプト語を完全に身につけたいという望みを捨てることができず、一八〇九年三月、兄に宣言した。

「ぼくはコプト語に全身全霊を捧《ささ》げています……ぼくはフランス語のようにエジプト語を知りたいのです。なぜなら、この言葉にこそエジプトのパピルスに関するぼくの大研究は基礎を置いているからです」

一か月後、彼は自分の状況をこう述べた。

「ぼくはコプト語とエジプト語に夢中です……コプト語に熱中するあまり、頭にうかぶことをなんでもコプト語に訳して楽しんでいます……それこそコプト語を頭にたたきこむ最良の方法です。そのあとでパピルスに取り組み、英雄的な勇気によって、目的を達成するつもりです。飛躍的に進歩しました」。いまや彼は、前年の夏に拾い出したデモティクのアルファベットを再検討しながら、ふたたびロゼッタストーンのデモティク碑文に挑戦していた。そして、さらにパピルスの研究をつづけたいと述べている。「パピルスをいつも目の前に置いてあります。解読できたらなんとすばらしいことでしょう。ぼくにはできると思います」

ルノアールの一件では度肝を抜かれたものの、シャンポリオンはいぜんとして自信満々で、これまでの解読の誤りを指摘するのは彼にはたやすいことだった。オーケルブラドについては、「彼はエジプト語碑文（ここではデモティク碑文を指す。「エジプト語」はデモティクおよびヒエログリフ、時にはコプト語をも指す）のなかの三つの単語を辻褄《つじつま》が合うように読むことができなかった」と述べた。また、少し前に一語も解読できないままヒエログリフ文献を編纂《へんさん》したゾエガについては、「大きな建物をつくるために大量の材料を集めたものの、どう積みあげていいかわからなかった」と評した。同じように、ロゼッタストーンのヒエログリフ碑文に関するパリンの研究は役に立たず、従来の誤った研究を利用することなくゼロから解読をはじめなければならないと言った。シャンポリオンが自由に使える研究資料は信じられないほど限られていて、兄への手紙で、フランス内外でその一部分あるいは全体が複製された、パピルスあるいはミイラの包帯に記されたヒエログリフあるいはヒエラティク(「筆記体」と記されている)の文献資料をすべて列挙しているが、その数はわずか十七にすぎない。そのほかに未刊のものもあることを彼は知っていたし、エジプトで学者たちによって記録されたヒエログリフの記された遺跡の絵をいくつか見たこともあった。

一八〇九年六月、『エジプト誌』の第一巻が出版され、ナポレオンの遠征中に学者たちによって集められた大量の情報が公表された。この巻には、デンデラで発見されたエジプトの黄道《こうどう》十二宮図や上エジプト各地の古代の遺跡の図版、遺跡に付随する石版に記されたヒエログリフなどが収められていた。それらを見てシャンポリオンは、「この膨大なコレクションには驚くべき正確さで彫られた、たくさんのエジプトの文献資料がある。それらの図版はそれだけで考古学者にとって信頼できる研究資料となりうる」と賞讃《しょうさん》した。しかし、ジョマールを中心とした学者による解読の試みには批判的だった。「ぼくは彼らをたいして評価していない。彼らは立派な図版を提供できるが、彼らの説明はまるで役に立たない」。思い上ったような言い方ではあるが、彼の見方は正確で、その容赦ない批判は兄あての手紙のなかで個人的に表明されるのが普通だった。

四か月が経《た》った今、『ファラオ治下のエジプト――エジプトの地理と歴史と言語の研究』の大部分は完成したが、地名つきのナイル川沿岸の正確な地図は未完だった。ナポレオン遠征中に作成された正確な測量図や地図が軍事的理由から秘密にされ、二十年近くも公表されなかったため、シャンポリオンの著作は頓挫《とんざ》をきたした。ジャック＝ジョゼフはすぐに出版するよう助言したが、シャンポリオンはまだ決めかねていた。一八〇九年六月、エティエンヌ＝マルク・クァトルメールが『エジプトの言語と文献に関する批判的ならびに歴史的研究』を発表した。ド・サシの教え子だったクァトルメールはいまでは国立図書館の職員で、シャンポリオンは彼を嫉妬《しっと》深いエゴイストと呼んでいた。クァトルメールはエジプトにおけるコプト語の歴史を研究していたが、シャンポリオンはこの分野を自分自身の研究分野であるヒエログリフ解読の基盤そのものと考えていた。わが師、ド・サシがこのライバルの研究の出版を熱烈に歓迎していることにシャンポリオンは絶望と嫉妬を覚えた。

その反動でシャンポリオンは、コプト語文献から得たものをもとに自分自身の研究にいっそう専念した。弟がヒエログリフの研究に専念してほしいと願っていたジャック＝ジョゼフは、デモティク碑文を解く鍵《かぎ》になるかどうか、また、逆にヒエログリフ碑文を解く鍵になるかどうかを調べるために、ロゼッタストーンのギリシア語碑文をコプト語に訳すようにすすめた。しばし考えてシャンポリオンは兄に、それは不可能であると返事を書いた。というのは、オーケルブラドが確認したデモティク碑文中の人名は、ギリシア語のテキストでは別の場所にあると思われたからだった。デモティクの語順がギリシア語とはまったく異なっているのか、あるいは、デモティク碑文はギリシア語碑文と同じ内容ではないのかもしれないとさえ感じた。オーケルブラドやド・サシと同じように、彼はヒエログリフ碑文に目を向けようともしなかった。

一八〇九年夏、パリでの勉学は終り、ヒエログリフ解読という夢は未完に終った。ジャック＝ジョゼフが八月にパリにやって来て、弟を故郷に連れ帰った。シャンポリオンは、グルノーブルに新設される大学の歴史学部の助教授に就任することになっていた。まさに未来が輝いて見えたその瞬間、彼はまたもや徴兵の恐怖にさらされた。いまや毎年二十万人のフランス軍兵士がスペイン戦争だけで失われていて、皇帝ナポレオンはより若い新兵を徴兵せざるをえなかった。新兵が生還する確率は非常に低かった。十人に一人は脱走し、徴兵を逃れたり、徴兵忌避のために自分の体を損ねたりする者も多く、また、独身者だけが徴兵されたため、結婚する者が急増した。ルイ・

ラングレス教授の意向ひとつでシャンポリオンの徴兵を阻止することはできたが、しかし、駐ペルシア領事を断ったことが尾を引いていて、彼は傍観するのみだった。ここでも徴兵の危機が阻止されたのはイゼール県知事、フーリエのおかげだった――それもほんの束《つか》の間《ま》だった。

第四章　教師

パリでの二年間の勉学ののち、ジャン＝フランソワ・シャンポリオンは、一八〇九年十月十五日、グルノーブルに帰って来た。彼はまだ存在しない大学の教師に任命されていた。ナポレオンの教育改革の一環としてフランス各地に大学がつくられ、シャンポリオンはグルノーブルに開校される大学の古代史の助教授になった。わずか十八歳という若さでそのようなポストを与えられたのは、彼のすぐれた能力が認められたからであった。当時三十歳のジャック＝ジョゼフも数か月前の七月にいとこの商会を退職し、ギリシア文学教授兼文学部事務長に就任するという幸運を得た。彼は以前からグルノーブル市立図書館次長をしていた。この図書館は、亡《な》くなったある地方の司教が持っていた三万四千冊という蔵書を買いあげて、一七七二年に設立されたもので、グルノーブルはフランスでこの種の施設を最初に持った町のひとつだった。この図書館は小さな博物館とともに、シャンポリオンがあれほど嫌ったリセの一階にあり、そ

の中央には、ジャック＝ジョゼフが会長をしていたアカデミー・デルフィナールがあった。いまやジャック＝ジョゼフには二人目の子供がいた。七月に生れた、アメリー＝フランソワーズという娘である。

グルノーブルに戻った最初の数か月、シャンポリオンは、自分自身の研究より大学での講義の準備に追われていた。一八一〇年三月、ジャック＝ジョゼフはシルヴェストル・ド・サシから、ヒエログリフ解読にかけるシャンポリオンの意欲を殺《そ》ぐようなまったく意外な手紙を受け取った。なんとも不可解なことではあったが、有能な教え子のために自分の影が薄くなることを恐れたための行動であることはまちがいない。のちに彼は教え子たちを非難攻撃することとなるのである。ド・サシはシャンポリオンに東洋語をつづけるように言いながら、「彼にロゼッタストーンの碑文の解読できるとは思いません。この種の研究での成功は、地道な研究の結果というよりむしろ偶然の幸運の賜物《たまもの》なのです」と記した。このような忠告が聞き入れられるものと考えているとしたら、ド・サシはシャンポリオンという人間をまったく知らないからである。彼はそれからしばらくして、パリで同級生だった親友のアントワーヌ＝ジャン・サン＝マルタンに、ド・サシが何と言おうと、自分はヒエログリフの研究をつづけると手紙を書いた。

一八一〇年五月末、グルノーブル大学は開校した。ナポレオンは、新しい大学の教授職は博士号と同等であるという法令を定め、それによって四か月前に遡《さかのぼ》ってシャンポリオンとジャック＝ジョゼフは博士号を授与された。シャンポリオンの年俸は、年齢が若いために、わずか七百五十フランで、これは学生時代にパリで受け取っていた奨学金の半分だった。一方、同時に任命された年輩の教授の年俸は三千フランだったが、すべての教授は年齢とは関係なく対等の立場にあったため、シャンポリオンの成功を妬《ねた》む同僚もいた。古代史のもう一人の教授は、ジャン＝ガスパール・デュボア＝フォンタネルという年輩の人物で、彼は文学部部長と市立図書館長を兼任していて、図書館ではジャック＝ジョゼフを補佐役に、そのジャック＝ジョゼフはシャンポリオンを補佐役にしていた。デュボア＝フォンタネルは気前よく自分の年俸の半分をシャンポリオンに与え、シャンポリオンの年俸は二千二百五十フランに増えた。

大学が開校して数か月というもの、シャンポリオンは歴史学の講義の細ごました準備に忙殺されていた。ナポレオンは大学開設にあたって、教授方法も定めていた。論評や批判を加えず、哲学や雄弁は弄《ろう》せずに事実のみを伝え、学生に適切な試験を施すこと——つまり、どのような政治体制がすぐれているかというようなことはいっさい述べてはいけないということだった。これは知的自由というシャンポリオンの理想と対立するもので、はじめから彼の講義は皇帝の定める限界すれすれ、あるいはそれを越えていた。センセーションをまきおこした彼の講義は、地理学と歴史学、資料の批判的検討、そして、彼の得意なテーマである人類の年代学と起源から成り立っていた――それは、世界は六千年以上古くはないと信じていた教会への危険な挑戦でもあった。

シャンポリオンが大学教授に就任したちょうどその頃、皇后ジョゼフィーヌの権力は終りに近づいていた。彼女はナポレオンの近親者のあいだに多くの敵を持っていて、その大部分は結婚に反対し、あらゆる機会をとらえてナポレオンに離婚を迫っていた。まだ妻を愛していたナポレオンにはその気がなく、ジョゼフィーヌが跡継ぎの息子を生むことができるとしたらなおさらだった。しかし、子供はなく、ナポレオンは帝国を継ぐ子供を必要としていた。ついに彼は一八〇九年十一月、離婚を宣言し、二か月後、結婚は破棄された。しかるべき政略結婚が画策され、一八一〇年四月、ナポレオンはオーストリア皇帝の娘、マリー＝ルイーズと結婚した。フランス人にはジョゼフィーヌほど人気はなかったものの、マリー＝ルイーズは皇后として迎えられ、翌年、男の子を生むや、反発はほとんど消えた。生れた子は、いつの日か統一されたイタリアの支配者になるという期待をこめて、「ローマ王」と呼ばれ、だれもがこれで王朝は安泰だと安堵《あんど》した。上機嫌のナポレオンは、オーストリア大使の妻、マダム・ド・シュワルツェンベルクが出産祝いにやってきたとき、エジプト遠征中に入手し、それ以来手元に置いていた、ヒエログリフの刻まれた石の装飾品を彼女に贈った。「私はそれをいつもお守りとして身につけていました」と彼は言った。「どうぞお収めください。いまではもう必要がありませんから」。実は、彼にはそれが以前よりもっと必要だったのである。というのは、彼の帝国はまさに崩壊しようとしていたからである。

当面はフランス帝国を揺がすような出来事も、同僚や学生の反感ほどにはシャンポリオンの生活に影響を与えなかった。彼はリセで同級生だった若者を何人か教えていたが、彼らは教授に昇進したシャンポリオンに反発を感じていた。それより深刻だったのは、彼の学生時代にリセで教師をしていた教授たちの嫉妬《しっと》だった。若くて経験もないシャンポリオンに先を越されたと、直接ナポレオンに訴える者もいたが、ナポレオンはこれを聞き入れなかった。シャンポリオンは、彼特有のやり方で、『学者病』という風刺劇で学内の敵に仕返しをした。この劇はグルノーブルのサロンで上演され、彼は自分の名前を隠していたが、槍玉《やりだま》にあげられた敵は作者の見当をつけ、ますます反感を強めていった。

このような学内でのいざこざに伴うわずらわしい思いは、開校二か月後に吹き飛んだ。スペインでの戦争への援軍として送られる軍隊に入隊するため、四十八時間以内に新兵訓練所に出頭せよという命令書が届いたのである。シャンポリオンは周章狼狽《ろうばい》した。一八〇九年七月のヴァーグラムの戦いでフランス軍がオーストリア軍に勝って以後、主戦場はスペインに移っていた。フランス軍が撤退を余儀なくされたスペインの町々の壁に記された、「スペイン——将軍は大金持、将校は破産、兵士には死」という落書きにフランス軍兵士の憤《いきどお》りが表現されていた。ヨーロッパの他の場所は比較的平和ではあった——嵐《あらし》の前の静けさだった。

またもや知事のジョゼフ・フーリエが救いの手をさしのべ、「エコール・ノルマルに入学の意志あり」という理由で、シャンポリオンを兵役免除扱いにさせた。当時もエコール・ノルマルの学生は徴兵を免除されていた。彼はエコール・ノルマルに入学することはなかったが、「意志あり」というだけで、徴兵を阻止するには十分だった。

大学教授としての仕事に慣れるや、彼はふたたびエジプトをめぐる自分自身の研究に専念した。と言ってもパリ時代のように資料を自由に使うことはできなかった。解読という仕事は意欲を挫《くじ》くような難題だった。そのことはロゼッタストーンの三つのテキストを見れば明らかだった。ギリシア文字のテキストはギリシア語で記されていて理解できたが、ヒエログリフ文字もデモティク文字もどちらも読むことができず、これらの文字のテキストが何語で書かれているのかだれにもわからなかった。ヒエログリフを読むためには、それぞれの絵文字がどのように関連し合っているか（それが発音や抽象的概念をあらわしているのか、あるいは、単にそれが描いている絵をあらわしているだけなのか）ということだけでなく、記述のために使われている言語とそれがどう関係しているのかということも理解する必要があった。たとえば、それは、多くの異なる言語を表記するために使われているヨーロッパのアルファベットのようなものなのか、それとも、中国語およびその近縁の言語にのみその象形文字が使われている漢字のようなものなのだろうか。ヒエログリフとデモティクとギリシア文字のあいだに関連があるとしても、それがどのように関連しているのかも不明だった。あまりに多すぎる可能性とあまりに少なすぎる手がかりのため、かりに解読されても、それは骨の折れる研究の成果というよりもむしろ、幸運の賜物かもしれないというド・サシの言葉にも一理あった。

問題の難しさは、シャンポリオンの仮説の数にあらわれている。彼ははじめある理論に熱中するものの、次には別の理論に熱中するというように頻繁に考えが変わり、振り返ってみると、はじめの頃の思いつきは大部分が誤っていたことに気づいた。数百もの絵文字がそれまでに確認されていたが、解読には到《いた》らなかった。研究者は、膨大な数のシンボルを前に、これらをどう説明すればいいのか考えあぐねていた。一八一〇年八月はじめ、まだ十九歳のシャンポリオンは、アカデミー・デルフィナールで、エジプト語に関する最新の見解について長時間の講演を行った。このなかで彼は、以前キルヒャーやウォーバートンらの学者によって提起された理論、とりわけエジプト語を中国語と結びつける理論を否定した。古代ギリシア人のエジプト観から大きな影響を受け、そのために幾分研究を誤ったシャンポリオンは、エジプト語の表記には四種類の文字があると述べた。一つは日常の生活や商売に使われるもの(デモティク)、もう一つは神聖な儀式に使われるもの(ヒエラティク)、残りの二つがヒエログリフで、そのうちの一つは記念建造物の碑文に使われ、もう一つは、秘密を記号で記すために神官だけが使う。これは事実からはるかにかけはなれてはいたが、デモティクとヒエラティクはたがいに異なる筆記体であることは認識していた。しかし、それらとヒエログリフとの関係を理解することができなかった。このような段階で彼はこう主張した——ヒエラティクとデモティクは同じ種類のアルファベットから成り立っていて、それぞれの記号の配列が異なるだけであり、これら二つの文字からより複雑なヒエログリフが発展し、その文字は外国の名前の場合を除いて、発音ではなく概念をあらわす、と。少なくともシャンポリオンは、ヒエログリフは情報を伝えるための文字ではなく、完全に象徴的なもの、あるいは、装飾的なもの——秘儀にたずさわる少数の人間を除いて、他のすべての人から神聖なる情報を隠すために考案された神秘的なシンボル体系——であるという、百年前の理論からは解放されていた。

当時もそうだったが、その後も、シャンポリオンにはひとつ問題があった。多くの理論を考え出すものの、あまりに慎重で、自分の発見に固執するため、完全に確信できないかぎり、あるいは、何らかのさし迫った事情でそうせざるをえないかぎり、何ひとつ出版しないことだった。グルノーブルの田舎のアカデミーで講演しても、それは、彼がつかんだ解読の手がかりについて権利を主張するものとはならなかった。ド・サシの愛弟子《まなでし》、エティエンヌ＝マルク・クァトルメールがからむさし迫った事情から、ようやくシャンポリオンはエジプトの地理と歴史に関する本を出版する気になった。グルノーブルで三年前に着手し、パリで続行し、兄からは一年越しに出版を勧められていた研究である。

パリの国立図書館で働いていたクァトルメールは、ルーアンの大学のギリシア語およびギリシア文学の教授に就任していた（二年後にはルーアンからパリに戻ることとなる）。一八〇九年六月、彼はコプト語に関する著作を出版したが、これがシャンポリオンを焦《あせ》らせた。当時、シャンポリオンは、『ファラオ治下のエジプト、あるいは、カンビュセス侵入前のエジプトの地理と言語と文字と歴史』という名をつけていた本を出版することよりも、これをさらに緻密《ちみつ》に仕上げることに専念していた。さらに彼を慌《あわ》てさせたのは、クァトルメールが彼と同じような研究、つまり、エジプトの地名のコプト語名を研究し、そのオリジナルな古代エジプト語名（当時はヒエログリフとヒエラティクで記されていた）を復元するという研究を行っていたことだった。しかも、シャンポリオンに張り合うような著作を準備中だというのである。エジプトの地理に関する自分の研究のほうが、クァトルメールが準備中のものより完全で正確であることはわかっていた。彼が使っていたコプト語やアラビア語の手稿、ギリシア語やラテン語のテキスト、それに説明書や地図はエジプト旅行者から得た最新のものだった。しかし、出版されるまで、だれにもそんなことはわからない。クァトルメールの著作の出版が間近だと知ったシャンポリオンは兄に相談し、自分の著作の冒頭の部分を『序論』として出版し、クァトルメールを出し抜こうとした。六十七ページの著作三十部が一八一〇年十月に印刷されたものの、思い通りに刊行されず、遅れをとってしまった。

出版競争に勝ったのはクァトルメールのほうだった。一八一一年一月、ライバル書、『エジプトおよび以南地域の地理と歴史』全二巻が刊行された。シャンポリオンの

『序論』が出版されたのは二か月後だった。彼はパリにいる友人、サン＝マルタンに、クァトルメールはわずか百四の地名しかあげていないが、自分は百七十四もあげていると手紙に書いた。口さがないパリの学者連中のあいだに、実際にはシャンポリオンもクァトルメールもたがいに相手から借用したこともなく、その方法も明らかに異なっているにもかかわらず、シャンポリオンのほうが剽窃《ひょうせつ》したのだという噂《うわさ》が流されていた。シャンポリオンもジャック＝ジョゼフもそのような中傷を予測もし、恐れもしていたが、『序論』の早すぎる刊行に反対していたド・サシが剽窃という中傷を信じたと知って、シャンポリオンはひどく傷つき、怒りをおぼえた。サン＝マルタンを含め、パリにいたシャンポリオンの友人たちは中傷を打ち消そうとしたが、しかし、彼らがシャンポリオンをあまりに持ち上げすぎたため、事態は悪くなるばかりだった。

それからしばらくして、ド・サシは『序論』の書評を発表し、シャンポリオンを批判し、クァトルメールを支持した。かくしてシャンポリオンとド・サシとクァトルメールのあいだで戦いが勃発《ぼっぱつ》した。弟にたいする攻撃に憤慨したジャック＝ジョゼフはド・サシに抗議の手紙を送った。これにたいしてド・サシはひたすら自己弁護に努め、こう返答した。「私は、勇敢にも今日まで学問のために献身し、冠よりも茨《いばら》の多い仕事に邁進《まいしん》する若者を励ますことしか考えていません……シャンポリオン氏が剽窃したなどとは思ったこともありません」。エジプト語の文字に関する研究の出版は気がすすまなかったが、『ファラオ治下のエジプト』の『序論』はシャンポリオンが発表した最初の著作というわけではなかった。すでに専門雑誌や新聞に寄稿したこともあり、エジプト遠征隊の記録『エジプト誌』のためにジャック＝ジョゼフとフーリエに代ってさまざまな報告書を書いたこともあり、「著作という仕事がいかにきびしい仕事であるか」を彼はよく知っていた。

研究に没頭してはいたが、彼は大学外の出来事に無関心だったわけではなかった。いつそれらの出来事が彼自身の生活にはね返ってくるかもしれなかったからである。その頃、フーリエと二人の兄弟とのあいだに軋轢《あつれき》が生れていた。事の起こりは、ジャック＝ジョゼフが一八〇八年から編集し、シャンポリオンも時どき寄稿していた『イゼール便り・行政日誌』に知事が介入したことだった。帝政時代、出版物の検閲は非常にきびしく、何度かジャック＝ジョゼフは自分の書いた記事がフーリエのお咎《とが》めにあって修正されていることに気づいていた。しかし、軋轢の中心は、シャンポリオン兄弟が『エジプト誌』の序文に介入したことだった。というのは、フーリエは彼らがその作成に加わることを認めなかったからである。このことは彼らを失望させたが、それよりも、パリの友人からの報告で、フーリエが自分たちの協力をいっさい否定しているのを知って、兄弟の気持はいっそう傷つけられた。フーリエは二人を遠ざけ、できるかぎり二人を避けるようになった。そして、それまでの友好的な関係とは打って変って、きわめて儀礼的にしか対応しなくなった。ジャック＝ジョゼフはのちに当時のことをこう記している。「その頃のフーリエとの関係は疎遠《そえん》で間遠、隔靴《かっか》搔痒《そうよう》の感じだった」

フーリエは、この兄弟との親交は危険だとだれかから言われていたようだった。おそらく知事秘書で、ジャック＝ジョゼフを妬《ねた》む、アンブロワーズ・ルパスキエであろう。シャンポリオン兄弟の手強《てごわ》い敵の一人、ルパスキエは、フーリエがジャック＝ジョゼフを高く買って、自分のかわりに彼を知事秘書にしようとしたことがあるのを知って、ひどく憤慨したことがあった。もちろんジャック＝ジョゼフはその申し出をいつも断っていた。フーリエが古い友人を見捨てるように言いくるめられたのは別に意外なことではなかった。当時は、フランスで政治的陰謀と不安が高まっていた時期だった。徴兵がますます人びとを苦しめ、商売は破綻《はたん》をきたしていた。男たちは徴兵され、他の人びとは徴兵を逃れるために逃亡し、あるいは、傷ついた帰還兵は働くことができなかった。多くの家々からは父や息子や兄弟を失った嘆きの声が響き、もはやだれも百戦百勝というナポレオンを信じようとしなかった。

ロシアとの同盟関係が破れてナポレオンのロシア遠征が行われた一八一二年には、大量の失業者が町にあふれ、物価は急騰《きゅうとう》していた。多くの店が破産し、金持は食うに困らなかったが、輸入品は闇市《やみいち》で法外な値段でしか手に入らず、毎年、何万という貧しい人びとが栄養失調で死んでいった。こういった惨状に追い打ちをかけるかのように、ナポレオンは戦争税を人びとに課した。占領地域から徴発した資金ではもはや軍費をまかなえなくなっていたからである。ロシア遠征は悲惨な結果に終り、ナポレオンがモスクワまで連れて行った六十万以上の兵士のうち、帰還したのは十万以下で、犠牲者の大部分は寒さと餓えと病気で死んだ。ロシア遠征での損失は、またもや徴兵で埋め合せるしかなかった。しかし、フランス中の男という男はすでに駆り出されていた。ナポレオンの戦争に反対する声が高まり、十分な新兵を確保することが困難になっていた。騎馬憲兵隊まで騎兵隊に編入されたため、フランス全土は無法地帯と化し、脱走兵や徴兵忌避者の群がこれに拍車をかけた。検閲や政府の宣伝活動にもかかわらず、帝国の崩壊はだれの目にも明らかになっていた。王党派はナポレオンの打倒と王政復古を画策していた。

一八一二年二月、グルノーブルでは、シャンポリオンの同僚の古代史の教授、ジャン＝ガスパール・デュボア＝フォンタネルが亡《な》くなり、シャンポリオンは彼から支給されていた給料の上積み分を失い、七百五十フランというわずかな年俸に戻った。ジャック゠ジョゼフはデュボア゠フォンタネルから市立図書館長としての給料九百フランを受け継ぎ、シャンポリオンを自分の無給の助手として雇った。また、ジャック゠ジョゼフは文学部長のポストに、シャンポリオンは、それまでの古代史の助教授ではなく正教授に応募した。彼は若すぎる、と妬み深い敵はあげつらい、彼を「ジャコバン」と呼んで、その政治姿勢を批判した。「ジャコバン」は、反王党派であると同時に反ナポレオン派を意味する侮辱的な名称である。彼らが最初に集会を持ったパリのサン・ジャック通りに由来するジャコバン派は、フランス革命でもっとも過激な民主主義者で、その名称は同じような過激な政治的見解を持つ人びとを指すようになった。シャンポリオンにとって、これは事実とそれほどかけはなれてはいなかった。彼はナポレオンの支持者でもブルボン王朝の擁護者でもなく、理想主義者であり、民主主義の共和国こそフランスの唯一《ゆいいつ》の公平な政府であると信じていた。

古代史正教授のポストは自動的にシャンポリオンに与えられるわけではなく、公募によってきめられることになっていた。彼の反対派は古代史とギリシア文学のポストを兼任にしようと画策していた。というのは学外者が兼任を命じられれば、シャンポリオン兄弟は二人ともポストを失うことになるからである。兄弟とフーリエとの軋轢はいまや重大な結果を生むこととなった。二人が政府の役人に気に入られていないことはだれの目にも明らかで、事態をさらに悪化させる事件が起こった。『イゼール便り』の編集長、ジャック゠ジョゼフは、皇帝の軍隊がロシアとスペインで蒙《こうむ》った恐るべき損失に関する記事を検閲を受けずに掲載したのである。それはいまやだれでも知っていることではあったが、パリ滞在中のフーリエは、「有害な主張」を掲載したかどでジャック゠ジョゼフを編集長から解任した。グルノーブルに帰ったフーリエはこの解任を再確認し、ジャック゠ジョゼフは編集長の給料を失ったばかりでなく、フーリエがこの件を政府に報告したため、信望をも失った。

あやうい立場に立たされたジャック゠ジョゼフは九月にパリへ行き、自分自身と弟の件を教育担当大臣に直訴した。敵の方も政府に苦情やら中傷やらを持ち込んでいたが、彼は自分の主張を伝えることに成功し、グルノーブルに意気揚揚と凱旋して、文学部長に任命され、ギリシア文学教授は留任となった。シャンポリオンは学部事務長に任命され、古代史「臨時」教授のポストを維持した。古代史教授の地位は公募に付されたものの、応募者がなく、シャンポリオンがその地位に残り、ジャック゠ジョゼフは、年俸を二千二百五十フランに上げるという約束をとりつけた。

この心労と金欠の数か月間、古代エジプトの文字に関するシャンポリオンの研究はほとんど進まなかった。グルノーブルで利用できる資料は不足していたため、彼はいつも他人からコピーを借りなければならなかった。それとは異なる研究であるが、一八一二年末に行った「カノープスの壺《つぼ》」に関する研究は大きな成果をあげた。陶器製ないし磁器製のいわゆる「カノープスの壺」は、エジプトの神々の四つの頭をかたどった蓋《ふた》に特徴があって、エジプト中で発見され、当時は、カノープス港だけで発見されるの人頭形の（蓋だけでなく）壺と同じ機能を持ち、年代も同じものと考えられていた。カノープスでしか発見されないほうの壺は、かつてはカノープスと呼ばれていた神の化身として崇《あが》められていたと信じられていた。しかし、のちの研究によって、これらの壺は実は、エジプトの神、オシリスの化身として崇拝されていて、ギリシアないしローマ時代のものとわかった。古代エジプトの地理に詳しいシャンポリオンは、カノープスは古代エジプトの港の名前としては疑わしいと考え、また、カノープスと呼ばれる神が古代ギリシアやラテンの文献にはないことを突きとめた。その港はギリシア時代にカノープスと呼ばれ、のちにアブーキールとなった。一七九八年七月、ナポレオンの遠征隊が上陸し、一月後にフランス艦隊がイギリス軍によって撃沈されたあの湾である。

すでにこの段階において、シャンポリオンは、二種類の壺はそれぞれ異なる機能と儀式での使い方をそなえたものと考えた。人頭形の壺はカノープスに限られ、ギリシア時代後期のものであり、蓋だけが頭の形をした、誤ってカノープスの壺と呼ばれているものは広い範囲に分布し、アラブ人の墓で発見されることもある。アラブ人はその中身をきれいにして仲買い人やコレクターに売ったりする。グルノーブル市立図書館付属の小さな博物館にはそのようなアラバスターのカノープスの壺が二つ所蔵されていた。高さ三十センチと四十センチのもので、蓋にはヒヒとジャッカルの頭がかたどられ、小さい方の壺の中身はそっくりそのまま残されていた。シャンポリオンはその機能を突きとめるために壺を調べることにした。中身は壺の底にかたいかたまりとなっていた。彼はちょっと手荒なやり方であるが、防腐液を溶かすために壺を三十分間ほど熱湯につけ、布に包まれたものを取り出した。その布をはずしたかたまりを、ちょうどグルノーブルを通りがかった、パリの自然史博物館の博物学者に鑑定してもらったところ、シャンポリオンの予想どおり、それは防腐処理された内臓で、おそらく人間の心臓と肝臓と脾臓《ひぞう》らしいということだった。この二つの壺は現在でも、グルノーブル博物館に展示されている。ヒヒの頭をかたどった蓋のほうは、実験中にタールのような中身がこぼれたために、少し黒ずんでいる。

この研究からシャンポリオンは、カノープスの壺の蓋にある四つの頭（女性、ヒヒ、タカ、ジャッカル）は、エジプトの神話によると、黄泉《よみ》の国の神による裁きの前に行われる魂の計測に立ち会う、四つの象徴的な霊の頭部であるという結論を出した。ヒエログリフ解読後、このような見事な考古学的実験の結論が正しいことが確認された。壺の守護神は「ホルスの四人の息子」であることがわかった。女性は実は（イムセティ神）、肝臓の守護神、ジャッカルは（ドゥアムテフ神）、胃の守護神、ヒヒは（ハピ神）、肺の守護神、タカは（ケベセヌエフ神）、腸の守護神である。そのようなカノープスの壺はミイラ処理中に摘出される防腐済みの内臓を保存するために利用され、一方、脳はふつう左の鼻の穴から差し込まれた鉤棒《かぎぼう》で掻《か》き出され、捨てられる。大部分のミイラにはもともと防腐処理された内臓の収められたカノープスの壺あるいは「カノープスの包み」が添えられていて、壺には収められた内臓の守護神がかたどられていた。実際にどのようにしてミイラがつくられたかは、ヒエログリフも教えてくれない、古代エジプトの謎《なぞ》のひとつである。古代エジプトの文献にはそれについて何も記されておらず、現在わかっていることは、ギリシア時代とローマ時代の文献の記述やミイラの調査、それに、現代的実験によるものである。シャンポリオンの実験はこの分野に道を開いたが、しかし、今日でもエジプト学者が使っている「カノープスの壺」という誤った名称を正すことまではできなかった。

カノープスの壺の調査の直前、コプト語の文法書と辞書の編纂《へんさん》をつづけていたシャンポリオンは、パリの友人、サン＝マルタンにエジプト語に関する最新の見解を書き送った。彼の見方はだいぶ変化しはじめていて、ヒエラティクやデモティクの筆記体より年代が新しいとはもはや考えていなかったが、それらの筆記体をコプト語で置き換えれば古代エジプト語を解読できるという考えに変わりはなかった。コプト語について彼はこう述べている。「ぼくはこの言語を徹底的に分析したので、だれかにその文法をたった一日で教えることもできそうだ。いまそのいちばん目立つ鎖を追っているところです。エジプト語（コプト語）を完全に分析すれば、ヒエログリフの基礎が明瞭《めいりょう》になるでしょう。ぼくがそれを明らかにしてみせます」。まさに彼がそれを明らかにすることになるが、目標を達成するまでに多くの歳月を要した。

数か月後の一八一三年二月にも、シャンポリオンはサン＝マルタンに自分の見解を書き送ったが、いぜんとして、ヒエログリフには秘密の神官用の文字があるという誤った考えにしがみついていた。彼はヒエログリフには二種類の文字があることを突きとめたが、これは一歩前進だった。「ヒエログリフには二種類の文字があります。一、六つのアルファベット記号。二、たくさんあるが定った数の自然物の模写」。ヒエログリフを一語も解読できなかったが、語のかたちに注目した。「エジプト語の名詞、動詞、形容詞は特別な語尾変化を持たず、すべては接頭辞と接尾辞であらわされる」。語尾変化はヒエログリフのアルファベットで示されるとシャンポリオンは考えた。完全に正確というわけではなかったが、正しい方向に踏み出す一歩だった。

大学ではこの数か月間というもの何事もなかったが、シャンポリオンに約束された上積みの給料はまだ支給されず、結局、二月になって、年俸は正教授の四分の一の七百五十フランに固定され、学部事務長および図書館次長のポストは無給とされた。フランスの他のすべての組織もそうであったように、大学当局はできるかぎりの節約を余儀なくされていたのであった。またもや貧乏生活に投げ込まれたシャンポリオンは落胆し、そのために健康を害してしまった。

いまやシャンポリオンの『ファラオ治下のエジプト』全二巻は完成し、出版許可を求めるべく教育大臣に手渡してもらうようフーリエ知事に依頼した。四月になって、大臣は非常に好意的な反応を示したという報告を受けたが、しかし、それから四か月後、それは嘘《うそ》で、原稿を渡してさえいないことがわかった。フーリエと何度も激論をかわしたジャック゠ジョゼフは、二人の関係は修復されたものと思ったが、出版については「もうしばらく待たねばなりません。出版の順番は上が決めることですから」と言われた。義理の姉のポリーヌ・ベリアが七月に亡くなり、シャンポリオンにとって不幸が重なった。パリへ行く前、彼は彼女と恋におち、結婚を夢みて、いとこのセザリーヌを通して彼女に熱烈な手紙を送っていた。返事が来ないので、兄に心の思いを打ち明けた。兄は弟に同情し、振られたシャンポリオンを慰めるのに必死だったが、「ポリーヌはひどくご立腹で、セザリーヌといっしょになって君の手紙と君の考えを笑いものにしている」と伝えざるをえなかった。二人の関係ははじまったかと思ったとたんに終ってしまったが、しかしそれでもシャンポリオンは二十九歳で、おそらく結核で亡くなったポリーヌの死を深く悲しんだ。

九月のはじめ、ジャック＝ジョゼフは失望のどん底にあるシャンポリオンを、グルノーブルの北にあるシャルトルーズ山に連れて行った。そこにあるカルトゥジオ会修道院は二十年前に閉鎖され、いまでは国有財産となっていた。当時のイギリス人観光客向けのガイドブックには、この地域は「自然の恐ろしさを堪能《たんのう》したい人に打って付け。約三十キロはなれたところにある修道院につづく道には大喜びするであろう。切り立つ山々、激流、奇岩、足のすくむ断崖《だんがい》、大きな滝などがたくさんある」と記されていた。旅行中、兄と弟は市立図書館のために旧修道院から二千の手稿とインキュナビラ（一五〇〇年以前の印刷本）を運び出すことができた。現在、それらはグルノーブル図書館の非常に重要な蔵書となっている。

この旅行で身心ともに元気になったシャンポリオンは研究を再開し、サン＝マルタンに、自分はもはや秘密の神官文字の存在は信じていないという、驚くべき意見を伝えた。これは非常に重要な前進だった。いまではサン＝マルタンは、シャンポリオンにたいするド・サシの態度に憤慨するようなことはなくなり、王党派のド・サシに好意を示すようになっていた。二人の友情は急速に冷えることになるが、サン＝マルタンはシャンポリオンの新しい発見について秘密を守ると誓った。この時期、シャンポリオンの考えはたえず変化していたので、いずれの新発見も公表していなかった。

一八一三年末、シャンポリオンは、手袋製造業のクロード・ブランの娘、ロジーヌ・ブランに結婚を申し込んだ。手袋製造はたいへん敬われていた仕事で、グルノーブルで唯一の産業だった。町の著名人の一人であるクロード・ブランは、大学では評判の悪い、年俸わずか七百五十フランで、ほとんど昇給の見込みもない二十三歳の教授と娘との結婚をきっぱりと断った。ジャック＝ジョゼフも別の理由で結婚には反対だった。ロジーヌは弟にとってあまりに知的に劣っていると考えたからだった。こうして結婚を断られ、シャンポリオンにとって一八一四年は幸先《さいさき》の悪い年となったが、ナポレオンにとっては最悪の年だった。一八一二年のロシア遠征の失敗後、フランスに対抗する連合国は結束を固め、一八一三年十月、南フランスに侵入し、ナポレオンはドイツから撤退を余儀なくされた。十二月、ナポレオンはスペインを放棄し、連合国は、ナポレオンが条約に同意しなければ、フランスへの侵略を続行すると通告した。ナポレオンはこれを拒否し、一八一四年一月、連合国はフランスの奥深くへと戦線を拡大した。グルノーブルは、(オーストリアの皇女、マリー゠ルイーズとナポレオンとの結婚にもかかわらず)前年夏にフランスに宣戦布告したオーストリア軍の脅威にさらされた。人びとは町から逃げ出し、残った住民が防衛隊を組織し、シャンポリオン兄弟もこれに加わった。十七世紀の城壁が補修され、集められた武器は磨かれて弾をつめられ、歩哨《ほしよう》が配置された。いまやフランスとグルノーブルと、なによりも住民を守ることがいちばん大事なことで、学問のことはまったくないがしろにされた。学者たちは「ヒエログリフやエジプト語のことはそっちのけだ」と、ジャック゠ジョゼフは弟に嘆いた。

四月のはじめ、オーストリア軍が進撃中というニュースが伝わり、まだ戦闘態勢ができていないにもかかわらず、血気にはやる防衛隊はオーストリア軍と一戦を交えるべく待ちかまえていた——そこへパリからの急使がやってきて、首都は連合軍の手に落ち、ナポレオンは退位したことを知らせ、事無きを得た。休戦条約が調印され、オオーストリア軍がグルノーブルに進駐した。五月、ナポレオンはコルシカ島の東の小島、エルバ島に追放され、フランスに王朝が復活し、ルイ十八世が王位に就いた。シャンポリオン兄弟は大多数のフランス人同様、ナポレオンに代わるブルボン王朝の王の再登場に失望した。民主的なフランスを夢みた共和主義者のシャンポリオンは、ナポレオンの政治には欠点があったが、王朝への復帰は誤った方向に向うものだと考えた。グルノーブルでは、少数派の王党派が力を持ち、公然とフーリエを批判して知事職の解任を要求し、市の劇場の閉鎖も求めた。いまやだれもが新しい国王への敬意を強制されたが、多くの場合、そのような「敬意」は口先きだけで、人びとの集まるサロンでは、押しつけられた王党派の仮面をかなぐり捨てる者も少なくなかった。劇場の明りは消されたが、サロンでは内輪で風刺劇などが演じられていた。シャンポリオンは無謀にも、たぶんふざけ半分で王党派をくつがえすような内容の芝居を書いた。いずれもギリシアやローマの古典文学のパロディで、評判はよかった。駐留していたオーストリア軍の将校も、風刺たっぷりの芝居をフランスの法令に縛られずに楽しむことができた。

一八一四年、王党派の支配が強まるにしたがって、シャンポリオンは、あれほど批判的だったナポレオン時代のフランスを二つの悪い時代のうちではましな方だと考えるようになった。彼は親しい友人の内輪の楽しみに、流行の曲に合せて歌をつくったりした。言うまでもないことだが、王党派を笑いものにする歌で、作者がわかったら大変なことになっていたことであろう。何人かの友人はその歌にいたく感動し、作者不明の歌を印刷して町中にばらまいた。人びとは暗い裏通りで夜おそくその歌をうたって、新体制への抵抗を抑圧しようとする警官を嘲笑《ちょうしょう》した。裏切りと反抗の感情を非常にうまく表現していたその歌は、またたく間に広まった。

グルノーブルの不安で不穏な雰囲気はフランスの大部分の地域でも見られた。権力最後の日には、ナポレオンは、侵入した外国軍隊によって王位に就けられた国王ルイ十八世とは対照的に、フランスを外国の侵略者から守る英雄と見なされていた。大部分のフランス軍はいまだにナポレオンに忠誠を誓っていて、フランスに帰ってきたものの、自分たちの未来を見出《みいだ》すことのできない数千の兵士たちはとくにそうだった。要職や有利なポストは王党派に割り当てられ、失業者は捨て置かれていることに一般市民もお偉がたも気づいていた。また、農民は、革命にともなう財産没収で買った土地が貴族に返還され、以前の封建的な賦役《ふえき》や税が復活するのではないかと恐れていた。そして何よりも、十年以上にわたるナポレオン時代に得たすべての植民地を失って、フランスの国威はどん底にあった。戦争と辛苦の歳月はすべて無駄のように見えた。王朝を復活させた外国勢力こそがこれらの元凶であり、責められるべきはナポレオンではなく、国王だった。

グルノーブルの大学でも、他の多くの町と同様、すべてが停滞し、人びとは新政府の動向を見守っていた。五月、ジャック＝ジョゼフはパリへ様子を見に行ったが、いまやシャンポリオンは、貧困と、教授、学部事務長、図書館次長という三つの職責、それに、大学教授としての野心と個人的願望の挫折《ざせつ》などで疲労困憊《こんぱい》していた。未来に絶望した彼はこう記している。

ぼくの運命は明らかだ……ディオゲネスのように（その中に住むために）樽《たる》を買おう……悪い時に生れたため、ぼくがいちばんしたいことは成功しないのだと確信している。ぼくの頭と鼻先と心は邪魔ものだらけの悪路のほうへと押しやられている。これがぼくの運命だ。ともかくこれに耐えねばならない……

犬儒学派を代表するギリシアの哲学者、ディオゲネスは、できるかぎり原始人の「自然な」生活をするため、すべての物質的所有を否定し、樽のなかで暮し、乞食《こじき》をしていたと言われている。また彼はあらゆる形の教育や文化、結婚、家族、世俗的名声、政治を否定し、セックスの自由を支持していた。この手紙を受け取ったジャック＝ジョゼフは、ギリシア文学の教授として、この悲痛な魂の叫びが痛いほどよくわかったことであろう。

こういった不安動揺はあったものの、シャンポリオンは、ヒエログリフに関する自分の見解を公表するのは時期尚早と考え、友人のサン＝マルタンを自分の見解をぶつける反響板として利用した。一八一四年五月末、ロゼッタストーンの碑文の研究をつづけているが、いくつかの重要な発見にもかかわらず、思ったほどの成果があがらない、と書いている。「そして、ヒエログリフは？　これは重大な問題だ。ぼくにはたくさん考えがあるが、何かはっきりした成功の見込みがないかぎり、公表する勇気がない……自分自身をいくら守っても守りすぎるということはない……重要な成果をつかんでいます……ヒエログリフだけ、つまり、個別のヒエログリフ文字だけでは意味がなく、それらはグループにまとめられているのです」。これは厳密には正しくなかった。というのは、単独でも意味を持つヒエログリフがいくつかあるからだった。ただし、大部分のヒエログリフはテキストのなかでグループをつくり、それぞれのグループが意味を持っているというシャンポリオンの考えは正しかった。ヒエログリフは、「私は神々の神殿で仕事をした」という意味であり、ヒエログリフはグループに分けて書かれ、空間を効率的に使うようにならべられている。

それぞれのグループは次のとおりである。

私はした　仕事を　で　神殿　の　神々

六月、ジャック＝ジョゼフは、新しい王朝時代になっても大学にはいっさい変化なしという知らせをもって、パリからグルノーブルに戻った。同じ月、彼は百合《ゆり》勲章勲一等を与えられたが、そのような勲章を嫌うシャンポリオンはこれを快く思わず、あまりに多くの人が受章するので、それを持たないことがむしろ名誉の印であると言った。学外では、ジョゼフ・フーリエ知事が秘書のアンブロワーズ・ルパスキエを解雇し、これによってフーリエとシャンポリオン兄弟との関係は修復された。シャンポリオンの『ファラオ治下のエジプト』も出版されることになり、年輩の同僚の半分にすぎなかったが、給料も増えた。と言っても、ロジーヌ・ブランの父親に娘との結婚を承諾させるほどの額ではなかった。同じ六月にジャック＝ジョゼフは、フランス学士院の碑文・文芸アカデミーの通信会員に選ばれ、八月、新しい国王にグルノーブル市を代表して忠誠を誓い、また、シャンポリオンの本の出版を監督するためにふたたびパリへ出向いた。その前にパリへ行った際、ジャック＝ジョゼフはあらゆるつてを頼って自分を新体制に売り込み、シャンポリオンの『ファラオ治下のエジプト』を国王ルイ十八世に献呈することに成功し、八月十二日に謁見した際、豪華に装丁した一部を贈った。ちょうどその二日前にジャック＝ジョゼフの意図を知ったシャンポリオンは、献呈を中止するよう怒りに満ちた手紙をパリに送った。しかし、手紙が届くのが遅れ、新しい政治状況に順応するジャック＝ジョゼフの外交的手腕が、王朝への嫌悪《けんお》をあらわにするシャンポリオンを出し抜いたのであった。

九月中旬、シャンポリオンは著作の出版に期待をかけてはいたが、批判に敏感な彼は、ド・サシやクァトルメールなどの敵の出方を懸念《けねん》していた。「何が起ころうとも、この二人の大きな子供、多少の欠点はあるかもしれないが、少なくとも何らかの希望を与える二人の子供を世に送った、この満足感だけは不滅である」と彼は手紙に書いた。十月末、二巻本の『ファラオ治下のエジプト』が出版された。第一巻は主として上エジプトのさまざまな場所の記述とその地名について、第二巻は下エジプトについて扱っていた。各巻には非常に多くの地名がアラビア語、コプト語、ギリシア語、対応すると考えられる古代エジプト語で記されていた。シャンポリオンが苦労して編纂《へんさん》したナイル川沿岸の地図は、結局、デルタ地帯のみに限られていた。

ところで、彼は手元にあるロゼッタストーンの写しに非常に不満を感じていた。碑文はまだロンドンの古物協会から出版されておらず、『エジプト誌』にも掲載されていなかった。そこで、自分の著書を出版したばかりで、ますます確信を深めていたシャンポリオンは、ロンドンに著書を送り、同時にロゼッタストーンのテキストの不鮮明な部分について問い合せるのがよかろうと考えた。十一月十日、彼は手紙を出した。

ここにカンビュセス侵入前のエジプトに関する二巻の著作をお贈り申し上げます。文明史において非常に重要なこの時代とわれわれとのあいだに横たわる数十世紀は、この国の古代の栄光についてわずかな証拠を残すのみです。私は証拠を集め、そして、ここに同封しました本が私の研究の最初の成果です。

自分の著書について詳しく紹介してから、古代エジプトの言語と文字はこの著書のもっとも重要な要素であって、もしその碑文の鮮明な写しが利用できれば、次はロゼッタストーンの解読をしたいと述べた。

私の研究はエジプト文字の碑文、大英博物館のもっとも美しい装飾のひとつを読むことにあります。私が言っているのは、ロゼッタで発見された遺物のことです。これについて私がいままで行ってきたことは、こう言うことが許されるならば、いくつかの成果がないわけではありませんでした。絶えざる研究で得たと考えています成果は、私にさらに大きな希望を抱かせます。しかし、私にはどうするすべもないある問題で頓挫《とんざ》せざるをえないのです。私はこの碑文の二つの写しを持っています。一つは御協会が印刷した複製で、もう一つは、フランス政府の命令で出版される『エジプト誌』の第三巻に収められるはずの図版です。両者には重大な違いがあり、小さな相違もときには私にとって大きな支障となり、判断に迷うことがあります。二つの写しに従って転写した部分をその遺物そのものと比較するよう王立協会にお願いできないものでしょうか。正しい文字を知ることが私にとっては非常に重要です。原物からもっとも単純な方法によってつくられる石膏《せっこう》レリーフがあれば、碑文全体を読むことができると確信しています。私にはまったく別のものとしか思えないような二つの写しを使って、私は大いに不信を感じながら一歩一歩進んでいるところです。申し上げましたように、美しいロゼッタストーンの複製がヨーロッパの主要な図書館すべてに展示されるならば、古代エジプトに関する研究はいっそう前進するでありましょう。このような文芸の友への新しい贈りものは、王立協会を動かす熱意と献身に値するものでありましょう。

誤ってシャンポリオンは、ロンドンで最初にロゼッタストーンを受け取った古物協会ではなく王立協会へ手紙を送ったのである。返事を出したのは、王立協会の外務秘書官だった。はからずもシャンポリオンは、ヒエログリフ解読の最大のライバル、まったく未知のライバル、トーマス・ヤングと接触したのであった。

第五章　医者

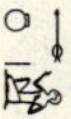

ジャン＝フランソワ・シャンポリオンは知らなかったが、彼のもっとも手強《てごわ》い競争相手は、ヒエログリフ解読法の研究ですでに彼に追いついていた、あるイギリス人だった。トーマス・ヤング、四十一歳。シャンポリオンより十七歳年上で、数か月前に解読に興味を持ったばかりだった。彼の生活と経歴は、シャンポリオンを苦しめてきた貧困や不自由、政治的陰謀とはほとんど無縁だった。ヤングは一七七三年六月十三日、サマセットの当時は小さな織物の町、ミルヴァートンで生れた。十人きょうだいの長男で、両親は、十七世紀にイングランドで創設されたキリスト教プロテスタント派の一つ、キリスト友会（クエーカー）に所属していた。彼ははじめ母方の祖父、ロバート・デイヴィスの手で育てられた。祖父はその才能を愛《め》で、いつも「生半可な知識は危険。飲むならしっかり飲め、さもなければピーエリア（訳注　飲むと霊感を得るという泉。詩神の故郷の名からつけられた）の泉に口をつけるな」と言いきかせていた。ヤングはしっかり飲み、二歳ですら

すら読むことも、詩を暗誦《あんしょう》することもできた。学校へ行く前にラテン語を学びはじめ、一七八〇年三月、六歳のとき、ブリストルの近くの粗末な寄宿学校に、その後、同じ地方の同じようにひどい学校に入れられ、満足な教育を受けることができなかった。そこでヤングは独学せざるをえなくなり、十八か月間、自宅で勉強したのち、一七八二年三月から、ドーセットのコンプトンにある学校に入学した。ここでラテン語、ギリシア語、ヘブライ語、フランス語、イタリア語、数学、そして、「自然哲学」(当時、物理学はこう呼ばれていた)のほか、絵画や本の装丁といった実用的なことも学んだ。四年後に学校を卒業したヤングは、科学や言語に興味を持ち、とくに東洋語に惹《ひ》かれた。「トゥルミン氏はぼくに、百か国語以上の主の祈りが記された本を貸してくれました。それを調べるのがとても楽しい」。十四歳という若さで彼は、ロンドンの北約三十キロ、ヤングスベリーのクエーカー教徒の銀行家、デヴィッド・バークレイの孫、ハドソン・ガーネイの家庭教師兼話し相手に雇われた。ここでヤングはガーネイに主にラテン語とギリシア語を教え、自分自身の勉強をつづけた。一七九二年秋、シャンポリオンがまだ二歳にもならない頃、ヤングは家庭教師の仕事をやめたが、すでにそれ相当の知識を身につけていた。のちに彼は書いている。「高みに達したいと思うなら、独学独習しなければならない」と。シャンポリオンもヤングもともに師を陵《りょう》駕し、独学を強いられたことは、両者の数少ない共通点のひとつである。こうして学力をつけたヤングはロンドンに出て、医者をめざして勉強をはじめた。当時、医学教育で古典文学は必修だった。ヤングに医者になるように勧めたのは、叔父のリチャード・ブロックレスビーという名の知られた医者で、彼は二年前、結核の姪《めい》をなおしたことがあった。この叔父を通してヤングは当時の多くの著名な文学者と知り合い、医学の勉強とともに、言語への興味を持ちつづけ、自分の見解を短い原稿にまとめて雑誌に発表することもあった。

一七九三年五月末、わずか十九歳のヤングは、権威あるロンドンの王立協会で、眼の解剖学に関する発見について述べた『視覚についての観察』という論文を発表した。それを発見したのは自分であり、ヤングは剽窃者《ひょうせつしゃ》だという外科医、ジョン・ハンターの抗議もむなしく、ヤングはこの論文によって翌年、協会の会員に選ばれた。一七九四年十月、ヤングは医学の研究をつづけるために、馬に乗ってスコットランドのエジンバラをめざし六百キロの旅に出発した。当地の医学学校は非常に評判が高く、多くの国から学生が集まっていた。エジンバラの社交界での付き合いはほどほどにして、彼は暇な時間には、ドイツ語、イタリア語、スペイン語を学び、ダンスとフルートを習い、芝居見物に出掛けた。キリスト友会はそのような社会的活動を認めていなかったが、エジンバラに出発する前、キリスト友会から正式に脱退していたので、どのような規則も気にしなくてよかった。

エジンバラでの講義が一七九五年五月に終ると、ヤングは名高い貴族などへの紹介状を四十通以上もたずさえてスコットランド旅行に出掛けた。九月にロンドンに戻ると、翌月、北ドイツのゲッチンゲン大学に向けて出発し、十一月、当地で医学研究を続行し、ドイツ語に磨きをかけた。当時、ゲッチンゲン大学にはヨーロッパ最大級の図書館があって、ヨーロッパ中から学生を引きつけていた。一七九六年春、念願通り学位を取り、ドイツからオーストリア、スイス、北イタリア、そして、ローマとナポリへの旅行を楽しみにしていたが、オーストリアとフランスのあいだの戦争のために旅行は実現しなかった。戦争はドイツとイタリアの国境で戦われ、ナポレオン・ボナパルトはじめてフランス軍の将軍として名を知られるようになった。エジプト遠征の二年前のことである。一七九六年八月、やむなくヤングはゲッチンゲンをあとにして、ドイツ国内の短い旅行に出発した。

次の年の二月、ヤングはイングランドに帰り、翌月、資格を取るためにケンブリッジ大学のエマヌエル学寮《カレッジ》に入学した。というのは、ロンドンとその近郊で開業する医師の資格を取得するには同じ大学で二年間過ごすことが必要だったからである。エジンバラやゲッチンゲンでの学業期間だけでは不十分だった。ケンブリッジでは多くの著名な人物に会ったが、その一人に、のちにヒエログリフやその他の問題について手紙を交すことになる、サー・ウィリアム・ジェルがいた。一七九七年十二月十一日、ヤングはロンドンで病に苦しむ叔父のブロックレスビーを見舞ったが、ちょうどその日の夜、ブロックレスビーは死亡し、甥《おい》のヤングにロンドンの家と蔵書、絵画、それに一万ポンドの現金を残した。当時としては相当な額の遺産である。シャンポリオンとはきわめて対照的に、ヤングは金に困ることがまったくなかった。一七九九年春、ケンブリッジで資格取得に必要な六学期の学業を終え、ロンドンに戻り、最近までメリルボン広場として知られていた郊外の近く、ウェルベック街四十八番地に医院を開業した。いまやロンドンは二十平方キロ以上に急速に拡大し、約九十万の人口はパリの二倍だった。

医院の仕事が軌道に乗る前、ヤングは一八〇一年秋に新設されたばかりの王立研究所の自然哲学教授に就任した。王立研究所は、科学の学校としてつくられ、ヤングは講義を行い、機関誌を発行するポストに就いた。しかし、シャンポリオンと違って、ヤングは（みずから認めているように）講義が下手で、二年後、そのポストを辞任し、自分の講義を本にまとめることに専念した。各巻七百ページで二巻本の、この長大な著作は一八〇七年にようやく出版されたが、千ポンドという約束の金は支払われなかった。その直後、出版社が倒産したからだった。

一八〇二年夏、フランスとイギリスの短い休戦期間に、ヤングはリッチモンド公爵《こうしやく》の兄弟の孫息子二人のお伴をしてフランスに渡った。二人のフランス語に磨きをかけるのが目的だったが、ヤングはパリでフランス学士院の会合に出掛けたことがあった。当時、第一執政として国政のために首都で過ごしていたナポレオンもその会合に顔を出していた。帰国後、ヤングは、ロンドンのテムズ川沿いのサマセット・ハウスにある、王立協会の外務秘書官に任命され、終生、このポストを守った。

一八〇四年六月十四日、彼はエリザ・マックスウェルと結婚した。たいへん幸福な結婚で、二人の息子、ロバートとトーマスはともに医者になった。その後数年間、シャンポリオンがリセとパリで教育を受けていた時期、ヤングは医学研究を行って本を出版し、また、ロンドンおよび、多くの金持や貴族が夏を過ごす、イングランド南岸のワージングという小さな町で医者として活躍した。当時、フランスとの戦争のために大陸の保養地への旅行が制限されていたため、海水浴は多くの病気の治療回復のために流行《はや》っていた。

一八一一年一月、シャンポリオンがグルノーブル大学の教壇に立って八か月目、ヤングは、ロンドンのハイドパークコーナーにあったセント・ジョージ病院（現在はレーンズボロ・ホテル）の医師の一人に選ばれた。彼の家から一キロ半ほどのところにあったセント・ジョージ病院は、十八世紀はじめに慈善家によって創立された五つの新しい総合病院のひとつだった。ヤングは病院での自分の地位を終生にわたって守ったが、ここでも学生には受けがよくなかった。「彼のやり方はあたたかさと真剣さに欠けていて、学生が何に苦労しているかということがわからないため、大部分の学生が知りたい肝心なことをたいした説明もなしに素通りしてしまうことになる」。幸いにも、医者としては教師としてよりも受けがよかった。細かな観察をもとに診察に当ったからである。一八一三年、彼の著書『医学文献序説』が出版された。これは講義をまとめたもうひとつの著書と同様、長大なもので、十年後に新版が出ている。

彼はさまざまな分野の研究を手がけ、多くの問題に興味を寄せたが、どれかひとつに限定するということはなかった。彼はあまりに多くの時間を医学以外のことに費していると思われたくないため、本は匿名《とくめい》あるいは偽名で出版することが多かった。しかしそれでも、それらの本の著者名は学者のあいだでは周知の事実だった。友人で以前の教え子、ハドソン・ガーネイあての手紙にヤングはこう記している。「科学の研究は、すべての同時代人と先人とを相手にして小部屋のなかやソファーの上で行われる一種の戦争である。しばしば私は居眠りしているときに勝利のきっかけをつかむことがあったが、完全に目がさめているとき、私が敵に追いついたと思ったとたん、敵は私より一歩前を進んでいることに気づくことも多かった」。これはシャンポリオンとのライバル関係を予言する言葉であり、また、彼が研究を単に学問の進歩よりライバルに勝つ手段と見なしていたことも語っている。

時折、ヤングはギリシアやラテンの文学を研究していた。彼が手がけたものに、紀元七九年、ヴェスヴィオ山の噴火で破壊されたローマ時代のイタリアの都市、ヘルクラネウムで発見された千八百枚の炭化したパピルスがあった。学者にとっては残念なことに、これらのパピルスはながいこと失われていた古代の文学作品ではなく、エピクロス学派の哲学書だとわかった。ヤングは、一八一〇年、『クォータリー・レヴュー』誌で、これらのパピルスに関する研究を発表していた他の学者たちの誤りを正し、その結果、この分野における彼の専門家としての評価は一挙に高まった。彼は王立協会に委託されたパピルスを広げて調査に当ったが、彼以前の多くの学者もそうであったように、彼もパピルスの破損を早めるだけのことしかできなかった。ともあれヘルクラネウムのパピルスの研究以来、彼のところには論評を求めて、おもにギリシア語あるいはエジプトの絵文字や筆記体で記された碑文の写しが送られてきた。

エジプト語へのヤングの関心をかきたてたのは、一八二一年、テーベの近くの墓から、彼の友人、サー・ウィリアム・ボートンによって発見されたミイラを包んでいたパピルスである。そこにはヒエラティクが記されていた。あいにくパピルスはエジプトからの航海中、海水に漬かり、一八一四年はじめ、研究のためにヤングに渡されたときには、ボロボロになっていた。一八一四年といえば、ナポレオンの帝国が崩壊し、グルノーブルがオーストリア軍の攻撃の脅威にさらされ、シャンポリオンが貧困と研究のしすぎで疲労困憊《こんぱい》していた年である。遅ればせながらロゼッタストーンに目を向けたヤングは、その年の夏のワージング滞在中に、その三つの碑文の研究に取り組むことにした。ロンドンの古物協会作成の図版を入手し、最初の手がかりとしてド・サシとオーケルブラドの研究を利用することにした。最初に研究したのはデモティク碑文で、彼はこれを「民衆文字（enchorial）」と呼んだ（「民衆の文字」を意味するギリシア語 enchoria grammata から）。数年後、彼は、ロゼッタストーンのこの碑文の最初の命名者であるにもかかわらず、民衆文字という用語が無視されていることに怒りをあらわにしている。

私はこれらの文字をエンコリックあるいはエンコリアル、と呼んだ。シャンポリオン氏はそれらにデモティク demotic、民衆文字という用語を当てた。おそらく、私が採用した名称を知る以前から、それを使っていたのであろう。私の考えでは、発表したのは私の方が先であり、それ故《ゆえ》、彼は私の用語を使い、彼自身の用語は破棄すべきである。

一般に使われるようになるのはデモティクという用語で、ヤングの用語はいまでは死語である。

歩みは遅く、前途多難を思わせた。シャンポリオンはヤングのことをまったく知らず、ヤングもシャンポリオンが何年も前からつづけていた研究のことを知らなかった。ほとんどは公表されていなかったからである。ヒエログリフ解読は霧のなかで展開される競争に似て、たがいに相手を目にしたこともなく、正しい方向に進んでいるかどうかもわからない。ド・サシとオーケルブラドの最新の成果を知ろうと、ヤングは、一八一四年八月、パリのド・サシに手紙を出した。九月末、研究に進歩はないこと、そして、教え子のシャンポリオンとオーケルブラドを欺《あざむ》くような内容の返事があった。

オーケルブラド氏はこの数年ローマにいて、頻繁に連絡を取り、研究成果を公表するように言っているのですが、なかなか私の願いをかなえてくれません。パリにいたときは私に研究のことをもっと教えてくれたのですが……私はオーケルブラド氏の分析を公《おおや》けには認めていますが、包み隠さず申し上げますと、彼が発見したアルファベットにはいささか疑念を抱いているのです……ロゼッタ碑文のエジプト語のテキストを解読したと自負している人物はオーケルブラド氏だけではありません。古代エジプトの地理学について二巻本を出版したばかりの、コプト語研究者、シャンポリオン氏も、この碑文を解読したと豪語しています。

一八一五年一月、オーケルブラドはヤングに、ロゼッタストーンのデモティク文字に関する先駆的研究以後、ほとんど研究は進んでいないと手紙で伝えた。そして、そのわずか四年後、彼はローマで五十五歳で亡《な》くなった。

ド・サシが手紙で触れていたシャンポリオンのエジプトの地理と歴史に関する二巻の著作（『ファラオ治下のエジプト』）については、ヤングは、四月のナポレオン退位後の和平期間にパリを訪れた友人のハドソン・ガーネイから聞いていた。いまやこの競争相手のことを知ったヤングはガーネイにこんな手紙を送った。「私がシャンポリオンについて耳にしたことに関わりなく、彼が何をしたかを知りたいという私の気持はおわかりでしょう。その本を入手できれば幸いです」――ガーネイはパリからヤングに本を送った。

数か月後、ヤングは、翻訳ができるくらいロゼッタストーンのデモティク碑文を分析できたと考え、一八一四年十月のはじめ、その結果をド・サシに送った。そして十月の末、ヒエログリフのテキストを翻訳したと考えるにいたった。彼の翻訳は当て推量で誤っていたが、彼はこれまでのド・サシやオーケルブラドの研究や、シャンポリオンが発表していた成果を越えたと考えた。「翻訳」という言い方は彼の研究成果を誤って伝えるものである。彼が行ったのは、暗号解読の場合のように、数学的方法を応用して、二つの碑文をそれぞれ単語や文章をつくる語句グループに分割するということだった。ギリシア語とデモティクとヒエログリフの文章がたがいにそれぞれ一字一句を完全に翻訳したものであるとすれば、二つの未解読のテキストとギリシア語テキストの単語とを対応させて全文を訳すのは比較的簡単なことであろう。ところが、残念なことに、そのようにはなっていないのである。碑文によって語句の区切り方が違っていたのである。ヤングの「翻訳」は、三年後、ロンドンの古物協会の機関誌『アルケオロジア』にサー・ウィリアム・ボートンのパピルスに関する論考の附録として、「できるかぎり発見を見せびらかすようなことのないようにという学問的理由から」匿名で発表された。ヤングはこの快挙を非常に誇りにしていたが、一八一四年十一月、ロゼッタストーンの碑文の一部を点検してほしいという、シャンポリオンの手紙を受け取ったとき、いささか気分を害した。というのは、碑文の正確な写しが手に入りさえすれば、たちどころに難問を解決するであろうと、自信たっぷりに記されていたからである。

それから数週間後の一八一五年二月末、ナポレオンがブルボン王朝を倒すために追放先から帰還するという噂《うわさ》がフランスに広がった。グルノーブルでは、何人かのナポレオン支持者のもとに、三月一日にナポレオンが来るという手紙が届き、町はナポレオンを迎える準備をはじめた。三月四日、ナポレオンが三日前に上陸し、町に向って進軍中であるというニュースがグルノーブルに伝えられ、三月七日、ナポレオンは四十キロ南のラフロワにあって、フランス上陸後はじめて反撃に遭った。グルノーブル駐留の第五連隊の派遣隊が彼を迎え撃つために急行した。千をこえるナポレオンの軍勢をもってすれば、派遣隊を圧倒することはできたであろうが、援軍を得るためには、フランスの兵士同士を戦わせるのは得策ではなく、第五連隊の兵士を味方に引き入れる絶好の機会だと彼は考えた。彼は灰色の大外套《おおがいとう》のボタンをはずし、下に着ていた白いチョッキを見せながら、「余はここにいる。もし望むなら、きみたちの皇帝を殺すがいい」と叫んだ。一瞬のためらいののち、「皇帝万歳」と喚声が湧《わ》き上がり、兵士たちは武器を捨て、隊列を離れて彼のまわりに集まり、支援を申し出た。

グルノーブルでは、なにもかも混乱していた。住民はナポレオン賛成派と反対派に分れ、知事や役人たちはどう対応すべきか激論をかわしていた。三月七日夜、ナポレオンがグルノーブルの近くまで来たときには、彼を歓迎する方向に傾いていた。彼がボンヌ門を通って市内に進軍してきたとき、たいまつを掲げて沿道にならぶ人びとから「皇帝万歳」という叫び声があがった。ジョゼフ・フーリエは、かつてはナポレオンの忠実な支持者であったが、知事という地位に危険を感じて、ひそかにグルノーブルから脱出していた。群集の一人、ジャック＝ジョゼフはのちにこう記している。「私の横に立っていたある役人が、ナポレオンがそばを通り過ぎるとき、〈皇帝よ永遠なれ、自由も永遠なれ〉と叫んだ。〈そうだ〉とナポレオンは間髪を入れずに言い、私たちの方に顔を向けて、〈そうだ、自由よ永遠なれ〉と言った」

グルノーブル駐留の部隊もナポレオン軍に合流し、いまやその勢力は八千の兵士と三十門の大砲を擁するほどになった。彼は町に一日半ほど滞在し、その間の補佐役を手配するよう市長に依頼した。市長はジャック＝ジョゼフを推薦し、その家名の古い綴《つづ》り Champolēon を伝えた。これを見てナポレオン Napolēon は、「これは縁起がいい――余の名前の半分を持っている」と叫んだ。ジャック＝ジョゼフが呼び出され、彼はその役を引き受けた。ナポレオンは手紙や指令の口述に忙しかったが、大学の職員を含め、さまざまな代表にも会う時間をつくった。ジャン＝フランソワ・シャンポリオンを紹介されたナポレオンは、何度も徴兵免除の申請で目にしたその名をおぼえていた。軍務よりもはるかに重要だという研究について質問されたシャンポリオンは、ちょうどコプト語の辞書と文法書を完成したところだと答えた。ナポレオンはジャック＝ジョゼフに、その原稿をパリに持ってくれば、自分が出版を保証しようと言った。彼は以前、中国語の辞書の出版を処理したことがあって、出版の難しさをよく知っていた。「彼らはそのために百年も費したが、余は命令一下、三年でやってしまった」。皇帝と言語学者、方法は異なっていたが、ともにエジプト学の創設に多大な貢献をした二人の人物の会見はわずか数分で終り、再度、相見《あいまみ》えることはなかった。

フーリエの姿が見えないことに不信の念を抱いたナポレオンは、逮捕を命じようとしたが、ジャック＝ジョゼフが口をはさみ、フーリエに非はないとナポレオンを説得した。その結果、フーリエはローヌ県の知事および帝国伯爵に任命された。三月末、フーリエはリヨンの新聞にこんな短文を発表した。「あらためて〔ジャック＝ジョゼフ〕シャンポリオン氏に心からの感謝の気持を伝えたい。私の地位が危機にさらされたとき、氏が示された親愛の情を私はけっして忘れないであろう」。そして、兄弟にたいするそれまでの冷淡な態度とは打って変って、「どのような状況にあろうとも、私は二人のことをいつも思い出すだろう」と、感謝の気持を表明した。この言葉は、状況が常に変化し、予測できないことを語っていた。ナポレオンがグルノーブルでシャンポリオン兄弟と会見していたとき、オーストリア、イギリス、プロイセン、ロシアの代表は、反ナポレオン連合軍の再結成を議論していて、三月二十五日にウィーンで条約が結ばれた。

ナポレオンはグルノーブルを去ると、パリに向け出発し、三月末、パリに到着した。国王ルイ十八世はベルギーのヘントに逃れたところだった。四月中旬、ジャック＝ジョゼフは、一月前にナポレオンの命令で復職した『イゼール便り』編集長の仕事などを弟に委《ゆだ》ね、万難を排してナポレオンのあとを追った。ジャック＝ジョゼフは、コプト語辞典および文法書の原稿を、出版の正式審査を受けるため、碑文・文芸アカデミーに提出し、パリでナポレオンのために働いていた。一方、グルノーブルでは急に増えた仕事のためにシャンポリオンは健康を害《そこ》ね、大量の薬と度重なる湯治でなんとか持ちこたえていたが、自分の仕事をする時間も、ヒエログリフの研究に割ける時間もほとんどなかった。

追放されたナポレオンの帰還にともなう大騒動が一段落した頃、シャンポリオンは、前の年の十一月に出した手紙にたいするトーマス・ヤングの返事を受け取った。しかし、ロゼッタストーンの図版の件については進展がなかった。

二つの碑文の写しについてあなたがご希望の比較対照には大いに興味があります。概して古物協会のものはほとんど完全に見えます。フランスの写しもたいへん正確です。しかし、あなたが同封した個所は、原物でもいくらか不鮮明で、やや乱れ、あるいは破損しています。本当の読み方を確認するには、石の各部分と比較するしかありません。

彼はさらに、自分が作成したロゼッタストーンの翻訳をド・サシから渡されたかどうか尋ねている。これは、ヤングの研究を知らないシャンポリオンにとって不愉快なニュースだったにちがいない。ヤングはこう付け加えた。「私は、コプト語の研究を大いに深めたオーケルブラド氏やあなたのような学者の努力によって、私自身のものより完全な翻訳がすでにつくられているものと信じて疑いませんが、私の翻訳は、その各部分をギリシア語の訳文と非常に緻密《ちみつ》に比較して生れたものです」。この手紙にたいしてシャンポリオンは一八一五年五月はじめ、感謝の言葉とともに、ド・サシからはヤングの研究について一言の連絡もなかった旨《むね》を伝える返事を書いた。

六月、ジャック＝ジョゼフはナポレオンの新政府からレジオン・ドヌール勲位に叙せられたが、その頃までに王党派は勢力を盛り返しはじめ、宣伝ビラなどを回し、国王の名による徴税を画策していた。兄に代ってシャンポリオンは宣伝活動にたいして力のかぎり対抗し、また例によって風刺的な歌をつくったが、その歌は大流行した。六月十八日、ナポレオンがプロイセンとイギリスの連合軍にワーテルローで敗れたとき、シャンポリオンは兄弟にとって重大な結果を招くことになる記事を発表した。「フランスの支配者としてのブルボン王朝の正当性を攻撃して、彼はこう書いた。「フランスには王位継承を定めた法律は存在しない。王位を授けるのは人民のみである。人民は一度、王位をユーグ・カペー〔フランス王の一人〕に与えたが、いまやもっと有能な人物に委ねるために、その子孫から王位を奪った。人民の選択のみが合法である。したがってナポレオンがわれわれの合法的な王である」。シャンポリオンは兄に倣《なら》って、生れてはじめてナポレオンを積極的に擁護しようとしたが、これが悲惨な結果を生むこととなった。

帰還したナポレオンの政権は短命に終った。ワーテルローの敗北後、ナポレオンは退位し、王党派がフランス政府を支配し、連合軍は包囲網をかためていた。七月五日、グルノーブルはオーストリアとサルデーニャの混成軍に包囲された。グルノーブルは侵略軍に抵抗したフランスで最後の町だった。翌朝の六時、攻撃が開始された。武器を手にした市民が守備をかため、十時半には、攻撃は撃退された。グルノーブルの王党派は侵略軍に、町はすぐに降伏するだろうと請け合っていた。手強《てごわ》い反撃に驚いたオーストリア軍とサルデーニャ軍は猛烈な砲撃を開始した。攻撃開始前、城壁にいたシャンポリオンは砲撃がはじまるや、図書館のことが心配になった。雨のように降る砲弾の下を駆け抜け、図書館の二階にあがり、砲撃が止《や》むまで、かけがえのない書物や手稿を火災から守るために、そこにとどまった。

死者約六百人、負傷者約五百人を出した包囲軍は一挙に町を陥落させるにはあまりに犠牲が大きいと判断して、三日間の休戦を提案した。グルノーブル市民もこれに同意した。シャンポリオンはパリにいたジャック＝ジョゼフに戦闘の模様を、フランスの大砲と銃がオーストリア軍を粉砕して、郊外に追い払い、ゾエ（ジャック＝ジョゼフの妻）は「アマゾンのように」戦闘に加わったと伝えた。休戦が伝えられるや、危機から解放されたグルノーブル市民は束《つか》の間《ま》の勝利を祝い、シャンポリオンは、生涯にこれほどの美酒を飲んだことはないとご機嫌だった。

七月八日、王党派は、国王ルイ十八世がパリに戻ることができるほどフランス全土に支配権を握り、グルノーブル市民はこれ以上の抵抗は無駄とあきらめ、二日後に侵略軍に降伏した。七月中旬、ナポレオンはフランスをあとにしてセントヘレナ島に追放された。その昔、学生時代のノートに「セントヘレナ――小さな島」と記したことのある孤島である。その頃シャンポリオンはパリの兄に二通の手紙を送って、こんなふうに二人がナポレオンに深入りしたことで彼を責めると同時に、すべての責めは自分自身にあるとも言っている。というのは、妻も家族もなかったため、自分のことしか考えていなかったからだというのである。

> なによりもご自分のことだけ考えてください。ぼくのことなら、神の御心《みこころ》のままです。ぼくはそれが正しいと思い、いまでもそう思っているので、自分の考えを述べます。連中がお兄さんの新聞をジャコバン主義だと言って非難したら、そうしたのはぼくなのだと堂々と言ってください。それが事実なのですから。もし犠牲《いけにえ》が必要なら、ぼくがいます。ぼくには妻も子もありません……大切なのは、兄さんが無事に危機を脱することです。

またもやグルノーブルではすべてが停滞し、シャンポリオンは未来に絶望した。「いつもの仕事をはじめようとしても、心ここにあらずです。未来にまったく望みを失い、ぼくには未来はないと確信しています」

同じ頃、ジャック＝ジョゼフは、熱烈な王党派のド・サシに牛耳られた碑文・文芸アカデミーが、シャンポリオンのコプト語辞典および文法書について、国費で出版するに値しないとして、出版を却下したことを知った。いまやシャンポリオンはド・サシを自分の最大の敵と見なし、彼にたいして激しい怒りと失望を感じた。そして、政治的忠誠がほかのなによりも大きな影響力を持つことになるだろうと、的を射た予言を兄に書き送った。「戦いをつづけるのはむだだと思います。早晩ぼくたちが負けるにきまっています。党派精神が今までにも増してフランスでは大きな力を持つことになり、帽子の色が頭のなかにある思想の価値を決定することになるでしょう。万事休す、です」。――フランスでやがて起る政治的、社会的変化のみごとな予言である。

彼は貧困と失望と病身にもめげず、最後の挑戦に立ち上がった。『イゼール便り』の編集長を解職される前、シャンポリオンは、兄がパリに滞在中に、「共和国に乾杯」を発表して自分の政治的立場を表明し、新しい王朝体制によって自分が追放されることを覚悟した。

ぼくには愛するものがたくさんある
しかし、いまではひとつしか選べない
杯を上げ、永遠に誓う
共和国に乾杯！

ブルボン王朝の献身的支持者、シルヴェストル・ド・サシはいまでは、正反対の政治的見解の持主、シャンポリオンに激しい敵意を抱き、フランス国内ばかりでなく国外でもその評価を傷つけようとした。七月末、彼はトーマス・ヤングに、デモティクの「翻訳」を（遅ればせながら）シャンポリオンの兄のジャック＝ジョゼフに送ったと伝えた。そして、ヤングに、シャンポリオンを信用しないようにと注意した。わずか数通の手紙しか交わしたことのない外国人にこんなことを言うとは、なんとも常軌を逸したことである。

助言をさせていただくなら、シャンポリオン氏にはあなたの発見についてあまりお伝えにならないようにお勧めします。彼はあとで自分に優先権があると言うかもしれないからです。彼は著書のいろいろなところで、ロゼッタストーンのエジプト語〔デモティク〕碑文の多くの単語を発見したと標榜《ひょうぼう》しています。しかし、それは単なる大ぼらだと思います。そう考える立派な理由があることを付け加えておきましょう。

手紙のなかでド・サシは教え子のクァトルメールについてもけなしている。

きっとあなたはご存知ないでしょうが、オランダのある人物も、この〔ロゼッタストーンの〕碑文のアルファベットを発見したと言っています。また、パリではエティエンヌ・クァトルメール氏が大部分を解読したと豪語しています。これらの発見が正しいか、あるいは空論にすぎないかどうか検討したところ、どちらも正しくないように思われます。というのは私は、コプト語は古代エジプト語とは別のもので、ギリシア語の訳文は解読の確かな手段を提供しているようでもありますが、その遺物を一瞥《いちべつ》して、私はそうではないと考え、それは解読できないのではないかと絶望しています。

悲観的見方にもかかわらず、ド・サシはヤングを賞讃《しょうさん》している。「あなたはヒエログリフ解読で大きな前進をなしとげたように思われます」と。

その後数か月、ヤングはド・サシ、オーケルブラド、ジョマールなどの学者に詳しい手紙を出して、ヒエログリフをめぐる考え方や意見を交換した。これらの往復書簡の抜粋が一八一五年と一八一六年に彼の手で『博物館批評』というあまり知られていない雑誌に発表された。ヤングの熱心な支持者であるエドム・ジョマールは一八一五年四月にこう記した。「ロゼッタストーンの解釈でなしとげたあなたの成功は、私の興味と好奇心を最高に刺激しました。なによりもすばらしいのは、ヒエログリフ碑文についてあなたがなしとげたことです」。『エジプト誌』の編纂者《へんさんしゃ》として、エジプトで集められた膨大な量の資料を利用できるジョマールから情報を引き出そうとヤングは躍起になった。ヤングが情報を欲しがったのは、ヒエログリフ辞典のようなものをつくることができるかもしれないと考えたからだったが、ジョマールは、目下、すべてを研究中であると言い訳して、こう述べた。

私は情熱をこめて仕事に取り組んでいます。というのは、それが学者の研究に役立つであろうと確信しているからです。多くの人びとがヒエログリフ解読に傾ける努力にはいつも驚かされます。それはあたかもヘブライ語のアルファベットの数や文字を知らずにヘブライ語を読み、理解しようとしているかに見えます。

ヤングは、返書で、自分はジョマールの言う暗中模索の学者とは異なり、入手可能なすべてのヒエログリフ碑文を複写したいのだと述べたが、ジョマールを説得して情報を手に入れることはできなかった。

一八一五年末、ウィリアム・リチャード・ハミルトン（イギリス外務省の次官）はヤングに耳よりなニュースを持って来た。新任のエジプト領事、ヘンリー・ソールトに、ヤングが重要と指定した碑文をすべて購入し、イギリスに送るようにという指示が出されたのである。その冬、ヤングはハミルトンから既刊の『エジプト誌』を借りたが、これらの巻にはヒエログリフそのものや解読についてまったく触れられていなかった。ジョマールは『ヒエログリフに関する所見と研究』の出版に意欲を燃していたが、結局、実を結ぶことがなかった。ヤングは『エジプト誌』の分析に着手したが、その融通のきかない方法のためにほとんど成果がなかった。彼はいぜんとしてヒエログリフの暗号解読にこだわり、シャンポリオンのように古代エジプト文明全体を理解していなかったため、資料そのものに八つ当りする有様だった。「神殿のすべての碑文やミイラとともに発見された大部分の手稿は彼らのばかげた儀式に関係しているようだ。そこには歴史のようなものはひとつもない」

いまやヤングは視野の狭い方法にもかかわらず、ヒエログリフについていくつか重要な点を指摘するほどになっていた。いくつか絵画的なものもある一方で（たとえば、𓉶 は「オベリスク」を、𓁿 は「涙を流す目」、つまり、泣くことを意味するというように）、他のものには別の機能があることを正しく認識していた。いかにして複数をあらわすかについてこう述べている。「複数のものを表現するために、文字の反復は二つを示し、同じ種類のものが三つならべられると、不特定の複数を示し、それはある一つの文字に三本の線をつけるという方法で示されることが多い」。この点については彼は完全に正しかった。古代エジプトでは三つの数え方があった。「一つ」と「二つ」と「たくさん」である。𓊹 は、「一つの神」を意味する *neter* を示す。「三つの神」はヒエログリフを三つならべた 𓊹𓊹𓊹 によって、そして、複数の「神々」は三つのヒエログリフ 𓊹𓊹𓊹 で示された。ヤングが述べたように、複数はひとつのヒエログリフと三本の棒だけを使って略されることもあった。「神々」は 𓊹𓏪 というように、また、「家々」は 𓉐𓏪 と書くこともできた。複数の接尾辞 *w* を付ければ、*neter*（神）は *neteru*（神々）となる——厳密には、古代エジプト語には母音がなかったので、*ntru* となる。*w* は「ウ」と発音されるので、それは便宜的に *u* と書かれることもある。それで、𓊹 はふつう *neteru* と翻字され、「家」（ふつう *per* と翻字される）は *peru*（家々）となる。

オーケルブラドは何年も前にロゼッタストーンのヒエログリフの数詞について少し触れていたが、いまやヤングはこう書くことができた。「一本の縦線が一を、丸い、あるいは四角の弧が十というように数はあらわされる」。ジョマールは一八一六年にヒエログリフの数詞について重要な研究を発表した。ヤングはジョマールが自分の研究を盗んだと考えていたが、おそらくそうではなかろう。数詞は単純につくられていて、七つの基本となる数詞を組合せたり、重複させたりしてどのような数でもつくることができた。それらの数詞は次のとおりである。

𓏺　一
𓎆　十
𓍢　百
𓆼　千
𓂭　万

　十万
　百万または百万以上

これらの数詞を組合せる場合、数の多い文字が数の少ない文字の前に記される。したがって、は百四を、は千二十二を、は九を意味する。
その頃まで、シャンポリオンを含め、学者たちは、デモティクは完全にアルファベットで構成されていると考えていた（つまり、英語や古代ギリシア語のように、各文字があるきまった音をあらわし、それらを組合せて単語をつくるというように）。ロゼッタストーンの碑文や、ヒエログリフとヒエラティクで書かれたさまざまなパピルスを調べることによって、ヤングはこういう結論を出した。デモティク（彼の言うエンコリアル）では、ローマに征服される以前、エジプトの最後の支配者だった古代ギリシア人の言語を含め、エジプト語以外の外国語の発音を綴《つづ》るためだけにアルファベット文字が使われた、と。さらに彼は、彼の言うエンコリアルの筆記体とヒエログリフにみられるシンボルには類似点があることを認め、このことから、筆記体文字は「形は崩れているが、ヒエログリフ文字そのものである」と推量した。
オーケルブラドがデモティク碑文のいくつかの名前を明らかにして以後、ヨーロッ

パのどの国を見渡しても、ロゼッタストーンについての研究はほとんど進展を見せなかった。ヤングは状況をこう要約した。

すべての文明国の鑑定家や年代学者が、古代エジプトの遺物をめぐるすべての疑問や難問を正しく解決するために一致協力するのが当然のことと思われた。しかし、シャンポリオン氏と私を除いて、みんな自分たちの推測や思いつきを弄《もてあそ》んでいるばかりだった。証明も反証明も不可能なことについて、フランスの数学者は計算をつづけ、イギリスの哲学者は議論をつづけた。

そして彼は解読は一生涯の研究を要する難問だと考えた。

いま存在する唯一《ゆいいつ》の象形文字言語である中国語の場合を見ればわかるように、それを日常生活で使い、正確な大部分の文法書や辞書を利用できる人にとっても、その大部分の言葉に習熟するのは、一生涯を要するような大仕事と見なされている。したがって時間と蛮行による損傷を偶然にも免れた数少ない遺跡から危ういところで救出された象形文字言語は、人間の努力をほとんど越えるような難問を提出していることをわれわれは理解すべきであろう。

すべてのライバル研究者たちは知っていた、難問であればあるほど、成功のもたらす名誉は大きいことを。

ヤングがヨーロッパ各国の学者の敬意を集め、自由に意見を交していた頃、グルノーブルのシャンポリオンとパリのジャック＝ジョゼフは、ブルボン王朝の復活という誇大妄想的な雰囲気のなかで、要注意人物と見なされ、二人ともグルノーブルの地方新聞を解職された。一八一五年十一月、ジャック＝ジョゼフがパリから帰ってくる少し前、シャンポリオンは、それまで全力を傾けて研究してきたことすべてを放棄する覚悟で、新しく舞い込んできた仕事の話を手紙に書いている。「まちがいなく文学部はつぶされるでしょう。……ぼくらは抹殺される……ぼくはグルノーブルで公証人〔弁護士〕をはじめようかと思う。司祭が粉屋になることもあると言っていましたね。しかし、司祭が食うに困り、水車場に粉がなかったら、どうしたらいいのでしょうか」。一八二四年にロジーヌ・ブランと婚約したシャンポリオンは、法律家こそこのような困難な時代には唯一の確かな仕事であると考えていた彼女の父親の反対をこれによって解こうとした。深い絶望のなかで彼の世界は崩壊しつつあった。すべての希望は失われ、結婚の望みも失われようとしていた。シャンポリオンは方向転換こそ唯一の生きる道と考え、大学を去る決心をした。

自分たちの問題で手いっぱいだったにもかかわらず、シャンポリオン兄弟は、ナポレオンとともにワーテルローで戦い、新政府から死刑を宣告されて逃亡中の将軍、ドルエ・デルロンを助けるという危険を冒した。一八一五年から翌年にかけての冬のあいだ、イゼール県のすぐ近くに彼を匿《かくま》い、春になって、国外脱出を助け、将軍はミュンヘンでジョゼフィーヌの息子でナポレオンの継子《ままこ》である、ユジェーヌ・ド・ボアルネ王子と合流した。もしこのことが政府に知られたならば、非常に危険なことになったであろうが、そうでなくとも、シャンポリオン兄弟は窮地に立たされていた。敵は二人を追放するよう圧力をかけていた。さらに追い打ちをかけるように、グルノーブル大学では変革が行われていた。要職にある非王党派は王党派に替えられ、一八一六年一月、シャンポリオンの予言どおり、文学部は閉鎖され、兄弟は大学での地位を失った。市立図書館との関わりも槍玉《やりだま》にあげられ、シャンポリオンは市立図書館を政治的集会に使用したと告発されたが、彼はこれを断固否定した。「そこでグルノーブル・アカデミー以外の集会が行われたという事実は絶対にない」と。その他にも二人にたいする無実の告発が政府によってなされ、一八一六年三月、二人は国内追放を宣告された。

新しい仕事と結婚にかけるシャンポリオンの新しい希望と計画は追放令によって潰《つい》え、兄弟は八方手を尽したものの、故郷のフィジャックに追放された。二人はグルノーブルの家族と友人から引き離された。ジャック＝ジョゼフは息子のアリを引き取ったが、他の子供、一八一一年生れのジュールと、一八一二年生れのエメ＝ルイ、一八一五年生れのゾエは妻のゾエのもとに残された。アメリー＝フランソワーズには言及がないところを見ると、乳児期に死亡したようである。シャンポリオンとジャック＝ジョゼフは出発までにわずか十五日の猶予《ゆうよ》しか与えられなかったため、荷造りの余裕がなく、大部分の本や研究ノートはグルノーブルに残しておくしかなかった。その旅券には二人についてほんのわずかな個人情報しか記されていなかった。所属していた大学の学部は閉鎖されたため、ジャック＝ジョゼフについて、司書、年齢三十六歳、フィジャック生れでグルノーブルに在住、六歳半の息子が同行とだけ記されていた。旅券には、身長一・六七メートル、暗褐色の髪、褐色の眼、色白の顔、卵型の顔に「中型の」額と口、細い鼻、とくに目立つ印なし、と記載されている。

シャンポリオンの旅券には、副司書、年齢二十五歳、身長一・七〇メートル、黒い髪、黒い眼、「褐色の」顔、広い額、平鼻、丸い突き出た顎《あご》、顔は「まん丸」で、「疱《ほう》瘡《そう》の跡が少しある」と記されている。彼が疱瘡を患《わずら》ったという記述はこの旅券にしかない。旅券の「顎鬚《ひげ》」の欄には、ジャック＝ジョゼフは「褐色」、シャンポリオンは「黒」とあるが、これは必ずしも当時、二人が顎鬚を生やしていたということではなく、単に毛の色を示しているだけのようだ。のちにシャンポリオンはエジプト旅行中、顎鬚を生やしたが、二人のほとんどの肖像には鬚がない。

旅券には一八一六年三月十八日の日付があり、費用は二フラン。そこには、南側の近道ではなく、リヨンとオーリャックを経由してフィジャックへ行くように指定されていたが、これは、彼らの安全を考慮してのことだった。というのは、王政復古がまだ進行中の南フランスでは王党派の巻返しで動乱がつづき、とくにこの地域は新政府の完全な支配下にはなかったからだった。王党派内部の紛争によって状況は複雑になっていた。王党派は二つの集団に分裂していた。ルイ十八世の支持者は、リベラル派を標榜《ひょうぼう》し、革命前のような絶対的王朝への復帰は不可能だと考えていたが、ウルトラ派（過激な王党派）は、革命中およびナポレオン治世下に生じた変革をすべて除去しようとしていた。国王ルイは王朝と国民との宥和《ゆうわ》を望んだが、ウルトラ王党派はその弟で、反動的なアルトワ伯爵《はくしゃく》を擁立していた。南フランスでは、ヴェルデ派（緑色の帽章をつけていた）などのウルトラ派が実権を握る地域もあって、彼らは新体制への支持をうたいながら、独自の政治を行っていた。偏狭な宗教観からプロテスタント狩りが行われている地方もあれば、武装集団によって旅行者の安全が脅《おびや》かされている地方もあった。そのような無法者や自警団に襲われる危険のほか、ウルトラ派の支配地域を避けるため、ジャック゠ジョゼフとシャンポリオンは北に遠回りして、二週間後の一八一六年四月二日、フィジャックに着いた。

兄弟の目にした故郷は以前とほとんど変りがなかった。二人の記憶にくらべて少しばかり豊かに見える、静かな町だった。しかし、家族は変りがないわけではなかった。母親は十年近く前に亡《な》くなり、ラ・ブドゥケリ通りの家には父親と二人の娘、テレーズとマリー゠ジャンヌが住んでいるだけだった。もう一人の娘、ペトロニーユは一八〇三年に結婚していた。幸福な暮しとは言えず、父親は酒びたりで健康を害《そこ》ね、家業の本屋も絶望的状況にあった。父親の酒びたりが原因なのか結果なのかはともかく、何か手を打たないかぎり本屋が倒産するのは目に見えていた。店を預っているのは四十二歳のテレーズで、家事は三十四歳のマリーが受け持っていた。どちらも結婚しなかったのは、商売不振で十分な結婚持参金がなかったためのようだ。二人とも自分たちの兄弟を誇りにしていたが、金がないことや父親の心配などで何かにつけ言い争いが絶えなかった。

シャンポリオンとジャック＝ジョゼフにとっては一難去ってまた一難で、はじめは二人とも、グルノーブルやパリに較《くら》べ、フィジャックという小さな町を息苦しく感じていた。知的な話のできる人は四、五人もおらず、一分が一日のように、一日が一月のように、一月が百年にも感じられると、ジャック＝ジョゼフは妻のゾエに手紙で書いた。シャンポリオンは親しい友人のオーギュスタン・テヴネ（リセの同級生で、当時はグルノーブルで家族の経営する店で働いていた）に、あくびと呪《のろ》いの毎日で、グルノーブルの美しい山々をいつ見ることができるのかわからない、と書き送った。しかし、二人が去ったのはちょうどいい時だった。一八一六年五月のはじめ、グルノーブルの法律学校の前校長、ジャン＝ポール・ディディエによる反乱が起こったのである。彼は、酒に酔った退役軍人や農民の一団を従え、ナポレオンの旗を掲げて、町を制圧しようとした。「反乱」は簡単に鎮圧されたが、ウルトラ派はこれを流血の口実にして、加担した十八人を射殺した。ディディエは逃亡したが、捕えられてグルノーブルに連行され、公開でギロチンにかけられた。多くの市民に嫌疑がかかり、すでにフィジャックにいたにもかかわらず、シャンポリオンとジャック＝ジョゼフにも及んだ。二人への容疑は証明されず、何の措置も取られなかったが、もしグルノーブルにいたら、命を失っていたかもしれなかった。

はじめ二人の兄弟は故郷の町に失望していたが、地元の人から著名人とも見なされ、幸いにも、知事のルゼイ＝マルヌシア伯爵から歓待された。彼は以前フランス軍の将校としてアメリカに渡っていたことがあって、一八一五年以後、フィジャックを含むロト県の知事に就任していた。考古学に興味のある知事は、二人にフィジャックの周辺にあるとされるウクセロドゥヌム遺跡の探索を勧めた。ユリウス・カエサルの『ガリア戦記』によると、ウクセロドゥヌムはローマ軍によって占領された最後のガリアの要塞《ようさい》だった。紀元前五九年からカエサルは徹底的にガリアを征服し、ウクセロドゥヌムについて、四方すべてを断崖《だんがい》絶壁で守られ、谷底には川が流れ、唯一の泉で水を補給していたと記述した。カエサルの軍隊はこの要塞を包囲し、泉を涸《か》らすためにトンネルを掘り、渇きに耐えられないガリア人はついに降伏した。こうしてローマ軍はガリア地方を征服したが、反乱を抑えるために、カエサルは、ウクセロドゥヌムでローマ軍と戦った者はすべて右手を切断すべしと命じた。フランス人はこのようにして故国が征服されたことをけっして忘れず、赦《ゆる》そうともしなかった。遅ればせながらナポレオンはイタリア侵略によって復讐《ふくしゅう》をとげ、こうして、ウクセロドゥヌムは愛国的抵抗の重要な象徴となり、そういうこともあって、その遺跡の場所を発見するのは重要な事業だった。

ジャック＝ジョゼフはシャンポリオンの協力を得て、ウクセロドゥヌム発見の仕事に取り組んだ。一八一六年の夏中、二人はカエサルの記述を手がかりにその場所を探すためにその地域を調べ、それはロト川を見下し、フィジャックから約五キロのところにある、カプドナク・ル・オであると断定した。ジャック＝ジョゼフの指揮のもとに発掘が行われ、その場所にまちがいないと思われるようなローマ時代の遺物が発見された。事業の成功にルゼイ＝マルヌシア知事は大喜びし、その地域の知的エリートのあいだでシャンポリオン兄弟の評判は高まった。その後の調査では、カプドナクの要塞は中世の時代のもので、別の遺跡がウクセロドゥヌムであるとされた。フィジャックの北西約五十キロ、ヴェイラク近くの「イスーダンの丘」と呼ばれる場所で、そこには泉を涸らすためにローマ軍が掘ったトンネルまで発見された。しかしながら論争は決着せず、今日、フィジャックの人びとは、カプドナク・ル・オこそウクセロドゥヌムの本当の場所だと主張している。

兄と協力してウクセロドゥヌムの調査を行っていた、その年の夏、シャンポリオンは、出版を却下されたコプト語辞典および文法書の書き直しに専念していた。その貴重な原稿はグルノーブルから持ってくることができた。結局のところ、これらの著作の重要性は、編纂《へんさん》作業を通して古代エジプト語の原型を伝えるコプト語に彼が精通したことにあった。これによって彼はヒエログリフの解読にあたって大部分のライバルにたいして非常に有利な立場に立つことができた。しかし、フィジャック追放中に全力を傾注したにもかかわらず、著作はついに出版されることはなかった。

追放された時から、ジャック＝ジョゼフは、弟と自分自身のことで政府に取りなしてもらうよう、パリの友人知人に手紙で頼んでいた。政治的情勢は目紛《めまぐる》しく変化し、シャンポリオンの昔の敵、『エジプト誌』の編集者のエドム・ジョマールや、シャンポリオンのペルシア語の先生で、彼の徴兵を阻止しようとしなかったルイ・ラングレスもいまでは援助のために全力を尽していた。シャンポリオンが師事した教授のうち、ただ一人、王党派のシルヴェストル・ド・サシだけは援助を拒否したが、このことで彼はパリの学者仲間のあいだで評判を落とした。それよりひどかったのは、熱烈な王党派になったサン＝マルタンで、ド・サシの腰巾着《こしぎんちゃく》となって、かつての友人、シャンポリオンを遠ざけた。

パリの友人や旧敵の精力的な工作活動や、フィジャックの知事の支援にもかかわらず、ジャック＝ジョゼフが約八か月間の追放から正式に解放されたのは一八一六年十一月のことで、シャンポリオンは翌年の一月まで解放されなかった。その間、シャンポリオンは妬《ねた》み深い同僚の政治的陰謀から解放され、人生の当面の目標もなく、弁護士になろうという計画も追放によって潰えた。一種の拘留状態のなかで、しかし、地元の人びとからは著名人と見なされ、人気もあって、それまでの歳月のストレスはもみほぐされ、静かなフィジャックでの生活を楽しむようになった。彼の人生における嵐《あらし》の前の静けさだった。兄はパリと連絡を取っていたが、そこから静かに嵐がはじまっていた。一八一四年末、ジョマールは、ロゼッタストーンをはじめ、エジプトでフランス軍から没収された遺物を記録するためにイギリスを訪れたことがあった。その際、ジョマールはイギリスで行われていたランカスター教育法に衝撃を受け、パリに初等教育協会を設立し、ジャック゠ジョゼフがこれに参加することになったのである。ルイ十八世の政府はいまやフランス全土への教育の拡大を計画し、シャンポリオン兄弟はフィジャックにランカスター法による学校をつくるよう要請された。

ランカスター教育法は、一七九八年にロンドンに学校を開いたジョゼフ・ランカスターによって開発された。まず教師が年長の有能な生徒に教え、次にその生徒が他の生徒に教えるというのがその方法で、またたく間にヨーロッパ中に広まった。中央と地方の政府から支援を受けて、シャンポリオン兄弟はフィジャックにそのような学校を設立する準備をはじめ、学校教育からは手を引くことにしたと手紙に書いてから一年もたたないうちに、シャンポリオンは新しい学校と新しい方法に深く関わり合うことになった。ウルトラ派とカトリック教会は新しい学校に、とりわけランカスター法に猛反対だった。というのは、それらは普通の人びとの子弟を教育することを目的としていたからである。教育は貴族や僧侶《そうりょ》のためのものであり、一般大衆の教育は無駄なことであり、大衆に考えを吹き込んだり、大衆を支配するのを難しくさせるだけである、というのが彼らの考え方だった。またもやシャンポリオンがそのつもりはないのに敵をつくってしまうという政治情勢が生れたのであった。

兄弟が追放から解放されたのは、新しい学校を準備していた頃だったが、どちらもすぐにはフィジャックを出なかった。一八一七年四月になって、ジャック＝ジョゼフはパリへ行き、フランス学士院の碑文・文芸アカデミーの終身書記官であるボン＝ジョゼフ・ダシエの秘書になった。シャンポリオンは新しい学校の設立準備に追われていたが、やがて家庭の事情を重荷と感じはじめていた。姉たちの未来を護《まも》るために、彼と兄は、遺産相続権を含め、家業にたいする自分たちの権利をすべて放棄していたが、父親の酒びたりと増えるばかりの借金のために商売はますます左前になっていった。どうしようもなくなったシャンポリオンは、ジャック＝ジョゼフが出発して一月もしないうちに、家族の問題を放置して行ってしまったと兄を責める手紙を書き送った。とくにさし迫っているのは、父親を拘禁するための法的措置だった。翌週、彼は兄に、グルノーブルの友人のテヴネの援助を得て、期限の迫った借金を返し、家具を競売から守ったが、自分のやり方に激怒している父親の問題は未解決だと報告した。

地方政府とフィジャックの住民の支持を受けて、シャンポリオンはどうにか新しい学校の設立にこぎつけることができた。学校は一八一七年七月に開校し、パリから教師がやって来て、四十人の生徒が入学した。しかし、シャンポリオンは過労のために健康を害ね、体重が減り、咳《せき》と発熱に苦しめられた。いまではもう十七か月以上というもの、ヒエログリフ解読の研究を行っていなかったが、ある二つの出来事がきっかけとなって、彼は研究を再開する気になり、追放された際、グルノーブルに置いてきたノートや資料を送ってくれるようにテヴネに頼んだ。二つの出来事とは、彼の著書にたいする書評が送られてきたことと、ライバルの解読者との出会いである。

一年以上も前にロンドンの『マンスリー・レヴュー』に発表されていたが、『ファラオ治下のエジプト』の無署名の好意的な詳しい書評をシャンポリオンが手にしたのはつい最近のことだった。よくあるようにいくつかの点には批判的だったが、彼は悪い気はしなかった。書評を書いたのは、実は、トーマス・ヤング(例によって匿名《とくめい》)で、彼は、フランス人にとってエジプトはいつも関心の的だったと指摘し、次のように述べている。

おそらくフランスがエジプトを手に入れるのに難儀したというのは、ヨーロッパのためには良いことだったのであろう。というのは、その厳しい気候が、もしそんなことがなければ厄介な隣人になっていたであろう、フランスのあり余る若者たちにいい薬になったからである。フランス流の勝手気ままなやり方とエジプト人の流儀とが人びとの融和を容易にし、アフリカの重要な一角の再文明化に好都合にはたらいたであろう。

このような外国人嫌いを一席ぶってから、ヤングは自分のエジプト観を長ながと述べ（彼の偏狭《へんきょう》な見方を披露）、それからシャンポリオンの研究を好意的に批評している。

ヒエログリフへのシャンポリオンの興味を再燃させたもう一つの出来事というのは、ライバルとなる人物の来訪である。近くの町、オーリャックに住むルーラック医師が訪ねてきたのはその年の八月のことだった。フィジャック追放中のシャンポリオンは学者とは交流がなく、他の学者の解読作業がどれくらい進んでいるか、新しいことは何も知らなかった。直接情報を交換する親しい相手もいなかったため、他の学者の研究を知ることはたいへんむずかしく、かりに交流があったとしても、発表前に研究結果を知らせることはほとんどなかった。研究結果が公表されても、それを入手するのは容易ではなかった。そのことは、数年前のことになるが、古物研究家で探検家のサー・ウィリアム・ジェルがヤングにあてた手紙によくあらわれている。ローマから出したその手紙のなかで、ジェルは、ヤングが『エンサイクロペディア・ブリタニカ』に書いた論文が入手できないと訴えている。「エジプトのヒエログリフに関するあなたの本あるいはパンフレットや論文が出版されているのかどうか、あるいは、それがあなたの特定の友人にのみ送られたものなのかどうかわかりませんが、私はそれを見つけることができませんでした。何度もロンドンで探し、行きつけの本屋にも頼んでみましたが、入手できませんでした」。ヤングがヴァティカン図書館に本を寄贈したことを知ったものの、「それがそこにあるのかないのかどちらにせよ、公共図書館は利用しにくく、一般の人にはたいへん不便です」。金持のイギリスの古物研究家がイギリスの出版物をロンドンで入手できないとしたら、フランスの片田舎のフィジャックで悩み暮すシャンポリオンにそのチャンスがあろうはずがない。

訪ねてきたルーラック博士はシャンポリオンに、彼が考えた「一般語源体系」について語った。彼はこの体系はヒエログリフ解読の手がかりになると言って、二人で協力することを提案したが、博士の考えが欠点だらけで、愚にもつかないものであることは明らかだった。話し合いは無駄に終ったが、シャンポリオンは、しばらくヒエログリフ研究から遠ざかっていたあいだに状況が変化していたことを感じ取った。ほんの一握りの学者のほかに、近在の田舎町の田舎医者までが解読に手を染めるようになっているとしたら、ほかにもどのような人が研究に乗り出し、ライバルたちはいったいどのようなことをしているだろうか？　はたしてヒエログリフを最初に解読できるだろうかという思いが頭のなかをかけめぐり、彼をふたたび研究に駆り立てた。シャンポリオンは知らなかったが、ルーラック博士が訪ねて来たちょうど二か月前、『エジプト誌』の出版委員会がパリで開かれ、その席上、古物研究者のルイ・リポールは、ヒエログリフを解く鍵《かぎ》を発見したと述べた。ナポレオンの遠征隊とともにエジプトに行った学者の一人、リポールはカイロのエジプト学士院の司書をしていた。彼はパリの学術団体でも講義をしていたが、同僚たちは彼の考えを否定した。のちに彼の説を聞いたシャンポリオンも同様だった。しかし、一八二三年七月、四十七歳で亡《な》くなるまで(頭のはたらきを良くするには断食がよいと彼は考え、それが死因となった)、リポールはシャンポリオンの忠実な味方だった。

いまや理論と方法論はたくさんあったが、成功しそうなものはひとつもなかった。

とは言え、それらはシャンポリオンにとっては心配の種だった。テヴネからすべての原稿を受け取るや、フィジャックにいる現在の自分の状況について疑問を感じはじめた。グルノーブルで不愉快な目に遭ったため、兄がパリに行ってしまった現在、シャンポリオンはいかに自分が孤独であるかを実感した。彼にとってパリの思い出は苦く、兄を追って行く気にはならなかった。彼にとって唯一《ゆいいつ》の現実的な選択は、少なくとも表面的には平静に見えるグルノーブルに戻ることだったが、仕事がなくてはフィジャックよりも暮しは苦しくなるだろう。大学の哲学学部が再開されるかもしれないという噂《うわさ》が彼のもとに伝わってきた。そうなれば、ポストが得られるかもしれない。藁《わら》をもつかむ気持で、彼はグルノーブルへ行くことに決め、十九か月の不在ののち、一八一七年十月、甥《おい》のアリを連れて古巣に着いた。

シャンポリオンは新しい知事、ショパン・ダルヌヴィーユにあたたかく迎えられた。彼は国王ルイ十八世の政府と地域の人びととを宥和《ゆうわ》させるために特別に任命された知事で、みごと政情不安を鎮《しず》めることができた。大学当局は哲学学部の再開計画を約束し、彼のために古代史とヘブライ語の講座の両方が検討されるだろうと言った。将来の見込みに大いに元気づけられたシャンポリオンは、地方政府の要請で、その地方のモデル校としてグルノーブルにランカスター法による学校を新設することになった。

彼がこの仕事を引き受けたことが知れ渡るや、グルノーブルのリベラル派が支援を申し出たが、しかし一方、彼は、そのような学校に猛反対するウルトラ派や聖職者の槍《やり》玉《だま》にあげられた。彼は断固として仕事に取り組み、パリから教師を連れてくるのではなく、みずから教師を育成した。一八一八年二月はじめ、生徒百七十五名の学校が開校した。シャンポリオンは皮肉っぽい自嘲《じちよう》的な調子で、「知事はご満悦、ウルトラ派はおかんむり、ぼくは正しい道を進む」と記した。生れつきの教師として愛情を持っていた子供たちの教育にますます深く関わるようになったシャンポリオンは、古典教育を提供するためにグルノーブルにラテン語学校をつくることにも協力した。

その年の春、シャンポリオンは知事から外交顧問に任命された。フランスから北イタリアのサルデーニャ国王に割譲された領土に関する文書の調査と整理がその仕事で、それが縁で国王の代理人、コスタ伯爵《はくしやく》と知り合った。二人は友人となり、数か月後、伯爵はシャンポリオンにトリノ大学の歴史および古代語の教授のポストを申し出た。給料も高い、名誉あるポストだった。グルノーブルにまだ未練があり、多くの教育活動や兄の家族との関係もあり、ポストが与えられるかもしれないということもあって、非常に残念な思いで申し出を断った。いろいろ不愉快なことはあったが、いまだにフランスへの忠誠心は失っていなかったのである。「フランスを去ることは、外国人の利益のために移住することだ。ぼくは外国人にも移民にもなりたくない」
恐ろしい政治的混乱が生んだ約二年間の空白ののち、いまようやくシャンポリオンはヒエログリフの研究に戻ることができた。ロゼッタストーンに取り組んでみると、やはり碑文の鮮明な写しがほしくなったが、ロンドンの古物協会から発行された図版の粗雑な模写しか入手できなかった。彼は、ロゼッタストーンのエジプト遠征隊による図版が手に入れば、研究の完成も間近いと思いながら、四月中頃、パリのジャック＝ジョゼフに最新の考えを手紙に書いた。

　委員会の図版があれば、それぞれのヒエログリフにギリシア語は言うまでもなく、フランス語と筆記体のエジプト語さえ対応させることができるでしょう。ぼくの研究は四分の三ほど終了しているので、これはけっして誇張ではありません。ヒエログリフ碑文の文頭と文の終りは、筆記体〔デモティク〕およびギリシア語との関係でわかります。少なくともその三分の二が欠けていることを証明しましょう……ぼくの研究には大ぼらも神秘もありません。すべては比較の結果であって、前もってこしらえた体系の結果ではありません。すでに冠詞と複数のつくり方、いくつかの接続詞を発見しましたが、これだけでは文章構造を解明するには十分ではありません。ぼくの現在の研究成果は、これまでヒエログリフについて考えていたことをすべてひっくり返しています。

兄あての同じ手紙で、シャンポリオンは、ライバルと見なしているものの、それほど恐れてはいない二人の人物、リポールとジョマールに言及している。当時、ジャック＝ジョゼフは、弟に改訂したコプト語辞典および文法書の出版を勧めていたが、これは十分な財政援助がなければ容易にはできない仕事であって、そこで、シャンポリオンはこの計画は忘れ、資金ができたらヒエログリフに関する研究を出版するつもりだった。「ぼくたちが生きているこの忌《いま》わしい時代に借金を増やすつもりはありません」

六月中旬、嬉《うれ》しいことにシャンポリオンは、ロゼッタストーンの非常に出来のよい写しを受け取った。しかし、グルノーブルの学校教育制度、とくに六月に開校されたラテン語学校の仕事で手一杯だったため、そちらの方に十分な時間を割くことができなかった。彼はなんとかヒエログリフ辞典の編纂《へんさん》に着手し、ジャック＝ジョゼフからその出版を勧められた。一八一八年八月十九日、アカデミー・デルフィナールで最新の研究発表を行ったが、まもなく、学校の仕事に専念しなければならなかったため、研究から遠ざかることになった。また、安い給料にもかかわらず、王立学校の歴史の教授職を不本意ながら受け入れた。その前身は彼が不幸な学生時代を過ごし、「監獄」から救出してほしいと兄に懇願した、あのリセだった。十一月、大学への復職の望みをあきらめたシャンポリオンは、十一年前、そこから解放されて失神するほどほっとした、あの同じ学校の教壇に立った。

十二月の終り、ようやく彼はロジーヌ・ブランと結婚した。一八一三年、はじめて会ったとき、彼女は十六歳で、彼は二十二歳だった。フィジャック追放中、兄弟はグルノーブル図書館での仕事を失ったが、ロジーヌの父親はこのことを婚約破棄の口実に使い、結婚反対の気持を強めた。当時、ロジーヌにたいするシャンポリオンの感情はいくらか冷めたので、彼女に結婚をあきらめさせようともしたが、二人の文通はつづき、彼女が彼に恋していることは明らかだった。シャンポリオンに好意を抱く知事に説得されて、彼女の父親も心が解け、グルノーブルの質素な聖堂で結婚式が行われた。結婚に猛反対していたジャック＝ジョゼフは式に欠席した。

少なくとも表面的には、ロジーヌとの結婚は幸福で、八年後、イタリアの女流詩人で友人のアンジェリカ・パッリにあてた手紙で少しばかり不満をもらしているだけである。シャンポリオンはロジーヌとの関係についてざっくばらんに語っているが、全体として恋におちたアンジェリカへの思いを伝える手紙ということから考えると、彼の言うことがすべて事実かどうかは疑問である。「急に冷たくなったぼくの心」にもかかわらず、ロジーヌが婚約期間中、いかに自分を愛していたかをこう記す。

ぼくの不在中に、アナイス〔ロジーヌの渾名《あだな》〕の気持が変わり、義務でもなく、また、二人の幸福を約束しない結婚計画をあきらめることを望んだ。当時、ぼくは迫害されていた。彼女はぼくの不幸のなかに自分の決意を守り通すという高潔なる信念を貫いた。現在も未来もぼくより有利な立場にある求婚者が彼女に執拗《しつよう》に手を差し出したが、アナイスは家族の気持に逆らって、彼らをはねつけた。気性の激しい無情な父親は毎日、彼女を怒鳴りつけ、癇癪玉《かんしゃくだま》を破裂させ、彼女からほとんどすべての自由を奪った。ついに私の追放が終り、アナイスは苦しみ、ぼくのために不幸となった。ぼくにはほかにどんなことができただろう。ぼくのすべきことは明らかだった。溶けることのない接着剤がぼくたちを結びつけている。彼女は父親の家にはもはや存在しない平和と静けさをぼくといっしょに発見した。

結婚にたいするロジーヌの気持は記録に残されていないが、当時の多くのフランスの女性と同様、完全に満足できるような結婚を期待していたわけではなく、シャンポリオンとの生活に十分幸福を感じていたように思われる。アンジェリカ・パッリあての彼の手紙がなければ、彼自身は別の見方をしていたという証拠はなかったことであろう。

他の仕事や生活のために稼ぐことに追われていては、ヒエログリフ解読に集中できるはずがないと感じていたのはシャンポリオンだけではなかった。トーマス・ヤングも同じような問題を抱えていた。もちろん彼の場合は金のことが問題ではなかった。医者としての仕事を全《まっと》うしなければならなかったヤングにとって、科学や文芸に関する研究は、「退屈しのぎ以上の楽しみを与えてくれるもののほかには、差し迫った関心事ではなかった」。フィジャック追放中のシャンポリオンはヒエログリフの研究をつづけることができなかったが、一方、ヤングも他の仕事に忙殺されていた。一八一四年、彼は、ロンドンに導入されるガスに伴う危険性、とくに人口密集地に建設される巨大なガスタンクの危険性を調査する委員会の委員に任命された。二年後には、新設された度量衡委員会の委員に就任し、また、この頃、海軍省から造船に関する諮問《しもん》を受けている。一八一八年末から、『航海年鑑』の監修者および経度委員会の秘書官となり、大西洋から太平洋へ向う北西航路をはじめて航海する船長と乗組員にたいする報償制度をつくった。

一年前、ヤングは直面する問題について友人のハドソン・ガーネイに手紙で書いていた。

この前お会いして以来、ヒエログリフについてはほとんどなにもしていません。説明できないこと、あるいは、比較対照できないことが少しでも存在するかぎり、その決着をつけることは不可能でしょう。それには四十人の学者で半世紀もかかることでしょう。私としては、他の学者に役立つような鉱床を発見したことで良しとすべきでしょう。しかし、もっとやりたい気もします。一、二年のうちには、私の成果を出版したいとも思っています——例によって匿名《とくめい》でですが。

シャンポリオンが追放先から復帰した後、グルノーブルで学校設立の仕事に忙殺されていた頃、ヤングはヒエログリフの研究でいくつかの成果をあげていた。一八一八年春、ヤングはエジプトに関する大量の文献を集め、その年の夏、ロゼッタストーンや他の遺物、手稿などから選び出した約二百のヒエログリフの語彙《ごい》（そのうち約四十はほぼ正確だった）を、ヒエログリフの数詞とともに図版に作成した。その夏に何部かが友人に配布され、一八一九年十二月、匿名で『エンサイクロペディア・ブリタニカ』の補遺として正式に出版された。

エジプトに関するヤングの論文は、一八一八年までの最新のエジプト旅行者の報告からはじまり、古代の神々と神話について知られていることを取り上げ、歴史と年代学を論じている。彼は、「エジプトの初期の歴史は他のどの国の歴史よりはるかに古く、したがって漆黒の闇《やみ》に包まれている」と述べているが、しかし、聖書に記された世界創造の年代と矛盾する見解には踏み込んでいない。暦や慣習、儀式、ロゼッタストーンが取り上げられ、そのために彼は他の手稿、とくに『エジプト誌』に掲載されたものを研究した。彼は、古代エジプト語には三種類の文字があると推論した。「さまざまな写本から得た資料によって、最初の文字が変化した様子をたどることができる。聖なる文字から、ヒエラティクへ、そして、エピストログラフィク、つまり、エジプトで一般に使われている筆記体へと退化して行った」。聖なる文字はヒエログリフのことであるが、彼がヒエラティクで意味しているものは、今日「線形ヒエログリフ」と呼ばれているものに相当する。これは、記念碑や墓で発見される、精巧に刻まれた、ふつう色つきのヒエログリフではなく、おもにパピルスや棺《ひつぎ》に外形のみが描かれた単色のヒエログリフである。ちょっと紛らわしいが、これらの線形ヒエログリフは、本当のヒエログリフではなく、また、ヒエラティクのような筆記体でもないのに、現在、「筆記体のヒエログリフ」と呼ばれることがある。さらに紛らわしいのは、現在、ヒエラティクと呼ばれているものが、当時は、ヤングによって「エピストログラフィク」とか「エンコリアル」、あるいは「筆記体」と名づけられていたことである。

彼は、ヒエラティクとデモティクという二種類の筆記体文字があることを知らなかったのである。筆記体文字が「その形が崩れて」いったことを認めてはいたものの、彼は、それぞれのデモティク文字が少しずつ変化していたことには気づいていなかった。しかしながら、現在ヒエラティク（彼はこれを「エピストログラフィク」と呼んでいた）と呼ばれている文字がヒエログリフから派生した文字であると考えていた。

『エンサイクロペディア・ブリタニカ』の論文は、「基本ヒエログリフ語彙集」（王の名前と動物名、数など）と、発音および語句に関する注釈、遺跡についての記述で結ばれていた。ロゼッタストーン碑文について、さまざまなエジプト国外の固有名詞は古代ギリシア語のテキストですでに解読済みで、以前、オーケルブラドはデモティク文字でそれと同じ名前を確認していた。いまやヤングははじめて、それらの名前が破損したヒエログリフのテキストに存在していることを例の語彙集で示した。それは、プトレマイオスという名前である。紀元前二〇四年から一八〇年までエジプトを支配したプトレマイオス五世エピファネスは、プトレマイオス四世とその妹で妻のアルシノエ三世の息子である。即位一年後、プトレマイオス五世は小アジア、パレスティナ、そしてエーゲ海のエジプト領土の大部分を失い、その後二十年間にわたって激しい内乱がつづいた。彼の軍隊はアンティオコス三世大王に敗れ、大王は小アジアとシリアの周辺地域を治める王となり、和平交渉の一部として、プトレマイオス五世はアンティオコス三世の娘、クレオパトラと結婚した。彼女は、ローマ帝国に占領される以前のエジプトの最後の支配者である、あの有名なクレオパトラで終る、歴代のクレオパトラの最初の人物である。

バルテルミとゾエガがすでにそう推論していたにもかかわらず、ヤングは、自分こそカルトゥーシュに囲まれたヒエログリフは人名を示すと考えた最初の研究者だと思い込んだ。実は彼は、プトレマイオスの名前がロゼッタストーンのヒエログリフ文に六回記されていることを最初に明らかにした研究者だった。プトレマイオスは外国名であってエジプト名ではないので、それは音声をあらわすアルファベット文字を使ってヒエログリフで（つまり、一文字が一音をあらわすヒエログリフで）綴《つづ》られ、一方、エジプト名には概念をあらわすヒエログリフが使われるであろうと考えた。「ベレニケやプトレマイオスといった語に見られる図形によれば、音声符号はヒエログリフのアルファベットのようなものの存在を想定させるが、これは、ある特定の場合に音声をあらわす方法の一例として拾い出されたものにすぎず、音声をあらわす場合に一般的に採用される方法ではない」。外国名がおもにある限られたヒエログリフのアルファベットを使って綴られるという点では正しかったが、エジプト名については誤っていた。というのは、エジプト名は、概念をあらわすヒエログリフだけではなく、ヒエログリフ全体で記されていたからである。たとえば、カルトゥーシュ  には、カイロ近くのギザのピラミッドのひとつを建設し、のちにローマ人にミケリヌスとして知られた、メンカウラー王の名が記されている。このカルトゥーシュには、（カー。「霊」あるいは「魂」を意味する）のような表意文字（概念をあらわす文字）とともに、（nに相当するアルファベット）も含まれている。

ロゼッタストーンでは、プトレマイオスの名前は短いカルトゥーシュに三回、長いカルトゥーシュに三回あらわれているが、長いカルトゥーシュでは王の特別な称号とともに記されている。六つのカルトゥーシュのうち一つには重要な文字が欠けていたが、ヤングは、きわめて正確に、プトレマイオスの名前がどのように記されていたかを次のように確定することができた。

Ptolemaios
（プトレマイオス）

ヒエログリフ	ヤングの読み方	正しい読み方
	p	p
	t	t
	読まない	o
	ole または lo	l
	ma または m	m
	i	y または ii
	osh または os	s

母音はヒエログリフに示されていないが、エジプト人は外国名に近い音声を示すためにいくつかの符号を使用した。o（オ）という音声をあらわすために使われているヒエログリフと同じ音声は、英語やギリシア語にはなく、o（オ）はいちばんそれに近いものにすぎない。

たまたまヤングは、上エジプトの広大なカルナク神殿の碑文の写しを研究したことがあったが、そこにはプトレマイオス一世ソテルの名前が記されていた。歴代プトレマイオスと呼ばれた、ギリシア語を話すマケドニア王家の最初の人物で、アレクサンドロス大王のエジプト征服後、その国の支配者となり、プトレマイオス一世ソテルは、マケドニアの貴族の娘、ベレニケと結婚した。この碑文には二つのカルトゥーシュがあり、そのひとつにプトレマイオスの名前を確認した。もう一つのカルトゥーシュは、やはり外国名のベレニケと読むのではないかと推論した。

Berenike
（ベレニケ）

プトレマイオスとベレニケに共通する文字は、yをあらわすのみであるが、ヤングは、コプト語の狭い知識をもとにつぎのように解釈した。

ヒエログリフ	ヤングの読み方	正しい読み方
	bir	b

	e	r
	n	n
	i	y または ii
	無用	k（または硬音の g）
	ke または ken	a
	女性語尾	女性限定詞

ヤングは、コム・オンボとフィラエ神殿とデンデラの十二宮一覧図の碑文から、女王アルシノエの名前を含め、その他の名前も確認したと考えた。彼はいぜんとして、ヒエログリフのアルファベットは外国の人名と称号にのみ使われると考えていて、さまざまなヒエログリフが外国語とエジプト語を表現するために使われていることに気づかなかったため、それ以上の進展がなく、研究は行き詰まった。それでも、彼は十四のヒエログリフのアルファベットを発見したと考えた。彼としてははじめての試みだった。しかし、結局、正しかったのは、f＝、y＝、m＝、n＝、p＝、t＝のみだった。

彼は重要なことを一つ指摘していた。ヒエログリフはしばしばパピルスでは人

名に、カルナクのカルトゥーシュに記された人名ベレニケでは末尾に添えられ、女性を示すらしいという指摘である。このような二つの符号の組合せは実は、女性の神や王室の女性の名前の接尾辞として使われ、「聖なる女性」を意味している。

ヤングは論文を出版前にジョマールに送り、ジョマールは一八一九年九月に出した返事で、自分は長いことヒエログリフについては何も研究しておらず、「四年前にお話ししたヒエログリフ語彙集をつくるのは不可能です」と記した。しかしそれでも、ヒエログリフ解読競争のライバルを自任するジョマールは情報交換には慎重だった。ヤングの語彙集について、ジョマールは、それを詳しく調べる時間はなかったが、「それを完成するのにたいへん苦労されたことと思います。いまではそれをながめることしかできません」と言っている。ヤングは、これまでシャンポリオンがヒエログリフについて発表してきたこと（それらは実際には無にも等しかった）すべてをはるかに越えていて、これほどのリードは埋めることが不可能に見えた。

第六章　クレオパトラ

シャンポリオンが『エンサイクロペディア・ブリタニカ』の論文を読んで、ヤングの研究の進歩を知ったのは何か月ものちのことだった。自分自身の研究を行う時間をほとんど持っていなかったため、解読の名誉が自分の手からすべり落ちて行くかに見えた。ラテン語学校の運営もうまく行かず、グルノーブルの教育問題で忙殺されていたシャンポリオンは、またもや要請のあったトリノ大学教授職就任の話を断った。フィジャック追放中に図書館の仕事を失った兄弟は、当局に再雇用をはたらきかけ、一八一九年九月、パリから戻ったジャック＝ジョゼフは司書のポストに就くことができた。しかし、彼は、ウクセロドゥヌムの調査結果の出版など、関わってきた仕事をつづけるため首都にいなければならなかった。そこで、シャンポリオンはラテン語学校での講義を犠牲にしてまで、ジャック＝ジョゼフの図書館での仕事を肩代りした。王立学校でも歴史学教授という重責があり、図書館の仕事は彼にとって重荷だった。と

いうのは、図書館の全蔵書の目録を作成しなければならなかったからである。シャンポリオンは健康を害《そこ》ね、過労のため、「なにもしない、なにも考えないで、ただぼんやりしていたい」と弱音をもらしている。

状況が好転するかに見えたとき、またもや政治が彼の人生に逆風を吹き込んだ。ウルトラ派の陰謀によって、一八二〇年二月、シャンポリオンに協力的だった穏健派の知事のショパン・ダルヌヴィーユがドセ男爵《だんしゃく》に取って代わられたのである。男爵はウルトラ派の一員で、グルノーブル周辺地域の権力の均衡はたちまち彼らの方に傾いた。事態が明らかになるや、ウルトラ派の権力増大にたいする抵抗も強くなった。五月、自由主義派の大学職員がウルトラ派の支持を受けた職員に代えられるや、法律学校の学生たちが反乱に立ち上がった。数日後、騒動は、ウルトラ派の頭領、アルトワ伯爵の息子のアングレーム公爵の来訪で激化した。公爵はデモ隊の激しい抗議を受け、暴動が発生し、公爵は途中で引き返した。

市内の騒動にたいして、前知事のように寛大な措置を取るのではなく、ドセ男爵は強硬手段に出て、ウルトラ派への支持をやめなかった。そうこうするうちにシャンポリオンは、敵たちがまたもや図書館からジャック＝ジョゼフをやめさせようと画策していることを知った。そこで七月、不在を理由に解任されることがないよう、パリからグルノーブルに戻って来るように兄に手紙を書いた。しかし、手紙がパリに着く前に、ジャック＝ジョゼフの解任が新聞に発表された。その頃、シャンポリオンは非常に健康を害ね、不眠症と胃痛と体力減退に苦しんでいた。医者から絶対安静を命じられたシャンポリオンはしばらくのあいだ家に閉じこもっていたが、かえってそのために、何か良からぬことを計画しているのではないかと市当局に疑われ、監視下に置かれた。健康が回復するや、彼は知事に会って、自分には図書館次長としての権利があると主張した。その頃、新しい知事と円満な関係をつくろうと努力していたが、会見は決裂し、知事はシャンポリオン兄弟にたいして敵意を抱くようになった。ところが、その後シャンポリオンは知事をなんとか説き伏せ、一八二〇年十月、ジャック＝ジョゼフが失った図書館のポストを得ることができた。

シャンポリオンがヒエログリフに関する研究をグルノーブルのアカデミーで発表してから二年以上も経《た》っていた。パリのジャック＝ジョゼフは、ヤングの研究の進み具合を知るや、それを弟に伝え、彼自身の研究成果を発表するよう催促した。しかし、ヤングが本名で発表するのを渋ったように、シャンポリオンも研究発表を渋った。シャンポリオンはまだそれを読んではいなかったにもかかわらず、ヤングの論文出版にたいしてこんな高慢な言い方をしている。

鳴り物入りで宣伝されたヤング氏の大発見はばかばかしい自慢話にすぎません。鍵《かぎ》を発見したという手柄話もただ哀れをさそうだけです。正直に言って、ヤング氏の万能の鍵を手に、テーベの碑文を翻訳させられている、エジプトのあわれなイギリス人旅行者に同情します……それを買ってロンドンからこちらに直接送ってください。

いまや彼は自分自身の主張を述べなければならないと考え、ヒエログリフとヒエラティクに関する論考を小冊子にまとめ、出版することを決断した。一八二〇年から二一年にかけての冬のあいだ、彼はさまざまな病気に悩まされ、一八二一年のはじめ、父親が一月末に亡《な》くなったことを知った。シャンポリオンは小冊子を書きあげる力がないほど体の不調を覚え、政治情勢もますます悪化していた。知事の強硬策とウルトラ派の陰謀は、ますます多くの自由主義派が地位を追われるにつれ、人びとの反感を掻《か》き立てた。一八二一年三月三日、シャンポリオンは王立学校の教授職を「臨時的措置として」解任され、自由な時間をヒエログリフ解読のために使うほかには何もすることがなくなった。「エジプト研究は必ず成功させます」と兄に書き、本の出版に全力を注いだ。

三月二十日、知事とウルトラ派支持者にたいする反乱によって、グルノーブル市民の不満は頂点に達した。それまでたがいに対立していた政治勢力はいまや「自由な政体」を要求するという共通の目標を発見した。革命前のすべての悪政を復活させようとするウルトラ派の意図を粉砕する自由な政治体制である。またたく間に市民は町を制圧し、鎮圧に努める知事に対抗し、憎むべきブルボン王朝の白い旗にかわって、いたるところに革命の三色旗が掲げられた。市の門は閉鎖され、すべての鐘が鳴らされ、川をはさんで市の中心部の対岸にあるラボ要塞《ようさい》(グルノーブルからリヨンに通ずる唯《ゆい》一《いつ》の道を守る)では、駐屯軍が、最低限の守備隊を残して、反乱にそなえて兵舎から出動していた。シャンポリオンはためらうことなく、小さな部隊を組織し、橋を渡り、急な崖《がけ》をよじのぼり、要塞に進撃した。さしたる抵抗もなく、部隊はブルボン王朝の旗にかわって三色旗を要塞に掲げた。反乱軍の象徴であるその三色旗は町のほとんどの場所から見ることができた。出来事を知ったジャック゠ジョゼフは弟の大胆さに驚いたが、シャンポリオンは冗談めかしてこう言った。「おそらくいつの日か、考古学者による無血のグルノーブル要塞陥落事件は、この異常な時代におけるぼくの文筆家としての〈勲功〉を高めることになるだろう」

反乱は一日もつづかず、駐屯軍が怒れる群集を蹴散《けち》らし、ほとんど暴力も使わずに秩序を回復した。翌日、数千の兵士が反乱の再発を抑えるために街路やグルノーブルの城壁に駐留し、知事のドセ男爵は報復に乗り出した。反乱の指導者は逃亡し、シャンポリオンは図書館の仕事を失った。その証拠はなかったにもかかわらず、知事は彼を反逆罪で軍法によって裁くことにきめ、パリの政府に彼を危険な煽動者《せんどうしゃ》として告発した。ジャック＝ジョゼフは何か手を打つためにパリから急いで戻り、一方、グルノーブルでは法律家たちが、反乱は王にたいする反逆行為にあたるか、それとも、人びとの苦しみを王に訴えるための合法的抗議行動にあたるか、議論をしていた。

シャンポリオンは健康が悪化し、反逆罪の裁判を控えていたにもかかわらず、六月には、小冊子のために七ページ分の原稿と七枚の図版を完成していた。「七百ものヒエログリフとヒエラティクの文字を描いた最後の図版のために死にそうな思いだった」。『古代エジプトのヒエラティクの文字について』はグルノーブルで出版されたが、ヤングの匿名《とくめい》の本と同様、入手困難だった。この小冊子では、ヒエラティクはヒエログリフを簡略化したもので、文字の形だけが異なっていると述べられているが、これと同じことをすでに数年前、ヤングがあまり知られていないある雑誌に匿名で発表した論文で述べていた。

彼〔シャンポリオン〕がこの発見を、私が『博物館批評』で手紙を発表する前に行ったかどうかは確かめようもない。私はこの問題について彼に質問したことはない。このことは世間一般にもわれわれにも、たいして重要なことではない。それを印刷して出版するまで、どんな発見も自分のものだと言う権利はない、というのは厳密には正しくはないが、少なくとも非常に役に立つ規則ではある。

シャンポリオンの研究は剽窃《ひょうせつ》ではなく、独自になされたものであった。彼はいまや、ヒエラティクはヒエログリフの筆記体の一つであることを正しく認識し、それを「ヒエログリフの速記文字」と呼んだが、しかし、ひとつ大きな誤りを犯していた。彼はすべての文字を表意文字と見なし、表音文字はないと考えていたのである。「ヒエラティク文字はものの符号であって、音声の符号ではない」。シャンポリオンは道に迷ったかに見えた。

反乱の調査が公平で寛大に行われるようにと王から派遣されたベリュールヌ公爵によって、彼とグルノーブルの多くの住民は反逆罪を免れた。シャンポリオンを厳罰に処したり大法廷で裁くほどの証拠はないことを公爵は認め、彼は普通の民事裁判所で裁かれ、七月のはじめ、反逆罪をはじめ、すべての罪状について無罪を言い渡された。結局のところ、三色旗を要塞に掲げることで彼は政治的にではなく肉体的に傷を負った。急な斜面を一気によじ登ったため、弱い体に大きな負担となり、息切れと体力の減退と眩暈《めまい》に苦しんでいた。たとえ元気になっても、グルノーブルには彼の場所はなかった。裁判の前に、敵が彼からすべての地位を奪い、王立学校の教授職からの「一時的」解任は永久的なものとなっていた。七月八日、彼はジャック＝ジョゼフに、いまやグルノーブルが押しつける苦汁の最後の一滴まで飲み干し、どのような不正も自分には手出しできず、ここではもはや失うものは何ひとつない、と書いた。「全宇宙がぼくに向って叫んでいます。〈出て行け！〉と。いまぼくは出て行くところです」。三日後、彼の精神は肉体と同様、破裂寸前で、またもや甥《おい》のアリを連れてパリに向けてグルノーブルをあとにした。

一八二一年六月、シャンポリオンがグルノーブルでの裁判を待っていた頃、トーマス・ヤングとその妻はヨーロッパ旅行に出発した。ヤングはパリで、フランス学士院の科学アカデミーの会合に出席し、著名な科学者たち、たとえば、博物学者で地理学者のアレクサンダー・フォン・フンボルト、天文学者で物理学者のフランソワ・アラゴ、数学者で天文学者のピエール・ラプラス、天文学者で物理学者のジャン＝バティスト・ビオ、博物学者のジョルジュ・キュヴィエなどに会ったが、これらのうちの何人かはやがてシャンポリオンの良き友人となった。疲れはてたシャンポリオンが西に向けてリヨンからパリに向っている頃、ヤング夫妻はフランスを東へと横断し、リヨンからアルプスを越えてトリノに向い、ローマからナポリへとイタリアを南下し、その風景のすばらしさを堪能《たんのう》していた。そこから二人はシエナ、ピサ、そして、リヴォルノへ行き、九月、リヴォルノで駐エジプトのフランス領事、ベルナルディーノ・ドロヴェッティ所有のエジプトの遺物のコレクションを見ることができた。それは、長年にわたって集められ、つい最近イタリアに運ばれたもので、ヨーロッパに来た最初のエジプトの遺物の大コレクションとして評判になった。

ヤングはコレクションのリストに記されていないある物に目をとめた。それはカイロの近くのメンフィスで発見された二か国語（ギリシア語とエジプト語）の石で、そこに記されたギリシア語とデモティクおよびヒエログリフの碑文はほとんど判読不能だった。彼はとっさにもうひとつのロゼッタストーンを見つけたと思った。その驚くべき発見について友人のハドソン・ガーネイにこう伝えた。

迂回路《うかいろ》を通ってピサへ行った甲斐《かい》があった。リヴォルノはそれ以上だった。そこで私がドロヴェッティの逸品から二か国語の石を発見したと聞いて、あなたも喜ぶことでしょう。それはロゼッタの碑文を補う非常に価値あるものになるでしょう。ドロヴェッティもそのことをよくご存知のようでした。石の板のあちこちに鮮明なヒエログリフ文字はほんのわずかしかなく、王の名前を記す輪〔カルトゥーシュ〕の左側は空白で……石の板の下の部分に約十五行のエンコリアル文字と約三十二字のギリシア文字があります。

ヤングは石の鋳型《いがた》をつくろうとするがうまくいかない。

私は計画を実行するためにフィレンツェの有名な彫刻家を雇ったが、何かの事情で彼は仕事を完成させることができなくなった。彼の仕事はまったく無駄に終った。というのは、未知の宝物を発見してドロヴェッティ氏は欲を出したらしく、価値ある膨大なコレクションからそれを持ち出さないように私に言った。彼はそれをたいへん高価なものと思っているようで、その複写を取ることも拒否している。

ヤングはこの石の碑文は解読のためには不可欠と考えていたので、なんとかして複写を取るためドロヴェッティを説得したが、無駄だった。失望のうちにヤング夫妻は次にフィレンツェに向い、そこで、ヤング夫人の母親が重病であるという手紙を受取った。計画していたヨーロッパ・グランドツアーを切り上げ、ヤング夫妻はスイスからライン川を下って帰路を急ぐことにしたが、ジェノヴァに着いたところで、ヤング夫人の母親の訃報《ふほう》が届いた。イギリスに帰国したのは十月のことだった。

シャンポリオンにとって約十二年ぶりのパリだったが、ほとんど何も変っていないように見えた。パリに着いたのは一八二一年七月二十日だったが、その少し前にヤング夫妻はパリからイタリアに向ったところだった。政権は交代し、帝国の勝利を叫ぶ群集の姿も食糧不足を訴える暴動もなかったが、新しい王朝下の都は以前よりもごみごみしてきたならしく、人口は急増していた。息たえだえといった状態でシャンポリオンは愛するグルノーブルからの長旅に耐え、故郷の町から引きずってきた寂しさを胸にパリで暮すこととなった。病気と絶望と疲労のため彼は人生のどん底にあって、彼を支えるものは敵も彼から奪うことができなかったもの、つまり、古代エジプト研究と家族の援助のみだった。

ジャック゠ジョゼフはサンペール通りに友人と下宿していて、そこには弟とアリのための部屋もあったが、夏の終り頃、マザラン通り二十八番地の大きな貸し家に移り、グルノーブルからやって来たシャンポリオンの妻、ロジーヌもいっしょに住むことになった。ジャック＝ジョゼフの妻のゾエは彼女の家族とともにグルノーブルに留まっていた。シャンポリオンは屋根裏部屋を書斎に使った。その部屋は、ナポレオン伝説をつくることになる戦場におけるナポレオンの雄姿を描いた有名な画家、オラース・ヴェルネが以前アトリエとして使っていたことがあった。

マザラン通りの家は、碑文・文芸アカデミーのあるフランス学士院のすぐ近くにあって、シャンポリオンの研究のためには理想的な場所に位置していた。ジャック＝ジョゼフは同アカデミーの終身書記官のボン＝ジョゼフ・ダシエの秘書として働いていた。六年前、シャンポリオンのコプト語辞典および文法書の出版を却下したのは、そして、一八一六年、ジャック＝ジョゼフが正会員になるのを認めなかったのは、このアカデミーだった。ルーヴル宮に向って、セーヌ川の南岸にあるフランス学士院は、この他に、美術アカデミー、科学アカデミー、精神科学・政治学アカデミー、そして、アカデミー・フランセーズの四つのアカデミーから成り、排他的なアカデミー・フランセーズには一九八〇年にはじめて女性会員が選ばれた。マザラン通りはシャンポリオンが学んだことのあるコレージュ・ド・フランスのすぐ近くでもあり、また、川をはさんで王立（国立）図書館とエジプト委員会があり、ここでエドム・ジョマールのもと『エジプト誌』編纂《へんさん》の作業がつづけられていた。

マザラン通りに引っ越す数週間前、ジャック＝ジョゼフは弟を肉体的にも社会的にも再生回復させることに着手した。シャンポリオンは極度の疲労と病気に苦しんでいたが、同時に、精神的にもろかった。もう少しでヒエログリフを解読できると思うや、とたんに、死がそれを妨げるだろうと思ったりしてしまうのである。肉体と同様、その精神状態もなおす必要があった。ジャック＝ジョゼフはいつも彼に、「きみは生きなければならない、長生きするだろう」と言っていた。ジャック＝ジョゼフは、弟をパリの学者仲間の交わりに加えようとして、ジョゼフ・フーリエに引き合せた。一八一五年、ローヌ県の知事に任命されたフーリエは、王朝の復活で解任され、パリで細々と暮しながら、研究をつづけていた。シャンポリオンはダシエにも紹介された。ダシエは彼の研究に関心を寄せ、強力な支援者となった。その他の新しい友人には、わずか数週間前にトーマス・ヤングに会ったフランソワ・アラゴ、ジャン＝バティスト・ビオ、ジョルジュ・キュヴィエなどがいた。このほか、十一月に正式に設立されることになっていた地理学協会の多くの学者たちもいた。「科学はまんべんなく友人をつくる」というのがフーリエの格言だったが、シャンポリオンの友人は、反王党派や、ヒエログリフ解読への正しい道を進んでいるといまだに思っていたジョマールやヤングの有力な支持者たちに偏《かたよ》っていた。

揺らぎやすい自信を強め、パリの知識人のあいだで認められるためには、シャンポリオンは碑文アカデミーに何か研究成果を提出する必要があった。一八二一年八月末、パリに来て約一月後、グルノーブルでようやく完成した小冊子をもとに、ヒエラティク文字に関する論考を発表した。彼はこの論考がライバルたちの攻撃の引き金になりうることを承知のうえで、「塹壕《ざんごう》から飛び出して砲弾を受けるようなもの」と冗談に言ったが、講義は好評で、碑文アカデミーで評価を得るための第一歩を踏み出すこととなった。彼はパリの学者サークルに受け入れられ、ロジーヌはマザラン通りの家を客をもてなすのにふさわしくしつらえ、夫はさまざまな分野の研究者の家で受けたもてなしのお返しをすることができた。友人や支持者のほかに、敵やライバルも集まり、たいへんにぎやかな議論に終始することもしばしばだった。体はまだ完全に回復はしていなかったが、自分は正しい道を進んでいるという確信をもって、シャンポリオンは、デモティクとヒエラティクとヒエログリフの比較研究の準備として、コプト語と比較しながらデモティクを徹底的に研究しはじめ、それらはたがいに異なるものと見なされるべきだと確信した。彼が静かに研究することができたのは、当時、パリの学者のあいだでは解読はそれほど大きな関心事となっていなかったからだった。むしろ論争の的になっていたのはエジプトの黄道《こうどう》十二宮図で、これは、古代エジプトの年代学および世界創造の年代を解く、新しい、好奇心をそそる鍵《かぎ》と見なされていた。

九月、デンデラの黄道十二宮図がエジプトからマルセーユ港に到着し、検疫《けんえき》後、翌年の一月にパリに運ばれるや、巷《ちまた》の話題となった。この黄道十二宮図は、占星術的シンボルが円のなかに描かれた彫刻で、カイロの南約五百キロのデンデラにあった女神ハトホルの神殿の一室の天井の一部となっていた。ナポレオンのエジプト遠征中に、画家のヴィヴァン・ドゥノン、技師のプロスペル・ジョロワおよびエドゥアール・ド・ヴィリエ・デュ・テラージュによってはじめて記録されて以来、それは論争の的だった。というのは、多くの学者が神殿の年代を推定するためにそれを利用したからだった。この黄道十二宮図について知った、古物研究家でコレクターのセバスチャン・ルイ・ソルニエは技師のジャン・バティスト・ルロランにそれを取りはずして、エジプトからフランスに運ぶように依頼した。一八二一年一月、ルロランはエジプトの支配者、ムハンマド・アリから運搬許可を得た。当時、ムハンマドはエジプトの古代遺物の搬出を全面的に認めていた。

エジプト駐在のイギリス領事、ヘンリー・ソールトはフランス領事のベルナルディーノ・ドロヴェッティと競合関係にあって、二人のあいだでは、フランスはナイル川の東岸の、イギリスは西岸の遺跡に権利を持つという暗黙の了解があった。デンデラは西岸にあったので、イギリスに「属して」いたため、ルロランは極秘にことを進めねばならなかった。彼は三月にデンデラに着いたが、そこにはイギリス人旅行者がいたため、ナイル川を遡《さかのぼ》ってルクソールへ行った。戻って来ると、デンデラにはエジプト人しかいなかった。彼は大急ぎで労働者を集めた。黄道十二宮図は二本の石の柱で支えられ、「長さ二・六メートル、幅二・四メートル、厚さ九十センチで、重さは二十トン以上と、彼は見積った。しかし、その両端には波形の線あるいはジグザグ模様が記されているだけなので、その部分を切断することにきめ、鑿《のみ》で削って半分の厚さにした」。三週間かけて「鋸《のこぎり》と鑿と火薬によって」彫刻を神殿の天井から切り出すのに成功し、彼の船に乗せたが、船長は口実をもうけて出航を延期した。実は、デンデラに滞在していたアメリカ人の弁護士で外交官のルーサー・ブラディッシュが事態を察知し、船長を買収して出航を遅らせ、ナイル川のはるか下流にいたソールトの代理人に通報していたのだった。このことを知ったルロランはブラディッシュよりたくさんの金を積んで船を出航させ、六月にカイロに着いたが、そのときすでにイギリス領事からの抗議がムハンマド・アリに届いていた。ムハンマド・アリは、彼のいつもの騎士道的精神で、ルロランに許可証を持っているかどうか尋ね、持っていると聞くや、黄道十二宮図のフランスへの輸送を許可した。イギリス領事と、その友人で、アスワンのフィラエ島からある重要なオベリスクをイギリスに運ぶ作業をしていたウィリアム・バンクスは、自分たちも黄道十二宮図を運び出そうとしていたところだっただけに口惜《くや》しがることしきりだった。のちにバンクスは偽善的にこう抗議した。「私は常にそのような遺跡すべての略奪には強力に反対してきた」と。

フランス内外の多くの学者はこのような野蛮なやり方に仰天し、ルロランの行為に抗議した。シャンポリオンは、黄道十二宮図がそれに付随するヒエログリフの碑文と分離されたことにとくに怒りを感じた。その鋳型をつくることが可能なのに、なぜ黄道十二宮図をあるべき場所から切り離す必要があると考えられたのか、と抗議の手紙を一八二一年十月『ルヴュ・アンシクロペディク』に送った。彼のライバルのジョマールなど、他の学者も公然と抗議したが、その頃には彼は慎重に振舞うことを学んでいて、その手紙は匿名《とくめい》で掲載された。その彫刻は現在、ルーヴル美術館に展示されていて、複製品がデンデラの神殿の元の場所に置かれている。

エジプトからの搬出をめぐる論争は別にして、黄道十二宮図は、エジプト文明の年代をめぐる長年の論争を再燃させた。ヒエログリフのテキストが解読されれば年代と歴史的出来事が明らかになるであろうが、その手がかりすら得られていなかったため、学者たちは黄道十二宮図の解釈に期待した。デンデラのものを含め、黄道十二宮図の複製が詳しく研究された。そこに示された星の位置は、黄道十二宮図が描かれた時の星の実際の位置と一致していると考えられていたからである。もしそうであれば、星がそれらの位置にあった年代を計算することによって黄道十二宮図の年代が判明するであろう。こうして計算された年代については学者のあいだで意見の対立があったが、そのような論争は、カトリック教会内部に巻き起った反論にくらべたら無に等しかった。問題の焦点は、世界創造の年代にほかならなかった。有名なジョマールをはじめ何人かの学者は、デンデラの黄道十二宮図は、数千年前、おそらく一万五千年前のものであると推定した。これは、聖書の記述をもとに世界創造は約六千年前とするキリスト教会の考えとは対立するものだった。シャンポリオンは、黄道十二宮図は非常に古い時代のものとする意見には同意しなかった。その彫刻様式はギリシア時代あるいはローマ時代のエジプトに属していると彼は感じていた。それに付帯するヒエログリフのいくつかを解読して、その年代を確認するのはだいぶ後のことで、当面は、自分の意見を公言するのは控え、デモティク文字の研究に没頭していた。

一八二一年秋、シャンポリオンが自分の研究方針に自信を深め、完全に研究に専念していた頃、彼の将来にとって重大な影響を及ぼす出来事がイギリスで起こっていた。

バンクス氏の所有するエジプトのオベリスクがデットフォードに陸揚げされ、ドーセットの自宅に運ばれるところであると、『ジェントルマンズ・マガジン』が報じたのである。同じ頃、シャンポリオンのライバル、トーマス・ヤングは義母の死でグランドツアーを早目に切り上げ、大陸から帰国する途中だった。もしオベリスクがイギリスに運ばれなかったら、シャンポリオンによるヒエログリフ解読は数か月ほど遅れたことであろう。しかし、ヤングの帰国が遅れたとしたら、のちにシャンポリオンの偉業に向けられた妬《ねた》みや中傷は大幅に減っていたことであろう。実際には、ヤングは、バンクスおよびオベリスクに関わりを持ったため、のちにシャンポリオンと彼の研究を攻撃するわずかな口実を見つけることができたのであった。

シャンポリオンよりちょうど四歳年上のウィリアム・ジョン・バンクスは、ドーセットのウィンボーン近くのキングストン・ホール（現在はキングストン・レイシー・ハウスとして知られている）の古物研究者、ヘンリー・バンクスの長男だった。ヘンリー・バンクスは大英博物館の評議員およびドーセット議会議員で、ウィリアムは熱狂的古物コレクターへの道を約束されていた。ナポレオン戦争のために伝統的なグランドツアーができなかったため、彼はそのかわりに一八一〇年から一八一二年までコーンウォール州トルロの議員を務めた。しかし、この有望な地位を捨てて、ケンブリッジ大学で学生時代に会ったことのある友人の詩人、バイロン卿《きょう》の紹介状を何通も携えて旅行に出発し、ふたたびイギリスの地を踏んだのは約八年後のことだった。

バンクスはまずスペインへ行った。当時スペインは対フランス戦争の主戦場で、ウェリントンが半島戦争を戦っていた。彼は個人的な立場でウェリントン軍に加わり、グラナダではジプシーと暮し、それからエジプトとヌビアに目を向け、一八一五年九月、ナイル川を遡ってアブ・シンベルまで行った。岩に彫られた二つの神殿の大きな方、ラメセス二世の大神殿がスイス人探検家、ヨハン・ルートヴィヒ・ブルクハルトによって発見されたのは少し前のことで、信じがたいほど巨大な彫像を擁する神殿全体が発見されるのは二年後のことだった。というのは、その三分の二以上が吹き寄せる砂に埋もれ、高さ十五メートルにも達している場所もあったからだった。アブ・シンベルは当時も今も住む人のない土地で、スーダンとの国境の北二十キロ、ナポレオンの遠征隊が到達したもっとも奥地からさらに南西二百四十キロもはなれたところにある。

北へ帰る途中、バンクスは神殿の廃墟《はいきょ》を探検するために、エジプトのファラオあるいは王の象徴的な母である、女神イシスを祀《まつ》ったフィラエ島に寄った。彼は倒れたオベリスクとその近くにあるその土台と思われる遺跡に魅せられた。その有様はすでに出版された『エジプト誌』の図版に描かれていたとおりであった。翌年の一八一六年、イタリアのパドヴァ出身の、以前サーカスで怪力男を演じていたジョバンニ・バティスタ・ベルツォーニが、イギリス領事、ヘンリー・ソールトの名前でオベリスクの所有権を主張したが、ソールトはそれをバンクスに譲った。フランス領事、ベルナルディーノ・ドロヴェッティと激論となったが、ベルツォーニは長さ六・六メートル、重さ約六トンもあるオベリスクをナイル川の岸まで引きずって行った。船に乗せようとしたところ、桟橋がこわれ、オベリスクはあやうく川に沈むところだったが、ベルツォーニはなんとかしてこれを引き上げ、船に乗せ、下流に運んだ。無事、ロゼッタ港に運ばれたオベリスクは、あまりに重すぎてオベリスクといっしょに運ぶことができなかったためにナイル川の岸辺に置かれてあった土台の部分が、ソールトの別の代理人によってロゼッタに運搬されるまで二、三年間、そのまま保存されていた。「ディスパッチ」に積まれたオベリスクと土台は一八二一年六月、イギリス近海に到着したが、船が出航した頃、エジプトで伝染病が流行していたため、検疫措置を受け、陸揚げされたオベリスクと土台はキングストン・ホールに運ばれた。しかし、航海中に受けた損傷のため、これらの遺物は家の前の芝生の上に寝かして置かれ、一八二七年になって、バンクスは訪ねてきたウェリントン公爵《こうしゃく》に基礎の石を設置してほしいと頼んだ。そして、ようやく一八三九年になってオベリスクは建立《こんりゆう》されたが、それから二年後、同性愛者のバンクスは社会的スキャンダルの中心人物となり、面子《めんつ》を失うよりはと国外に亡命した。

現在ではイギリスの気候のためにかなりの部分が摩滅したが、バンクスのオベリスクの四つの面には二つのカルトゥーシュを持つ鮮明なヒエログリフ碑文が記されていて、土台にはプトレマイオス八世とその妻クレオパトラ三世の名前を含むギリシア語テキストが刻まれていた。アレクサンドリアの住民に憎まれ、「フィスコン（太鼓腹）」と渾名《あだな》をつけられたこのプトレマイオスは、兄のプトレマイオス六世とともに紀元前一七〇年からエジプトの王となり、七年後、隣りのキュレネ王国（現在のリビア）の支配者となることに同意した。彼は紀元前一四四年にエジプトに帰り、甥《おい》のプトレマイオス七世を殺し、自分の妹、クレオパトラ二世と結婚した。二年後、彼はクレオパトラ二世と離婚しないまま、兄のプトレマイオス六世と、彼自身の妹で、以前プトレマイオス六世と結婚した彼自身の妻でもあったクレオパトラ二世とのあいだに生れた娘、クレオパトラ三世と結婚した。

ギリシア語とヒエログリフのテキストの石版画がバンクスによって広く配布され、ヤングもそれを入手した。それはオベリスクがデットフォードに陸揚げされたとき、画家によって描かれた図をもとにしていた。土台にあるギリシア語の碑文は、キングストン・ホールで洗浄中に発見された。バンクス自身、ヒエログリフの解読に関心を持っていたので、彼は、オベリスクにあるカルトゥーシュの一つはヤングがロゼッタストーンでプトレマイオスと認めたものと似ていることに気づき、他のもう一つのカルトゥーシュはクレオパトラであろうと考えた。ヒエログリフと同一の内容ではないものの、土台のギリシア語碑文にはこれら二つの名前が記されていた。この重要な推定は、シャンポリオンが同じ結論に達する以前になされたが、バンクスはこれを公《おおや》けに発表せず、石版画の余白に鉛筆で「クレオパトラ」と記しただけだった。彼はヤングを含め、友人たちに自分の考えを伝えたが、研究を進展させることができなかったヤングは、それを画家たちの誤りのせいにした。

度量の広い冒険家の所有者から私の手元に送られてきた、フィラエのオベリスクの石版画で、画家はクレオパトラという名前の最初の文字をKではなくTと描いている。私にはその名前を他の文献と詳しく比較するゆとりがないこともあって、私のアルファベットをその分析に応用する気にはなれない。もしあるアルファベットの形成段階が私の指摘と異なっているとしても、少なくとも同じような性質のもののにちがいないとだけ述べておこう。

シャンポリオンは、クレオパトラとされるこのカルトゥーシュの発見については何も知らされなかった。ヤングもバンクスも、彼への協力を拒否していて、ヤングは、二か国語の碑文が発見されないかぎり、ほとんど進歩はないと考えていた。

一八二一年十二月二十三日、三十一歳の誕生日にシャンポリオンは、デモティクとヒエラティクとヒエログリフの各文字を比較する一助として、ロゼッタストーンのテキストの数的分析を行うことを思いついた。驚いたことに、ギリシア語のテキストが四百八十六語であるのにたいして、ヒエログリフの文字は千四百十九字である。ヒエログリフは、それぞれ一字である概念をあらわす表意文字であるという仮定をもとに研究を進めてきたが、ギリシア語の数とヒエログリフの数とのこのような大きな差は、そのような仮定と矛盾した。次に彼は、ヒエログリフをグループごとに分けて調べたところ、約百八十のグループになったが、この数はギリシア語の四百八十六とはあまりにかけはなれていた。結局、ギリシア語のテキストとヒエログリフのテキストとのあいだの数的関係を解明することはできなかった。そこで引き出された妥当な結論は、ヒエログリフのテキストには変異性があるということだった。つまり、それはある一種類の文字（絵文字、表意文字、表音文字）だけでつくられているのではなく、二種類以上の文字の組合せでつくられているにちがいないということである。シャンポリオンは、ヒエログリフのテキストは少なくとも部分的に表音文字（音声をあらわす文字）で構成されていると考えた。それ以後、彼はライバルよりはるかに柔軟な方法を取るようになった。ヒエログリフの文字体系の複雑性に急速に気づくようになったからである。

年が明け、シャンポリオンはデモティクとヒエラティクとヒエログリフの比較研究に没頭していた。これらのテキストを少しも読むことはできなかったが、後代のエジプトのデモティクのテキストを一字ずつ初期のヒエラティクに、そしてヒエラティクをヒエログリフに翻字しようとしていた。この方法で研究すればするほど、成果はあがり、しだいにこれらの文字について、それらがいかに機能し、相互に関係しているか理解できるようになった。本質において、シャンポリオンの方法は全体論的で、古代エジプト文字のあらゆる面に目を向けた。これは、数の非常に少ない二か国語併記のテキストを重視して、ヒエログリフが一字か二字でも判読できれば、残りのすべてもわかるであろうと考えたヤングとは対照的な方法だった。のちにイギリスのエジプト学者、サー・ピーター・ル・ページ・リナウフは、ヤングの方法をこう要約した。

「彼は機械的に研究した。Arma virumque が、Arms and the man と訳されているのを見て、Arma を'arms'、virum を'and'、que を'the man'と考える生徒と同様だった。彼は正しいこともあったが、非常にしばしば誤りを犯し、正しい方法が発見されるまで、彼の何が正しく、何が誤っていたのかだれにも判断できなかった」。リナウフの例は言語というものの複雑さを語っている。'and'にあたるラテン語はふつう et であるが、強調のために que が接尾辞として使われ、この例では'man'を意味する virum につけられている。この男とはアエネアスのことで、ウェルギリウスの叙事詩『アエネイス』の冒頭にこう書かれている。'Arma virumque cano'――「わたしは歌う、戦いとひとりの英雄を」と。シャンポリオンとヤングのこのような違いは決定的だった。というのは、多くの研究者はヤングと同じ方法を採用していたが、シャンポリオンが持っていたような文字や関連する言語についての知識はほとんど持ち合せず、また、彼の方法を採用する者はいなかったからである。

一年前、一八二〇年から翌年にかけての冬、カザーティ氏なる人物（ヤングによると「イタリアの投資家」）がエジプト旅行中に、アビドスで壺《つぼ》にはいった主としてギリシア語のパピルスのコレクションを発見した。それがパリに運ばれるや、シャンポリオンは、その前文がロゼッタストーンのデモティク・テキストと非常によく似たデモティクで記されたパピルスを発見した。彼はプトレマイオスの名前を認め、デモティクでカルトゥーシュに記されたもう一つの名前は女王クレオパトラかもしれないと考えた。文字を比較するという方法を使って、彼はこのデモティクの名前をヒエラティクに、そして、ヒエログリフに変換し、ヒエログリフで記されたと想定されるクレオパトラの名前を得た。いまや必要なのは、これをクレオパトラを示す本物のヒエログリフと比較し、彼の考えが正しいかどうかを調べることである。

一八二二年一月、パリでシャンポリオンとともに学んだ、古代ギリシアの専門家、ジャン・ルトロンヌはバンクスのオベリスクの碑文の石版画を入手し、これをシャンポリオンに送った。胸をどきどきさせながらシャンポリオンは、クレオパトラの名前がヒエログリフで記されていることをすぐに認めた。それは、カザーティのパピルスで彼が想定したその名前と非常によく似ていた。ある仮説が他の仮説とどのように関連するかという問題はあったが、自分の方法は正しく、それを証明するのは時間の問題にすぎないと彼は確信した。バンクスのオベリスクでクレオパトラの名前を示すヒエログリフと、オベリスクおよびロゼッタストーンでプトレマイオスの名前を示すヒエログリフとを比較することによって、シャンポリオンは、両方の名前に共通する文字(p、o、l に相当するヒエログリフ)は、これらの名前をアルファベットで綴《つづ》る場合（'Ptolmes' と 'Cleopatra'）と同じ位置にあるのを確かめた。彼はそれぞれの文字の対応関係を次のように推定した。

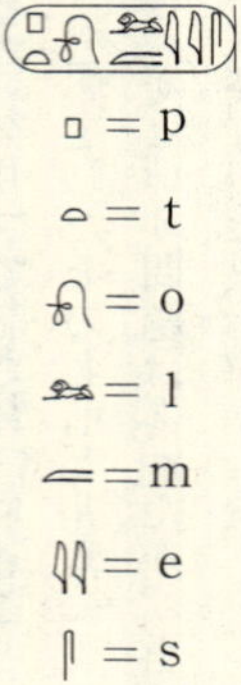

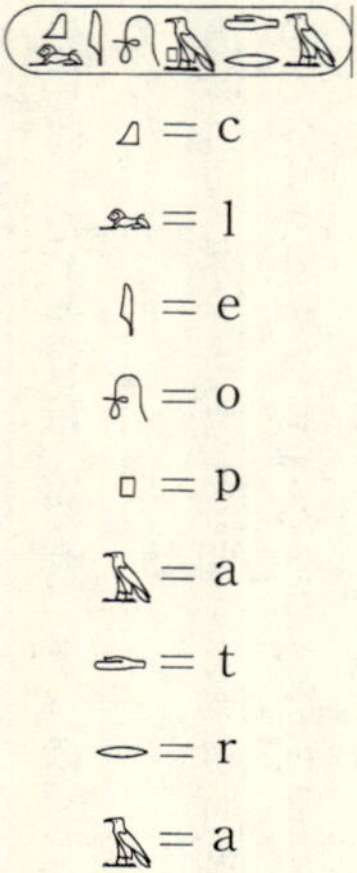

対応するヒエログリフのうち、tに対応するもののみが異なっている。そこで、すくなくとも二つの異なるヒエログリフとはtの音をあらわすために使うことができると考えた。彼はこれらのヒエログリフを同音字（同じ音を持つ字）と呼び、いっそう複雑さを増したことに困惑することなく、これらの文字は古代エジプト文字の見かけ上の複雑さの一因であると考えた。そして、lをあらわすヒエログリフである、横になったライオンがクレオパトラとプトレマイオスの両方に記されていることを吉兆と考えた。子供の頃から親しんでいたライオンのモティーフに触れて、彼は、「これらの二頭のライオンはこのライオンの勝利を助けるであろう」と予言した

レオパトラの名前の発見をもとに解読を行ったと主張した際、ヤングは、バンクスがその名前を発見するよう「導いた」のは自分自身であり、したがってシャンポリオンによるヒエログリフ解読はすべてヤングのおかげであるという、信じられないようなことを言った。

いまやシャンポリオンは、プトレマイオス朝のエジプトで、アルファベットのヒエログリフがエジプト人以外の人名（プトレマイオスやクレオパトラのような）を綴るために使われていたと確信し、こう述べた。「エジプト人は、外国名の母音や子音や音節を表現しようとする場合、表記される母音や子音や音節の音価を話し言葉において、すべてであるいは最初の部分に含む物を表現あるいは描いているヒエログリフを使う」。このような個別の音をあらわすためにヒエログリフを使うことは、後代になって行われたことで、紀元前四世紀にはじまるプトレマイオス朝のギリシア人によるエジプト支配前にはなかったと考えられていた。しかし、いまやシャンポリオンは最初の確実な一歩を踏み出すことになった。解読への歩みは飛躍的に進んだが、彼は自分の成果を急いで発表しようとはしなかった。早すぎる発表（一八一一年の『ファラオ治下のエジプト』の序文）の落とし穴で苦い経験をしたことがあったが、今度は出し惜しみという落とし穴にはまってしまった。三月に、バンクスのオベリスクとそのギリシア語およびヒエログリフの碑文に関する論考を『ルヴュ・アンシクロペディク』に発表した際、彼は自分の研究成果について暗示するだけにとどめ、詳細は述べなかったのである。いまや彼の研究成果は正確になっていた。は、eではなく、iiあるいはyと、はeではなく、iと、はふつうcではなくkあるいはqと翻字された。同音字は存在するが、とはtをあらわす同意字ではない。はふつうdと翻字されるからである。したがって、プトレマイオスとクレオパトラというギリシア名は、ヒエログリフではPtolmysと、Kliopadraと綴られていたと考えられ、ここから本来のエジプト語の発音が推定できる。

プトレマイオスとクレオパトラという人名から割り出したアルファベットを使って、シャンポリオンは自分の分析法を、プトレマイオス朝時代ないしローマ時代のテキストにあらわれる他の名前にあてはめてみた。その際、主として使ったのは、それまで、『エジプト誌』に掲載されたカルトゥーシュの図版だった。しだいに彼は他の文字の音価を推定し、紀元前三三一年にエジプトを征服したアレクサンドロス大王から、紀元一六一年に死んだローマ皇帝、アントニヌス・ピウスにいたるまで、エジプトを支配したギリシア人およびローマ人のほとんどすべての人名が記されたカルトゥーシュを読み取ることができた。また、次のような言葉を判別することもできた。

オートクラトール　
カエサル

「オートクラトール」（「独裁者」を意味するギリシア語）と「カエサル」はともにローマ時代に使われていた称号であるが、彼はそれらの名前や称号に見られる表音文字のヒエログリフは紀元前三三一年のギリシア人によるエジプト征服以後に使われ、それ以前にはそのような使用例はなかったという見方をまだ取っていた。当時、彼は『エジプト誌』に印刷された図版の不正確さに頭を悩まし、何度もずけずけとこの点を指摘したため、ジョマールを大いに怒らせたりした。

シャンポリオンは、一八二二年一月、このように解読に向けて大きな一歩を踏み出したが、一方で、デンデラの黄道十二宮図をめぐる論争にも首を突っ込むこととなった。その日、黄道十二宮図がパリに来るや、大きな話題となった。ルーヴル美術館に短期間展示されたが、黄道十二宮図についてほとんど何も知らない人びとも、それを一目見ようと押しかけた。古代エジプトに関心を寄せる学者だけでなく、パリ中の人びとが「そのことだけを考え、それだけを見て、そのことだけを話した」。人びとの声があまりに強かったため、国王ルイ十八世はその黄道十二宮図を王立図書館のために十五万フランという高額で買い取り、ルーヴルに移される一九一九年まで、そこに置かれた。人びとの関心が薄れても、学者たちは黄道十二宮図の意味やその年代、古代エジプト年代学における重要性などをめぐって論文を応酬し合い、以前、カトリック教会の激しい敵意を生んだ論争が再開された。やがて学者たちは、「すべて非常によく研究されているが、すべて大いに異なる、たくさんの意見」を世に送り出した。

シャンポリオンがパリでつくった新しい友人で、有名な天文学者および物理学者のジャン＝バティスト・ビオも、黄道十二宮図の年代に関する詳細な論文を発表した。図に描かれた星を特定し、それらの星がそのような相対的位置で見える年代を計算することによって、ビオは黄道十二宮図の年代を紀元前七一六年とした。そのような方法は誤っているというシャンポリオンの注意にもかかわらず、ビオは七月に、科学アカデミーと碑文・文芸アカデミーで自説を発表した。しかし、その月の下旬、シャンポリオンは『ルヴュ・アンシクロペディク』に発表した書簡で彼の説を完全に否定した。図に描かれたヒエログリフの一字一字あるいは文字群はそれぞれある一つの星と対応しているというのがビオの前提で、ヒエログリフは空の星の位置を示すために使われていると彼は考えた。これにたいして、ビオの理論には矛盾があるとシャンポリオンは指摘した。というのは、その理論は、星によってつくられるすべての形を説明しておらず、主要な星の位置関係は黄道十二宮図のものと対応していないからである。彼は、星のシンボルを「類型符号」(現在「決定詞」と呼ばれている)、つまり、図に描かれた像に結びつけられたヒエログリフの一字一字あるいは文字群の性質をきめるヒエログリフ、と説明した。星のシンボルは実際の星の位置を示しているのではなく、ヒエログリフで記述されているものが、星、あるいは星座のような「星」という概念と結びつけられた何かであることを意味しているとシャンポリオンは主張した。「デンデラの碑文の星は、したがって、それらひとつひとつのヒエログリフの最後にくる符号であって、また、それは星をあらわすものではなく、ヒエログリフの単なる一つの要素、言うなれば、物の模写ではなく、一種の文字であると見なされるべきである」

当時、このような推論はほとんど注目されなかったが、シャンポリオンは解読に向けてさらに大きな一歩を踏み出したのだった。ヤングはすでに、「神聖なる女性」を意味する決定詞がふつう女神や女王の名前につけられることを指摘していたが、シャンポリオンは別の決定詞を発見し、そして、ロゼッタストーンの碑文に二、三の決定詞を発見したことを報告した。その後まもなく、さらに多くを発見することになった。

決定詞とは、他のグループのヒエログリフの意味を明確にするという機能を持つヒエログリフであって、このようなことがわかったことは解読の重要な一歩だった。たとえば、は「走る」「歩く」といった前進運動を示す決定詞で、決定詞は「敵」あるいは「外国人」（古代エジプトでは両者は同じ意味だった）を意味し、これがつけられたヒエログリフは敵や外国人と結びついた何かを意味する。敵が両手を背中で縛られている男によって描かれているのは、エジプト人の宗教的、魔術的信仰による。魔力は絵や彫像に生命を与えることができ、危険なものの絵は偶然に生命が与えられる可能性を消しておく必要があると考えられていた。それで、この場合、敵は身動きできない捕虜として描かれている。決定詞は「悪の小鳥」と呼ばれることがある。それは小さなもの、弱いもの、悪いものを意味しているからである。これら三つのものは古代エジプト語では緊密に結びついた概念だった。

決定詞の機能しか持っていないヒエログリフもあるが、他の多くのヒエログリフは、通常の機能のほかに決定詞としても使われる。決定詞の発見はヒエログリフを理解する一歩にすぎなかった。ヒエログリフの文字群の意味を理解しやすくするために符号が必要であるが、このことは、そのヒエログリフの文字群は一つ以上の意味を持ち得たかもしれないことを意味していることをシャンポリオンはのちに発見した。決定詞がヒエログリフの意味を一変させることもある。たとえば、ヒエログリフに決定詞⊙をつけて、となると、「時間」を意味するが、をつけると、は「弱い」あるいは「蹇《あしなえ》」を意味する。

ロンドンのヤングは、一八一九年末に長文の論文を発表して以来、エジプト語についてさしたる研究は行っていなかったが、資料の収集はつづけ、すべてのヒエログリフ碑文を解読はできなくとも複写して出版するために、小規模ながらエジプト協会なるものを創立した。彼はまだドロヴェッティの二か国語碑文の複写を入手せんものと、一八二二年五月、ジェルに書いた。「私は現在、ロゼッタストーンの私の翻訳を出版するまで、リヴォルノで見た、ドロヴェッティの碑文を待つことにきめました」。パリのシャンポリオンは、各種のエジプト文字の比較研究をつづけ、一八二二年七月、八月、九月と、碑文アカデミーでヒエラティクとデモティクに関する研究発表を行った。いまや、ヒエログリフとヒエラティクとデモティクとのあいだの真の関係を彼は完全に把握していた。つまり、ヒエラティクはヒエログリフから生れ、デモティクはヒエラティクから生れ、これらすべては同一言語（時の経過とともにかなり変化はしているが）をあらわし、ほぼ同一の規則に従っており、これらの一つが解読されれば、他の二つも解読される、というわけである。

聴衆のなかに古いライバルや敵もたくさんいたが、アカデミーでの彼の講演は好評で、ある講演会では、シャンポリオンが大いに驚き、かつ、いたく感激したことには、シルヴェストル・ド・サシが立ち上がり、彼の研究を賞讃《しょうさん》した。シャンポリオンはパリで学生だった頃、ド・サシを崇拝していた。その後、彼から受けた敵意で深く心を傷つけられたが、それは、シャンポリオンの能力にたいする評価からではなく、王党派としての政治的偏見からの敵意だった。ド・サシと和解したシャンポリオンは、少なくとも学界では認められたという満足感を感じた。

シャンポリオンは、それ以前の二十年以上にわたって、財政的、政治的理由でしばしば中断されながら、断続的に解読の研究をつづけてきたが、いまや一年以上もこの問題だけに没頭していた。それらの文字そのものは解読こそまだできなかったが、デモティクをヒエラティクに、ヒエラティクをヒエログリフに容易に翻字することができた。エジプトがギリシア人およびローマ人の支配下にあった時代の外国の人名や称号の音声を綴るために使われたヒエログリフの多くを確認し、エジプトを支配したギリシア人とローマ人の大部分の名前を判読できたと確信した。その前年の十二月に行った、ロゼッタストーンのギリシア語テキストに対応するヒエログリフの文字数の分析から、すべてのヒエログリフが表意文字であるとは限らないことを知り、決定詞の使用は、同一に見えても意味が異なるヒエログリフ群の存在を示していることに気づいた。流暢《りゅうちょう》にコプト語を話すことができたシャンポリオンは、解読しようとする語の予想される意味を割り出すことができた。というのは、コプト語の単語には二千年以上も前に話されていた言葉と似ているものが少なくなかったからである。たとえば、エジプトを指すコプト語は *keme* で、一方、古代エジプト語では *kmt*（ケメッと発音される）であり、良いを意味するコプト語は *nufe* で、古代エジプト語は *nfr*（ふつうネフェルと発音される）である。八月の碑文アカデミーでの講演に成功したシャンポリオンは、一種の興奮状態と高揚した意識のなかで研究をつづけていた。必要な資料は手元にそろい、解読は間近で、ほとんどもう一歩だった。彼は送られてきたヒエログリフのテキストの新しい複写をひとつひとつ詳しく調べ、ヒエログリフの構造を解く鍵《かぎ》、文字ばかりでなく、その歴史そのものを解く鍵を与えてくれる手がかりを探し求めた。

一八二二年九月十四日、早朝から研究をつづけていたシャンポリオンのもとに、アブ・シンベル神殿のヒエログリフの図版が送られてきた。これは、最近エジプトとヌビアを旅行してきた有名な建築家のジャン＝ニコラ・ユヨが作成したもので、彼は描写の正確さと記録の信頼性を高く評価されていた。数年前、バンクスがアブ・シンべル神殿を訪れたとき、それはほとんど見ることができず、一八一六年、実業家のベルツォーニが数週間かけて正面の数トンもの砂を除去しようとしたが、資金不足で作業は中断した。翌年、彼はふたたび現地へ行き、さらに三週間かけて中央の入口から砂を除去し、ついに一八一七年八月一日、神殿のなかにはいり、信じられないような装飾とヒエログリフで飾られた巨大な部屋を発見した。神殿を最初に発見したヨハン・ルートヴィヒ・ブルクハルトは、残念ながら、ベルツォーニの発見のニュースが届く前に、ちょうど三十二歳で赤痢のためにカイロで病死していた。

マザラン通りの屋根裏部屋で図版を詳しく調べていたシャンポリオンは、それまで見たこともなかった、カルトゥーシュのなかの人名に気づいた。一枚目に  と記されていた。その最初の符号⊙が太陽の図であることはすぐわかった。コプト語では太陽をあらわす語はReあるいはRaで、それが古代エジプトの太陽神を示す名前にもなることを彼は知っていた。以前の研究から、最後の二つの符号  はプトレマイオス朝あるいはローマ時代の名前の場合、sと翻字できることもわかっていた。そこで、これをこのカルトゥーシュにあてはめれば、普通、ヒエログリフでは母音は表記されないので、Ra…ssあるいはRa…sesとなる。もし、残った符号  がmであれば、それはRameses（ラメセス）となると彼はすぐ気がついた。それはギリシア

人とローマ人によるエジプト征服以前に何人かのファラオによって使われたことが知られている名前である。それは現在は、Ramses, Rameses, Ramessesと綴《つづ》られている。事の成行きを理解するにつれ、胸は高鳴り、喜びは増した。それでも、何か思い違いをしているのではないかと心配になったが、残りのアブ・シンベル神殿の図版を調べ、という名前を見つけた。もう一度、彼はをmesと読み、最初にある符号はトキの絵と認定した。トキは、エジプト人からヒエログリフの発明者および書記の神として崇《あが》められている神トト（Thoth）のシンボルとして古代の学者によって記録されていた。したがってカルトゥーシュのこの名前は「トトメス（Thothmes）」となり、現在では、古代ギリシア名、ツトモシスとして知られ、ギリシア時代およびローマ時代以前にしばしばファラオにつけられた名前である。ヤングは一八一九年の『エンサイクロペディア・ブリタニカ』の論文で、あるカルトゥーシュのなかにトトのシンボルを認めているが、ツトモシスの名前までは確定していなかった。ヤングと違ってシャンポリオンは、基礎となる原理をすぐ認識し、これによって、彼が過去数か月間、少しずつ苦労しながら組み立ててきた解読方法が完成したのであった。

彼は、自分の発見を何度も検討し、誤りがないことを確信した。得意満面のシャンポリオンは、この大発見をだれかに話さないではいられなかった――まず誰よりも兄である。書類をかき集めると、彼は屋根裏から階段を駆け降り、通りに出て、目の前の空に丸屋根がそびえるフランス学士院をめざした。ジャック＝ジョゼフのところにたどり着いたときには息もたえだえで、興奮しながら、「わかったよ！」と叫んだが、何がわかったのか話そうとするかしないうちに、彼は死んだように床に倒れた。

第七章　王の知人

伝説によると、卒倒したシャンポリオンは家に運ばれ、まる五日間、一種の昏睡《こんすい》状態でベッドに横たわり、十九日の夕方、ようやく意識を回復したという。実際、彼はショック状態と完全な消耗状態にあったようだ。これにたいする唯一《ゆいいつ》の療法は安静しかなかった。彼は二十日に研究を再開し、二日後には、碑文アカデミーでデモティクに関する最後の講演を行えるようになった。ジャック＝ジョゼフはアカデミーの次の会合のためにその驚くべき発見に関する論文の作成を手伝った。論文の原稿は前もって提出され、石版画による複写が会合の出席者に配布されることになっていた。何か前代未《み》聞《もん》のことが起こるという噂《うわさ》が学者のあいだに広がり、一八二二年九月二十七日、暗いじめじめした金曜日の午前、各界の錚錚《そうそう》たる学者が碑文アカデミーに集まった。ド・サシやジョマールを含む権威ある研究者たちの論文を手に学者たちが席に着き、場内に緊張が走った。実に皮肉なことに、シャンポリオンはまだ見ぬ最大のライバル、

トーマス・ヤングのとなりに坐《すわ》った。ヤングはたまたまパリに来ていて、その週のはじめ科学アカデミーに出席した折、この会合のことを知った。彼はヒエログリフの重要な原理が解明される現場に立会い、自分の夢が打ち砕かれる第一幕を体験することになる。

シャンポリオンが突如として理解し、この数年間、究明に努めてきた原理とは次のようなものである。ヒエログリフの表音文字はギリシア時代とローマ時代の外国名にのみ限定されるのではなく、それ以前のエジプト語にも広く使われていたという原理である。事実、のちに立証したように、ヒエログリフの文字体系は、主に三種類の文字から成る。象形文字（特殊な形の表意文字と見なされることもある）、表意文字、そして、表音文字である。他に、決定詞のように特定の方法で使われる文字もある。このようなシステムの複雑さは、ある一つの文字がいくつかの機能を持ちうるというところから生れる。たとえば、は描かれているものを意味する象形文字として使うことができるので、このアヒルの絵文字は「アヒル」を意味するが、しかし、また表意文字としての機能も持つ。には「の息子」という意味があり、「ラー神の息子」を意味する称号「サ・ラー」にふつう使われ、ファラオの名前の前にしばしばつけられる。の三番目の使用法は表音文字としてで、「サ」という音をあらわ

す。たとえば、「木の梁《はり》」を意味する「サウ」のように。何年かのち、シャンポリオンはヒエログリフをこう簡潔に定義した。「それは複雑なシステムである。同じテキストや語句のなかで、その文字は同時に象形的、表意的、表音的になりうる。同じ単語のなかでもそう言えよう」

シャンポリオンは、ヒエログリフの基礎的な表音原理を発見したが、アブ・シンベルのカルトゥーシュではじめて見たある文字についてはずっと誤解していた。はmではなく、ms（ふつうmesと綴る）を意味していたのである。この誤りを指摘したのは、ドイツのエジプト学者、リヒャルト・レプシウス（偶然にもシャンポリオンと誕生日が同じで、二十歳年下）だった。の場合、この名前は文字通りには、「Thoth-mes-s」と綴られるが、最後のsは、表音補語と呼ばれ、その前の文字がsで終ることを示す。表音補語は二子音表示のヒエログリフ（msあるいはmesをあらわすのように二つの子音をもつもの）と三子音表示のヒエログリフ（ntrあるいはneterをあらわすのように、三つの子音を持つもの）にしばしば添えられる。

表音補語として使われるヒエログリフは、（s）、（p）のように、一つの子音をあらわす、単子音のヒエログリフである。これらは、シャンポリオンがクレオパトラなどの非エジプト名ではじめて識別したヒエログリフである。表音文字のヒエ

ログリフを分類する現代的方法のひとつは、単子音、二子音、三子音というように、その子音の数による。エジプト人はアルファベットのような概念は持っていなかったが、単子音文字はアルファベットのように使われ、もっとも普通に見られる文字である。単子音文字は全部で二十四あり、そのうち二つは弱子音と半母音である。

文字	描かれたもの	発音
	ハゲワシ	aとhのあいだのa（ア）
	葦《あし》	iあるいは弱いy（イ／ア）
	二本の葦	yあるいはii（イ）
	腕	aに似た喉音《こうおん》（ア）
	ウズラのヒナ	wあるいはu（ウ）
	脚	b（ブ）
	椅子《いす》	p（プ）
	ツノクサリヘビ	f（フ）
	フクロウ	m（ム）

	水	n（ヌ）
	口	r（ル）
	葦の囲い	軟かなh（フ）
	よじった灯心	強いh（フ）
	胎盤（?）	強いch（ク）
	乳首のついた動物の腹	軟かなch（ヒ）
または	折りたたまれた布 あるいはドアのかんぬき	s（ス）
	池	sh（シュ）
	丘	qあるいはk（ク）
	把手《とって》のあるかご	k（ク）
	壺《つぼ》を置く台	硬いg（グ）
	パン	t（トゥ）
	つなぎ綱	tjあるいはtsh（チュ）
	手	d（ドゥ）
	ヘビ	dj（ジュ）

これらの単子音アルファベットのヒエログリフは、プトレマイオスで、𓊪はP、𓏏はtというように、外国人の名前の発音を示すために使われていて、ここから本来の発音を推察することができる。エジプト人になじみのない音はそれに近い音で示された。たとえば、「ウア」（あるいは「ホア」）に似た音をもつ二子音文字𓍯はプトレマイオスの「オ」に、また、「バ」と発音されたと思われるはベレニケの「べ」に使われた。プトレマイオスの「レ」に使われた、シャンポリオンお気に入りの横たわるライオンが描かれた文字𓃭は実際には「ル」に似た音の二子音文字であるが、しばしばlを綴るために使われる。lという子音は古代エジプト語にはないからである。

九月二十七日の碑文・文芸アカデミーでの会合で、シャンポリオンはいちばん最後に表音文字のヒエログリフに関する講演を行った。この論文は加筆ののち、アカデミーの終身書記官のボン＝ジョゼフ・ダシエあての書簡として出版された。エジプト学の記念碑となっているこの論文はいまでは単に「ダシエ氏への書簡」として知られている。奇妙に思えるのは、アブ・シンベルの図版にラメセスとトトメスの名前を発見し、これによって表音文字のヒエログリフがギリシア時代およびローマ時代以前から使われていたとシャンポリオンは確信したわけであるが、彼はこのことについてはアカデミーでの講演でも出版された論文のなかでも述べていないことである。ギリシア時代以前のエジプトでヒエログリフが表音文字としても使われていたことを彼は証明するというよりもむしろ示唆《しさ》しただけだったのである。「私はこう考えます。表音文字ははるか遠い時代からエジプトに存在していました。それははじめ表意文字にとって必要な一部分でした。また、カンビュセスの征服後に行われていたように、外国の人や国、都市、王、個人などの固有名詞を表意文字で記されたテキスト（大部分はそうなっています）のなかに記すために表音文字を使っていたのです」。シャンポリオンは自分のシステムを完全に説明する用意ができていなかったとしても、少なくとも、九月十四日の朝の発見によって確認した研究成果の多くを公表した。その一部分はグルノーブルでの研究で得たものだった。彼が最終的に正しい道を行っていることを証明したのは、アブ・シンベルの新しいヒエログリフだった。時には絶望することもあった長年の研究の末、突然の成功が完全な突破口を開いたのである。いまや研究成果が誤りないことを確信したシャンポリオンは、エジプトを支配したギリシア人およびローマ人の名前を綴るのに使われた表音文字のヒエログリフを拾い出した。アレクサンドロス大王、数えきれないほどのプトレマイオスとクレオパトラ、ティベリウス、トラヤヌス、ハドリアヌスといった、ヒエログリフで記された名前をたくさんあげて、自分の見解を説明した。それでもいまだに彼はヒエラティク文字とデモティク文字についてこう述べていた。「これら二種類の文字がどちらもアルファベットではなく……ヒエログリフそのものと同様〔表音文字のヒエログリフとは違って〕、表意文字であることを証明したと思う。つまり、音声ではなく、概念を描いたものであるということを」。彼はまだ表意文字と表音文字の相関的な役割についてはよくわかっていなかったのだった。

のちに学者たちは、なぜシャンポリオンが自分の発見をもっと詳しく発表しなかったのか、その理由をいろいろ推測したが、ヒエログリフの構造の突然の発見から、九月二十二日に論文を書きあげるまでわずか一週間しかなかった。そうしなければ、二十七日の会合に間に合うように論文を印刷することができなかったのである。卒倒による後遺症にまだ苦しみ、デモティクに関する追加講演の準備もあって、自分の発見を十分検証する時間がなく、また、それを中途半端《はんぱ》なかたちで発表することにいぜんとして慎重だったのである。とはいえ、ヒエログリフの表音文字表と、ギリシア時代およびローマ時代のエジプトの多くの人名の解読は学者たちに衝撃を与え、いまや彼の友人で支持者となったド・サシや、最強のライバル、ヤングも彼に祝福の言葉を述べた。

シャンポリオンの成功は、いつも困難な状況のなかでつづけられた、二十年間にわたる専心的な研究にもとづいていて、ながいあいだ解読不能だった、三千年の人類の歴史を秘めた文献を読むことができるようになるのも間もないことだった。それは非常に重要なことと見なされ、その発見は国王にもただちに伝えられ、新聞も時をおかず報じた。人びとの心にはいまだにデンデラの黄道《こうどう》十二宮図が生々しかったが、シャンポリオンの物語はパリ中の話題となった。大発見の興奮のなかでそれに気づいた者はごく少数だったが、シャンポリオンは、以前『ルヴュ・アンシクロペディク』に発表した書簡では書くのを控えていたことを公表して、デンデラの黄道十二宮図の年代をめぐる論争に決着をつけた。デンデラの黄道十二宮図の横にあったカルトゥーシュのなかの名前は、ローマ時代に使われていた「独裁者」を意味するギリシア語 Autocrator であることを彼は証明したのである。以前ヤングは誤った機械的方法によって、これを Arsinoë と訳していた。ダシエへの書簡でシャンポリオンはこう書いている。「私は反論の余地のない方法でこのカルトゥーシュの読み方を確定した。レリーフと黄道十二宮図はローマ時代にエジプト人によって彫られたものである」。彼の他の研究成果の陰になっていなければ、このことじたい、大きな話題になってしかるべきだった。というのは、黄道十二宮図の年代をめぐる論争に終止符を打ち、それが数千年前のものであるという可能性を否定し、聖書に記された世界創造の年代にたいする直接の反証を取り除いたからである。

会合が終ってから、ヤングはシャンポリオンを共通の友人である天文学者のアラゴから紹介され、翌朝、ヤングはマザラン通りにシャンポリオンを訪ねたが、そこには興奮した群集が集まっていた。ヤングの手紙を見ると、この時点では、自分の「若き助手」と思っていたシャンポリオンがどの程度ヒエログリフの解読に成功していたかをまったく認識していなかったことがわかる。内心ではそれはすべて自分自身の研究のおかげであると考えていたヤングだが、友人あての個人的手紙のなかで、はじめて惜しみなく彼を賞讃《しょうさん》していた。ナポリの宮廷の大臣になっていたウィリアム・ハミルトンにはこう書いた。

もし彼〔シャンポリオン〕がイギリスの鍵《かぎ》を借りたとしたら、鍵穴はひどく錆《さ》びついていて、ふつうの腕力では開けることができなかったであろう……私が「表音的」意味を与えたいくつかのヒエログリフを手がかりにして、彼は、少なくともギリシア時代およびローマ時代に、かなりの数のヒエログリフが外国の固有名詞を表記するために使われていたという結論を出した……あなたもご存知のように私は癇《かん》癪《しゃく》持ちではあるが、シャンポリオン氏の成功には拍手喝采《かっさい》するばかりである。私の生命は、私の若き研究助手にして、私よりもエジプト語の方言に詳しい人物に継承されて長く生きることになるだろう。彼の功績がその国民と政府からしかるべく高く評価されることを心から望むばかりである。

その後も二人は会い、ライバル同士の関係は友好的だった。シャンポリオンは、自分の資料をたくさんヤングに見せ、デモティク（ヤングの言うエンコリアル）で書かれたカザーティのパピルスの一部を彼のためにわざわざ複写した。それはシャンポリオンが偶然にクレオパトラの名前を発見したパピルスで、これについてヤングは、「それは、エンコリアルで記された鮮明な文字が、調査中の多くの手稿や碑文から発見された最初のものであった」と記している。シャンポリオンはアラゴとともにヤングを訪ね、彼の妻に紹介された。情報を交換する約束が交わされ、二人のあいだに友好的関係が生れたかに見えたが、しかし、それは長くはつづかなかった。その後しばらくして、ヤングは友人のハドソン・ガーネイ（当時、国会議員で、ロンドン古物協会の副会長をしていた）に手紙でこう書いた。

あなたが送ってくれた本の著者、シャンポリオンはエジプト文字の研究をまだ熱心につづけています。彼はすべての時間を研究に捧《ささ》げ、入手した資料のいくつかについて大成功しています……彼が私から借用したすべてのこと、あるいは借用したかもしれないすべてのことをどの程度まで認めるか、私にはまったくわかりません。しかし、この言葉だけは忘れないようにしましょう。「大切なのは第一歩である」――と言ってもこの諺《ことわざ》は、この場合にはさほど通用しません。というのは、ここではすべての一歩が骨が折れるからです。イギリスでシャンポリオンに見せたいものがたくさんありますが、彼の旅行費用は非常に限られていて、私にはそれを増やすすべはありません。

ヤングは、自分自身の誤りは度外視して、自分が正しく判定したいくつかのヒエログリフによって、シャンポリオンの成功を横取りできるのではないかと考えはじめていた。

将来、敵意へと育つ芽がヤングの心のなかに生れていることをつゆ知らぬシャンポリオンは、自分の成功とその手ごたえに欣喜雀躍《きんきじやくやく》して、グルノーブルのテヴネに興奮さめやらぬまま手紙を書いた。「学士院〔の碑文アカデミー〕からの求めで行った講演は大成功でした。ヒエログリフに関する私の発見は全会一致で議論の余地なく正しいと判定され、ぼくはノートルダムの塔より高い祝辞を受け取りました」。王立図書館の学芸員である、義兄のアンドレ・ブランにシャンポリオンは、その発見は政治的立場が異なるために自分から遠ざかっていた人びとからも拍手喝采を受けたと書いた。

碑文アカデミー会員たちの拍手喝采がまだ耳に鳴り響き、研究成果が認められて自分の将来に確信を持ったシャンポリオンは、次の数週間を費して、正式の出版のために論文を整えた。彼はテヴネあての手紙に高揚する気分をこう記した。「アカデミーの最初の空席はぼくに与えられるだろうと、だれもがぼくに言います。そうなるかもしれないとぼくも信じたくなるほどです。ぼくがたたかってきた障害と邪魔者は、ぼくがたたきつけた一撃でついに粉砕されたのです」。アカデミーに提出された彼の論文は、一八二二年、『表音ヒエログリフのアルファベットに関するダシエ氏への書簡』というタイトルで出版された。四十四ページの小冊子で、四枚の図版が添えられ、フランス第一の出版社で国王御用達《ごようたし》の印刷所、フィルマン・ディドによって印刷された。

得意絶頂のシャンポリオンにたいして、ヤングは失望落胆するばかりだった。パリで会って以来、シャンポリオンは、心あたたまる手紙を添えて、出版されたばかりの『ダシエ氏への書簡』一部を送り、情報と友好的な手紙の交換が数か月ほどつづいた。

ヤングはライバルと紳士的関係を保ってはいたものの、その妬《ねた》みは昂《こう》ずるばかりだった。とくに機嫌をそこねたのは、シャンポリオンの本のなかで自分にたいしてしかるべき謝辞が明記されていないと感じたことである。彼の名前は二回ほど記されているだけだった——最初は、ロゼッタストーンのデモティク碑文との関連で、その研究は「まず第一にシルヴェストル・ド・サシ、次いで、故オーケルブラドおよびヤング博士」の賜物《たまもの》であると記されていた。二番目は、ヤングがすでに発表していた女王ベレニケ（Berenice）の名前についてシャンポリオンが論じている部分にやや詳しく述べられていた。Bはパテラと呼ばれる一種の皿を示す絵文字（いまではそれは香炉を描いたものと考えられている）で表記されると述べ、シャンポリオンは、ヤングの誤りについて長い注をつけた。

ヤング博士がそのカルトゥーシュのなかにベレニケの名前を認めるにいたったのは、かごに似た形をした、この同じ絵文字の形からであったことは疑いない。しかし、このイギリスの学者は、固有名詞を表記するヒエログリフは音節全体を表現することができ、したがってそれは一種の判じ絵であり、たとえば、ベレニケという名前の最初の文字は、エジプト〔コプト〕語でかごを意味するBIRという音節を示すと考えた。このような考えから出発したため、彼がプトレマイオスおよびクレオパトラという名前にたいして試みた表音文字的分析は大いに偏《かたよ》ったものとなった。彼は、Pと、Tのある一つの形、M、そしてIという四文字の音価を発見した。しかし、これら二つの名前だけをもとにつくられた彼の音節的アルファベットは、エジプトの遺跡に記された数多くの表音表記による固有名詞にはまったく適用することができない。だが、ヤング博士はイギリスにおいて古代エジプトの碑文について研究を行っていたから、それは長年にわたって私が携ってきたものと類似し、ロゼッタストーンのデモティクおよびヒエログリフの碑文に関する彼の研究は、私がヒエラティクと呼ぶ手稿に関するものと同様、いくつかの非常に重要な成果をあげている。

それからシャンポリオンは『エンサイクロペディア・ブリタニカ』のヤングの論文に触れているが、それ以上は彼について言及しなかった。ヤングへの讃辞はわずかであったが、少なくとも Autocrator を Arsinoë と読んだ誤りについては、シャンポリオンはデンデラの黄道十二宮図との関連でそのカルトゥーシュを論じた際、言及しなかった。

ヤングは、自分自身の重要な大発見と考えていたことがほとんど認められていないことに怒りをあらわにした。碑文アカデミーでのシャンポリオンの大成功から一月もしないうちに、ヤングの友人は、名誉挽回《ばんかい》のために以前のように匿名《とくめい》ではなく本名で、ヒエログリフに関する一般向けの本を書くようにヤングにすすめた。はじめ彼は断ったが、ちょうどその頃、彼の心を変えるような出来事が起った。新しい重要なパピルスが発見されたのである。探検家でオックスフォード大学の評議員のジョージ・フランシス・グレイがエジプトからイギリスに帰国し、大量のパピルスのはいった箱をヤングに貸した。それは約四年前、上エジプトのテーベであるアラブ人から買ったものだった。そのパピルスを調べてみると、一枚だけギリシア語で書かれたものがあった。そして、信じられないような符合にびっくりした――シャンポリオンが「クレオパトラ」の名前を発見した、デモティク（後代のエジプト語）で記されたカザーティのパピルスそのもののギリシア語訳だったのである。

そもそもそんなものが存在しているとは思われないような、それはかりか、私の知るところでは、二千年以上も前から無傷のまま保存されてきた文献が私のところにもたらされたというのは、信じがたい偶然の賜物であると言わざるをえない。こ

ぬ証拠と見なされてしかるべきかもしれぬ。

れたということは、かつての時代ならば、私がエジプトの魔術師であるという動か

の驚くべき文献がヨーロッパへ、イギリスへ、そして、私のところへと無事に運ば

サルデーニャ国王が購入を交渉中の、リヴォルノにあるドロヴェッティの二か国語が記された石を別にすれば、これは、ロゼッタストーンの発見以来、デモティクとギリシア語の同一のテキストが確認された最初のものだった。パピルスの内容はそれほど驚くべきものではなく、ミイラづくりの代金の分配について記されていた。興奮気味にヤングは、一八二二年十一月末、友人のハドソン・ガーネイに「私はシャンポリオンに小さな勝利をおさめた」と書いた。ドロヴェッティの石については、こう言っている。「もしドロヴェッティの黒い石がジェノヴァ湾の海底に沈んだとしても、そんなことはどうでもいいことです。私はそれに十ポンドも出すつもりはない」

ヤングが怒りを募らせているとは知らないシャンポリオンは、さらに成果を積み重ねようと、手元のすべてのヒエログリフを調べるのに忙しかった。まず第一に、支配者の名前に的を絞ったが、それは、カルトゥーシュによって容易に識別できたばかりでなく、支配者の正しい順序から、エジプト史を組み立てる重要な枠組みが得られる

かもしれないからだった。古代エジプトの支配者は王であったが、彼らは人間であると同時に神とも見なされ、その役割はエジプトの宗教と緊密に結びついていた。王は神の生れかわりであって、生きているあいだは地上での神の代理人であり、死んで神となる、と信じられていた。今日、古代エジプトの王は「ファラオ」として知られている。これは、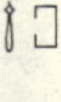（ペル・アア——大きな家）というヒエログリフのギリシア語訳から来ている。これは「宮殿」という意味で「大きな家」をさすこともあるが、「大きな支配者の家」という慣用的な意味でも使われ（イギリスの現代の国王が「ウィンザー家」に属する、というように）、紀元前一五〇〇年までにはという語は王そのものを意味するようになった。

シャンポリオンはカルトゥーシュからファラオの名前を見つけ出すことができたわけであるが、このカルトゥーシュという名前をつけたのは、ナポレオンのエジプト遠征に参加した兵士たちだった。これらのヒエログリフの符号は銃弾の薬莢《やっきょう》に似ていると彼らは考えた。カルトゥーシュ cartouche は、「薬莢」を意味するフランス語である。このカルトゥーシュはヒエログリフ（太陽で囲まれたものすべて）から生れ、ファラオの名前を記すのに必要なヒエログリフの字数にあわせ円から長円へと形を変えた。カルトゥーシュの符号は、実際には、両端を結び合された太い綱でつくられる輪をあらわしており、カルトゥーシュを意味するエジプト語は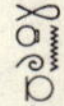（シェヌ）で、「囲む」という語に由来する。もともとそれは、カルトゥーシュのなかに名前が記された人間は、太陽によって囲まれすべてのものの支配者であるということを意味していた。ももどちらも永遠のシンボルで、名前の囲いとして使われた場合、カルトゥーシュは、そこに名前が記された人間を守る魔除《まよ》けとなった。そのような名前は人間のもっとも重要な一部分で、名前がもはやどこにも記されていないと、来世で生きることは不可能となる。だれかを滅ぼすために名前を消すこともあった。古代エジプトでは、「名前の抹消」は重い反逆罪にたいする刑罰のひとつだった。ファラオの名前をカルトゥーシュのなかに書くことは、ファラオを守り、その永遠の生を保証するための宗教的ならびに魔術的行為だった。そこには、「王が長生きされることを！」といった現代人の叫び声などよりはるかに強い気持がこめられていたのである。

カルトゥーシュが二つ一組になって同じファラオを記し、また、ファラオの名前だけでなく、その称号も記されたカルトゥーシュもあることにシャンポリオンはすでに気づいていた。ヤングは、二つ一組になったカルトゥーシュには王の名前およびその父の名前が記されていると誤解し、カルトゥーシュは称号のついた支配者の名前だけを示すことに気づかなかった。事実、ファラオの名前と称号は、紀元前二〇〇〇年頃までには長大化し、それぞれのファラオは五つの名前を組合せた名前を持つようになり、その一つの名前じたいがいくつかの要素からなるといった具合で、その二つだけがカルトゥーシュのなかに記された。生れたときに与えられた名前、ファラオの誕生名（「第二名」とも呼ばれる）は、ファラオの神聖な生れを強調するために、「ラー神の息子」を意味するヒエログリフ（サ・ラー）を前につけて、カルトゥーシュに記された。カルトゥーシュには彼のもうひとつの名前、王位についたときにつけた即位名（「第一名」と呼ばれることもある）が記された。この名前の前にはヒエログリフ（ネスウ・ビト）がつけられる。これは文字通りには「菅《すげ》と蜂《はち》なる者」であるが、「二つのものの王」という意味を持つ。この称号は、農地と砂漠といったように、エジプトの対照的な特徴を反映して、いくつかの解釈が可能で、通常は上エジプトと下エジプトという政治的二面性を指し（菅は上エジプトの、蜂は下エジプトのシンボルである）、「上および下エジプトの王」と訳される。即位したときファラオに与えられる、他の三つの名前は、本名よりもその権力と神性とを強調する名誉ある称号である。それら三つの名前とは、ホルス神をあらわすヒエログリフが前につけられたホルス名と、上エジプトの女神ネクベトと下エジプトの女神ウアジェトを示す、

がつけられたネブティ名（「二女神名」とも呼ばれる）、そして、黄金のホルスを示す
（ホル・ネブ――黄金のホルス）がつけられた黄金のホルス名である。
このような表記法が確立してからは、ファラオの五つの名前をすべて記すとなると、たいへん長大なものとなった。たとえば、ツタンカーメンの名前をすべて記すと、次のようになる。

ホルス名。カ・ナクトゥ　ツトゥ・メストゥ。意味は「造られし形に合う、強い牛」

ネブティ名。ネフェル・ヘプ　セゲレフ・タウイ　セヘテプ・ネティエル　ネブ。
意味は「二つの土地を鎮《しず》め、すべての神々を宥《なだ》めし、法の力」

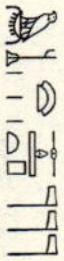

黄金のホルス名。ウエティエス・カウ　セヘテプ・ネティエル。意味は「王の印を

示し、神々を宥めし者」

即位名。ネブケペルレ。意味は「ラー神の威厳ある顕現」

誕生名。ツタンカーメンヘカ・イウヌ・シェマ。意味は「アメン神の生れる姿、上エジプトのヘリオポリスの支配者」

ツタンカーメンの誕生名は異例である。というのは、誕生名は生れたときに与えられるのであるが、彼はツタンカーテンという名前（アテン神の生ける姿）を「異教徒」のファラオ、アケナテンが支配していたときに与えられたからである。アケナテンはエジプトの神々よりもアテン神のみを崇拝していた。ツタンカーテンの名前はのちにツタンカーメンに変えられた。

五つの名前の組合せはそれぞれのファラオ独自のものがあったが、実際には、誕生名が同じであっても、二つのカルトゥーシュの名前を見ればファラオを区別することができた。たとえば、紀元前一五〇〇年頃エジプトを支配したトトメス一世の誕生名は（トトメス。トト神の生れ）で、これは後継者のトトメス二世の誕生名とまったく同じである。しかし、トトメス一世の即位名は（アケペルカレ。偉大なるかな、ラー神の魂は）であるのに対して、トトメス二世の即位名は（アケペレンレ。偉大なるかな、ラー神の姿は）である。ととの違いはわずかではあるが、トトメス一世とトトメス二世を区別するには十分である。

その分析法を発展させ、カルトゥーシュとその関連するテキストの意味をさらに探究するには、できるかぎり多くのヒエログリフのテキストが必要だったが、最良のものも含め、大部分の資料はフランスではなくイギリスに行っていることをシャンポリオンはよく知っていた。イギリスの駐エジプト領事、ヘンリー・ソールトが、エジプトの遺物をイギリスに輸出し、大英博物館や個人のコレクターに売る仲介者の役割をはたしていた。フランスの駐エジプト領事、ベルナルディーノ・ドロヴェッティも輸出の仲介をしていたが、入手した遺物の販路をフランスでは見つけることができなかった。ヤングが一八二一年に見た、リヴォルノに保管されていた彼の重要なコレクションはサルデーニャ王に売られようとしていた。イギリスでは、多くのパピルスを含め、ヒエログリフの記された古代遺物の多くは、個人のコレクションのなかに消える前に、ヤングの手を通過することになっていた。皮肉なことに、読むことができない資料の山にヤングがうんざりしていた一方で、シャンポリオンは、まだ目にしたことがないヒエログリフのテキストを求めてパリ中を探しまわっていた。最大の痛手は、もっとも重要なコレクションのひとつがヤングの友人、ウィリアム・バンクスの手中にあることだった。彼はシャンポリオンにその複写を見せることを意地悪く断ったが、それはヤングに肩入れしてか、単にフランスが嫌いだったためか、あるいは、クレオパトラのカルトゥーシュが記されていた自分のオベリスクを使ってシャンポリオンが成果をあげたためだった。

そのような状況のなかで、シャンポリオンは一八二三年一月の早朝、パリのある競売場に出掛け、人びとが集まる前に大急ぎで、競売品のヒエログリフのテキストを書き写していた。入札にやってきた一人の紳士が、ヒエログリフを手早く正確に書き写しているシャンポリオンに話しかけ、エジプトのコレクションや、とくに、フランスではなくイタリアのトリノへ行ってしまうかもしれないドロヴェッティのコレクションのことが話題になった。話が通じそうな相手だと感じたシャンポリオンは我を忘れて、ドロヴェッティのコレクションがその歴史的内容と古代エジプト語の理解のためにいかに重要であるかを熱っぽく語り、フランス政府はデンデラの黄道十二宮図のために十五万フランも払ったのに、ドロヴェッティのコレクションには金を出そうとしないと、きびしい口調で訴えた。

パリではたいへんな話題になったものの、デンデラの黄道十二宮図はドロヴェッティのコレクションに較《くら》べると、たいしたものではなく、そのことを知っていたのは専門知識のある人びとだけだった。シャンポリオンの率直な学識あふれる言葉に感心し、同じ意見を持っていたその紳士は、自分はブラカス公爵《こうしゃく》だと名のった。ピエール・ルイ・ジャン・カシミール・ブラカス・ドルプは、考古学、とくに東洋の考古学に深い関心を持つ貴族で、忠実な王党派だった。シャンポリオンとは政治的立場は正反対だったが、考え方は自由主義的で、シャンポリオンをひどく苦しめたウルトラ王党派のなかに多くの敵を持っていた。革命後、ブラカスはフランスを去って兵士となり、のちの国王ルイ十八世とともにイギリスに亡命した。ルイ十八世の復位とともに、王室侍従長となり、ルイ国王は彼の助言に全幅の信頼を置いていた。ブラカスはフランスでもっとも影響力のある人物の一人だった。

この偶然の出会いがシャンポリオンにとってひとつの転換点となった。強い印象を受けたブラカスは彼に支援を約束し、直ちにシャンポリオンのことを国王に伝えた。

シャンポリオンの過去の政治的記録や、その大発見がルイ十八世ではなくダシエに捧《ささ》げられていることは度外視して、国王はその偉業にたいして「ヒエログリフのアルファベットの発見を記念して国王ルイ十八世からシャンポリオン氏へ」と彫られた黄金の箱を贈ることを認めた。ブラカスはその箱をシャンポリオンに届けるついでに、これからの研究成果もしかるべき献辞を添えれば王室の保護を受けられるだろうと示唆《しさ》した。

ヒエログリフの表記法の発見以来、シャンポリオンの生活は一変し、幸福感で満たされていたが、しかし、学問上の仕事にたいする賞讃《しょうさん》にひきかえ、自分の状況がすぐに改善されそうにないことを知って、幸福な思いも凋《しぼ》んでいった。

収入を約束された定職がないため、彼はいぜんとして貧乏暮しとすぐれぬ健康に苦しんでいた。約束された名声と富は見せかけにすぎないように思われた。ブラカスの支援はシャンポリオンにとって絶好の機会だった。彼の敵はその大発見のショックから立ち直り、彼を攻撃ないし誹謗《ひぼう》する機会をうかがっていたところだったのである。『エジプト誌』の編纂《へんさん》をつづけていたジョマールはフランスにおける彼の第一の敵だった。彼は表に立つことはほとんどなかったが、パリの知り合いの学者たちを通して、シャンポリオンは実際には何も解明したわけではなく、ヒエログリフはまだ解読されていないと言いふらした。彼はシャンポリオンを貶《けな》すためには手段を選ばず、耳を傾けてくれる人なら誰かれかまわず、シャンポリオンはエジプトへ行ったことがないといったことを指摘した。ほかの何人かのライバルもジョマールと同じ考えだった。自分たちにできないことをシャンポリオンがなしとげたという事実を認めようとしないライバルたちは、問題はまだ未解決と考え、彼を大ぼら吹きと見なした。

彼の敵よりも手に負えなかったのは彼の新しい味方たちだった。黄道十二宮図が以前考えられていた年代よりもはるかに新しいものであって、それは聖書の年代学をくつがえす証拠にはならないことを明らかにしたシャンポリオンは、その年代を数千年以上も前と考えていたジョマールの敵意をますます募らせたばかりでなく、カトリック教会の教義の擁護者として教会の多くの司祭から賞讃された。シャンポリオンは、デンデラの黄道十二宮図の年代を科学的に研究したため、それをめぐる宗教的な頑迷固陋《ころう》に辟易《へきえき》し、古い友人のオーギュスタン・テヴネに、「教会の父」とか「信仰の砦《とりで》」などと見なされることにうんざりし、自分を取り囲む「神聖な香り」が鼻につくとこぼした。

フランスには多くの敵と迷惑な新しい味方がいたが、シャンポリオンは、イギリスのヤングは自分の見解に同調してくれるものとまだ考えていた。しかし、それは大きな思い違いだった。一八二三年のはじめ、『クォータリー・レヴュー』に彼の『ダシエ氏への書簡』の匿名《とくめい》の書評が載った。その書評は、ヒエラティクとヒエログリフの関係に関する発見をド・サシに、ヒエログリフのアルファベットの開拓をオーケルブラドに帰し、シャンポリオンについてはヤングのヒエログリフのアルファベットを発展させたにすぎないとしか述べていなかった。この書評の筆者はヤングであったが、シャンポリオンにはそれがすぐわかった。同時に、その雑誌には、「ヒエログリフ文献およびエジプトの古代遺物に関する新発見の報告。シャンポリオン氏によって展開された、著者独自のアルファベットを含む」という挑発的なタイトルをもった、ヤングの新著の出版予告が掲載されていた。

心傷つき、怒り心頭に発したシャンポリオンは、一八二三年三月二十三日、パリからヤングに手紙を出し、ヤングの責任ではないと知らぬふりをしながら、匿名の筆者の主張を論破した。

ちょうどいま、表音ヒエログリフのアルファベットに関する、私の論文『ダシエ氏への書簡』の分析を読み終ったところです。それを読んだすべての人、この記事の筆者の無知と誤った考えにたいして大きな叫び声をあげるすべての人と同様の印象を私は受けました。私のアルファベットに関する主張はだれもが周知のことです。この問題についてはさまざまな学者が多くの研究をしているので、明白に私に属するものを他の人に与えようとする、この記事の筆者の思慮を欠いた主張を一概には非難できません。デモティクおよび私がヒエラティクと呼ぶものとヒエログリフとの関係の発見がド・サシ氏に帰属するなどとは、ド・サシ氏本人はなおさらのこと、だれにも理解できません。というのは、彼はこれについて公表された研究のなかでは触れていないからです。ロゼッタのヒエログリフ・テキストに関するオーケルブラド氏についての主張も理解に苦しみます。他のヒエログリフ碑文かパピルスの手稿かで彼のアルファベットの助けをかりて解読されたという名前についても同様です。この記事にあるもっと馬鹿《ばか》げた主張も同じように理解に苦しみます……ヒエログリフの表記法全般には私の発見はあてはまらないという主張について言えば、アカデミーはすでにその論拠を認めており、やがてまもなく学識ある人びとは、私のアルファベットが表記法全体を解く正しい鍵《かぎ》であることを確信することでしょう。この雑誌で、あなたが出版を予定している本のことを知りました。そのタイトルには、私がそれに尾鰭《おひれ》をつけたにすぎないというアルファベット、、、、、、の真の発見者のことが記されています。正式の名称であるヒエログリフのアルファベットが問題にされる場合、私は断じて私自身以外のどのようなアルファベットも認めません。これに関する学者たちの全会一致の意見は、他のすべての主張が人びとによって検証されるにしたがって、ますます確かなものとされるでしょう。したがってこの記事の匿名の筆者にたいして反論しようとしているのです……まさかあなたがこの匿名氏の主張を認めているとは思いません。あなたのお人柄を高く買っておりますので、一瞬たりともこの問題についてあなたが私とは違ったお考えをお持ちだろうと思ったことはありません。

ヤングはこの匿名氏の書評は自分が書いたものではないと言っていたが、彼に偏《かたよ》らない人には（以前そうだった人ですら）、シャンポリオンは解読法を知っており、一方、ヤングはいくつかの文字を訳したにすぎず、その訳が正しいものもあれば、誤ったものもあることは歴然としていた。『クォータリー・レヴュー』の予告から間もなく、臆面《おくめん》もなくヒエログリフのアルファベットの発見を標榜《ひょうぼう》するヤングの本が出版された。今回だけは実名で発表したにもかかわらず、彼はためらうことなくこの本のなかで自分の怒りをぶちまけた。シャンポリオンというフランス人は、自分が築いた丈夫な基礎を使って成功したのであって、当然、自分に与えられるべき賞讃はもちろん、しかるべき謝辞を忘れていると、ヤングは考えていた。

私が地道な骨折り仕事で築き上げた地盤の上に、ある外国人がわずか一歩を印しただけで、それがたちまち大きな結果を生むというのは、いささか耐えがたいことである。その外国人は、しごく当然のことではあるが、先人にたいする恩義を否定することもなく、それを誇張するでもなく、ひとつひとつを完全に数えあげながら、自信たっぷりに早足で進んで行った。

「外国人の」成功にたいするヤングの憤《いきどお》りは非常に深かった。というのは、シャンポリオンは自分自身の犠牲のうえに名声を築いたと信じていたからである。ヤングの『新発見の報告』の主な意図は、カザーティのデモティク・パピルスに匹敵する新発見のパピルスを公刊し、同時に、ヒエログリフ解読のすべての鍵を持っているという自分の主張を立証することだった。それで彼はデモティク・パピルスとともにロゼッタストーンに関する自分の研究や、シャンポリオンの役割を取り上げ、多くの論点と難点を指摘し、自分自身の方法が正しいことを主張した。「『ダシエ氏への書簡』のなかに、私自身の研究史がもう少しはっきり述べられているものと期待したのであるが……しかし、どのようにしてシャンポリオン氏が結論に達しようとも、私は大きな喜びと感謝をもって、私の方法に取って代わるものではなく、私の方法の正しさを十分に確認し、それを発展させるものとして、シャンポリオン氏の結論を認める」。シャンポリオンはその研究の大部分を自分の研究に負っているとヤングは確信していて、シャンポリオンが、ヤングによって四つのアルファベットが発見されたことしか認めていないことに立腹した。彼は九つのアルファベットを発見したと考えていた。

　しかし、シャンポリオン氏が私に認めてくれた四つの文字ではなく、私はこの本の次の章で、九つの文字をあげた。それらは、『補遺』の私の論文のそれぞれ別のところで指摘したとおりである。これらに彼は三文字、あるいは、Ｅを第四番目と数えるならば、四文字を付け加えた。ＢとＬ、Ｓが一音節として使われることもあると考えていることを私は認める。

ヤングは、彼が正しく認定したヒエログリフの数に関するこのような屁理屈《へりくつ》は、それが四つでなく九つだとしても、彼の信頼をそこなうだけだということがわからなかった。

ヤングの新しい本は、シャンポリオンの怒りをかきたてたばかりでなく、シャンポリオンに自分の発見にたいしていぜんとして激しい反論があることを思い知らせた。そこでシャンポリオンはもはや慎重に構えている場合ではなく、できるだけ早くもっと多くの研究成果を発表し、アカデミーでもっと講演をしなければならないと決意した。このような決意は彼がますます自信を深めている証拠だった。『ダシエ氏への書簡』で突破口を開いた解読法をさらに詳しく説明するために研究を続行中で、また、エジプトの神々に関する著作に取り組んでいて、これは『エジプトのパンテオン』というタイトルで小冊子のシリーズとして刊行される予定で、その予約購読から多少の収入を見込んでいた。シリーズの第一冊目は一八二三年七月に出版され、さらに八冊が一八二四年末までに出て、その後は間をおいて出版された。それらの本は、神々の絵をもとに友人のジャン＝ジョゼフ・デュボアが作成した美しい図版とともに関連するヒエログリフが添えられていた。詳しい解読法の説明書が出る前に出版されたため、はじめの数冊は敵の批判の的となり、彼らは神々についてのシャンポリオンの説明が必ずしも正しいとはかぎらないと言った。

一八二三年八月下旬、シャンポリオンは『エジプトのパンテオン』の第一冊をヤングに送り、こんな手紙を添えた。

このコレクションを出版する私の目的は、エジプトの遺跡に描かれたさまざまな神秘的な人物を明らかにし、それらをたがいに識別するところにあります。それらの象徴的あるいは寓意《ぐうい》的な意味の根拠そのものに踏み込むつもりはありません。それはエジプトという今もって複雑な迷宮をさぐる認識方法のひとつにすぎません。その他のことは、われわれがヒエログリフについて行うであろう正しい研究の進歩いかんにかかっています。

これにたいするヤングの反応は素っ気なかった。一八二〇年以来イタリアに住んでいた友人のサー・ウィリアム・ジェルにこう書いた。「シャンポリオンが彼のパンテオンの第一冊目を送ってきましたが、全体としては重要なコレクションにちがいないでしょう。しかし、彼はたいへん軽率のように見えます。彼は神々に、その名を判断できるだけの十分なヒエログリフを添えていません」

ヤングは虚勢を張って自分のヒエログリフ研究を弁護しつづけていたが、この問題に飽きてきて、九月、ジェルにエジプト語に関する本の出版を三つの理由からとりやめる旨《むね》を手紙に書いた。費用の面と、新しい資料が不足していること、そして、「シャンポリオンは大車輪でやっているので、資料不足に困ることはないだろうと思う。これら三つの理由から、いまや私は私のエジプト研究は終ったものと考えます」。それから数年間、彼は同じことを言っていたが、ヒエログリフの研究を放棄したものの、シャンポリオンにたいする恨みと怒りは完全には消えなかった。

一八二三年の年末まで、シャンポリオンは『エジプトのパンテオン』と、『古代エジプトのヒエログリフ表記法概要』と呼ばれることになる、解読法の最新の詳細な解説書に取り組んでいた。十二月までにこの『概要』はほぼ完成し、国王の寵臣《ちょうしん》、ブラカス公爵《こうしゃく》のつてを頼って、本をみずから国王に贈呈できることを楽しみにしていた。しかるべきヒエログリフ・テキストの不足を補うため、シャンポリオンは、トリノに保管されていたドロヴェッティのコレクションや、ローマのヴァティカンにあるコレクションなどを調べるためにイタリアへ行く必要があると考えた。これらのコレクションによってイタリアはエジプト以外では最大のヒエログリフ・テキストの宝庫となっていた。シャンポリオンは王室の援助を得て旅行に行けたらいいと虫のいいことを考えていたわけではなく、長年の貧困のためにどうしても資金が必要だったのである。しかし、シャンポリオンを手助けしたいのは山山だったが、ブラカスにも政敵がいて、病気で倒れるや、彼は国王の寵愛を失ったと噂《うわさ》された。

ブラカスがいなくなると、政敵の廷臣たちは、『概要』の予約購読本を豪華版から安価なものに変えた。シャンポリオンはこれは、ブラカスが不興を買った証拠だと思った。拍手喝采《かっさい》で迎えられたシャンポリオンの大発見から一年が過ぎたというのに、彼の生活状況は少しも変らず、いぜんとして体調はすぐれず、楽観的気分はしだいに絶望へと転じていった。グルノーブルで起っていることも彼の気持を重くした。妊娠していた妻のロジーヌはグルノーブルで父親の看病に当っていたが、父親は一八二四年一月に亡《な》くなった。彼女は結婚持参金を与えられず、遺産相続について兄弟たちと争ったが、当時、グルノーブルにいたジャック＝ジョゼフの助力も空《むな》しく父親の遺産を手にすることができなかった。金銭をめぐるシャンポリオンの悩みは、妻の家からの資金で解決できないことが明らかとなったのである。意気消沈のシャンポリオンは、『概要』執筆による過労を兄に訴えた。「頭痛のうえ、ブツブツキンキンと耳鳴りはますます激しくなり、昼も夜も消えません。しばしば痙攣《けいれん》がして、ものの十五分も集中できません。これは〔『概要』の〕図版のために一月以上も前屈《まえかが》みになっていたためだと思います」。そして、妻を心配させないようにと、こう付け加えた。「このことはロジーヌには内緒にしてください。悪い方に進んでいるわけではないと、彼女に言ってください」

ジャック゠ジョゼフは一月下旬、パリに戻り、弟とともにペルシア語の先生だったルイ・ラングレスに生前最後の訪問を果すことができた。死の床のラングレスはすでにシャンポリオンと和解し、シャンポリオンは、彼の最近の支援ぶりは、以前二人のあいだにあった気まずい関係をおぎなってあまりあるものと感じていた。二人は悲痛な思いで辞去し、ラングレスは一月二十八日、亡くなった。一方、幸いにもブラカスの病気は命取りとならずに回復し、宮廷への復帰によって国王の寵愛を失ったという噂は吹き払われたが、それで引き下がるような敵ではなかった。シャンポリオンが国王に本を贈呈するしかるべき機会をブラカスがうかがっているあいだに、『概要』の公式の出版は延期された。『概要』は一月中旬にすでに出来上っていたが、国王への贈呈は何度も延期された。しかし、シャンポリオンはまたもや希望で胸をふくらませていた。というのは、イタリアでエジプト語のコレクションを研究するという計画を国王が援助するであろうという確約をブラカスから得ていたからだった。かりに資金が国王から出されない場合には、その計画を自分が引き受けるとブラカスは約束した。シャンポリオンは胸の躍る思いで計画を立て、イタリア旅行の準備をした。ジャック゠ジョゼフもこの計画に深く関わり、兄弟はイタリアで何をどのように研究すべきか、友人知人に情報を求めた。というのは、この計画に王室から資金援助を得られた場合、ブラカスから国王に詳細な旅行計画を提出する必要があったからだった。

この頃には、碑文の解読作業は大いに進んでいた。彼には、古代エジプト語にもっとも近いコプト語に堪能《たんのう》であるという利点があった。あるテキストを解読する場合、彼はヒエログリフをコプト語のアルファベットを使って翻字し、そうなれば、コプト語をフランス語に訳すのは容易だった。このような二段階法は、ヒエログリフの文字を解読しながらエジプト語をフランス語に訳すことよりも容易で正確であることを発見した。とは言え、この方法は完全ではなかった。というのは、古代エジプト語はコプト語とははるかにかけはなれていたからだった。ちょうど英語やフランス語がラテン語とははるかにかけはなれているのと同様だった。ラテン語の plumbum の意味をフランス語の plomb から、あるいは、ラテン語の lacus を英語の lake から推定することができるように思われるかもしれない（訳注　plumbum と plomb はともに「鉛」、lacus と lake は「湖」を意味する）。しかし、疑問はけっして消えない。すべての言語は時間とともに変化するからである。語源学者はいまだに二段階法を使っているが、しかし、彼らは、古代エジプト語のテキストを英語やフランス語などの他の言語に訳す前に、ヒエログリフを特別な表音符号をもつアルファベットに翻字する。それは、そのアルファベットには含まれていない音を補うためである。たとえば、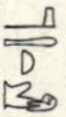 は *ḥmt-nṯr*（ヘムト・ネチェル）と翻字され、

「巫女《みこ》」という意味である。

シャンポリオンがコプト語の研究に費した歳月はいまや測り知れぬほど貴重なものとなり、二月、ヒエログリフ研究の進歩についてトリノのロドヴィーコ・コスタ伯爵あての手紙にこう記した。「私のすべての成果は古代遺跡にもとづいています……それが宗教的シンボルであれ、エジプト語の碑文であれ、私に語りかけてこないものはひとつもありません」。コスタはサルデーニャ王国の大使で、グルノーブルではシャンポリオンとともに研究し、彼にトリノ大学の歴史学および古代語の教授のポストをもちかけたことがあり、シャンポリオンはトリノへ行ってドロヴェッティのコレクションを見たくてたまらなかった（訳注　トリノはサルデーニャ王国の首都だった）。同じ手紙で、国王ルイ十八世から資金援助が得られたとしても、それだけでは十分ではないかもしれないと思ったシャンポリオンは、ドロヴェッティ・コレクションの学術的目録を作成するかわりに、トリノでの滞在費を政府から出してもらえないかどうかコスタに問い合せた。イタリアでの資料調査は非常に重要だったので、彼は成功を期してできることはなんでもしてみようと思っていた。

数週間にわたって忍耐強く機をうかがっていたブラカスは、例の件を国王に切り出す機会を見つけ、三月二十九日、ついにシャンポリオンとルイ十八世との会見を実現した。長い会話が交され、シャンポリオンは国王に『概要』を献呈したが、イタリア旅行の件は話題に出なかった。というのは、宮廷にはこんな噂が広まっていたからだった――王党派のなかのシャンポリオンの敵が彼に汚名をきせ、国王が彼の過去の再調査を命ずるように画策した、というのである。幸いにもブラカスはこの中傷を抑え、四月、シャンポリオンとジャック＝ジョゼフが作成したイタリア旅行計画書を国王に提出することができた。その結果、国王はただちに必要な資金援助を命じた。この吉報のほかにもうひとつ吉報があった。シャンポリオンがイタリアに着く頃までに、ブラカスは自分がナポリの大使に任命されているであろうから、そのときには彼を当地に招きたいというのである。

国王への献呈がきまるや、『概要』の出版が許可され、一八二四年四月、発売された。この本では『ダシエ氏への書簡』でしか断定されていなかったことが詳しく述べられていて、同様に大評判となった。『概要』は、彼の最新の広範囲にわたるヒエログリフに関する発見が満載された、驚くべき一冊だった。序文にはこう述べられていた。彼の表音アルファベットは「はじめ、エジプトの遺跡の年代を確定するということにその意義があったが、しかし、それよりはるかに重要性を持つようになった。それは私にとって、ヒエログリフの表記法を解く真の鍵と呼ばれているものとなったからである」。シャンポリオンは数ページにわたって解読の歴史について述べ、ヤングの誤りと自分自身の成果を明らかにした。それから、ヒエログリフについての説明、その意味やその理由、王や個人の固有名詞に関する議論、支配者の称号、複合的なカルトゥーシュの意味、ヒエラティクとデモティクなどのさまざまな文字、非表音的ヒエログリフ（今日では象形文字あるいは表意文字と呼ばれている）、文法の概要などとつづく。

『概要』には文字の数についても触れられていた。「著名なヨーアン・ゾエガは九百五十八の明瞭《めいりよう》に識別できるヒエログリフ文字を集めることに成功した。このデンマークの学者は、些細《ささい》な違いしかないような文字を別個のものと考えていた……私はゾエガより少ない数の文字しか見つけることができなかった」。シャンポリオンは合計八百六十四の文字を見つけたが、今日では、もっとも初期のヒエログリフは約千文字あり、紀元前二〇〇〇年頃には七百五十に減り、プトレマイオス朝のギリシア時代およびローマ時代には数千に増えたと考えられている。

『概要』にたいする学者たちの反応は分れ、シャンポリオンの友人も敵も立場がさまざまだったが、その狭い世界の外では彼の偉業は国民的な話題となっていた。というのも、多分に、シャンポリオンにたいする反論は主としてイギリスから来ていたからだった。ナポレオン時代の困苦とそれに引きつづく国威の凋落《ちょうらく》で、フランス人はフランス人のものならどのような偉業にも飛びつくほどで、『概要』の刊行でシャンポリオンはふたたびパリの有名人となった。彼はいまだに体調がすぐれず、ジャック＝ジョゼフは、質問や賞讃《しょうさん》の言葉を寄せる大勢の来訪者の応対をしたり、弟に伝言を伝えたりと、彼を守るためにできることは一手に引き受け、シャンポリオンはイタリア旅行の準備に専念することができた。

『概要』は、シャンポリオンが世話になった大勢の人たちに送られた。そのなかには、彼とともにアジア協会の創立会員だった、オルレアン公爵、ルイ＝フィリップも含まれていた。ルイ＝フィリップは彼の支援者のひとりとなり、その偉業の意義を十分に理解していた。彼はその前年、アジア協会の名誉会長として、その第一回公開会議で、シャンポリオンの偉業をたたえてこう述べた。

ヒエログリフのアルファベットのすばらしい発見は、それをなしとげた学者にとってばかりでなく、国にとっても名誉なことである！　古代人が何人かのすぐれた人たちにしか明かさなかった秘密をいまやひとりのフランス人がこじあけはじめ、すべての現代人が必死になってその意味を解明しようとしているこれらの文字を解読しはじめたというのは、なんとも誇り高いことである。

五月までにイタリア旅行の準備はすべて整ったが、アルプスを襲った異常寒波がいぜんとして山道を閉していた。パリでは宮廷の政治状況は不安定で、ブラカスのナポリへの出発が差し迫り、シャンポリオンは、敵が優位に立って、旅行を阻止するのではないかと心配した。いまやイギリスを訪れる時間と金があったので、主として大英博物館のコレクションを見るために、とりわけ、長年のあいだその鮮明な複写の入手に苦労したロゼッタストーンそのものを調べるために、ジャック＝ジョゼフとロンドンへ行くことにした。ブラカスがナポリに向け出発する前にフランスに帰り、イタリアへ向う必要があったため、旅行は短期間にならざるをえなかった。シャンポリオンのイギリス観を伝える現存の唯一《ゆいいつ》の記録が、トリノのエジプト博物館の館長、サン・クィンティーノがその二年後に書いた手紙のなかにある。彼はシャンポリオンの敵方についていて、彼を中傷するためにヤングにこう書いた。「……シャンポリオン氏は、ある日、イギリス旅行と大英博物館のことを私に話すついでに、イギリスは野蛮だと言っていました」

第八章　秘密を解いた者

一八二四年五月末、パリに戻ったシャンポリオンは、秘《ひそ》かにグルノーブルへ行き、そこでアルプスのモンスニ山道の開通を待つのが最善と考えた。彼が出掛けたことに宮廷の敵たちが気づく前に、イタリアに着きたかったからである。グルノーブルでは古い友人たちに歓迎されたが、人に会って話をしたり、質問を受けたり、歓迎会に出たりで二日後には疲労困憊《こんぱい》し、グルノーブルの真南、ヴィフにあるジャック＝ジョゼフの家に引き籠《こも》った。義姉のゾエが切り盛りするこの家で、シャンポリオンは妻のロジーヌと再会し、三月一日に生れた娘、ゾライードにはじめて会った。三月一日といえば、パリで国王への著書献呈についてブラカスからの返事を毎日、待ちあぐねていた頃だった。

家族とともに田園生活に寛《くつろ》ぐ日日のなかで、気掛かりはただひとつ——エジプトの歴史とヒエログリフは彼の脳裏から消えたことはなかった。休日は一週間ほどで終り、山道が開通したという知らせが届いた。六月四日にイタリアに向け出発し、彼の言う、すばらしい道を通ってアルプスを越え、三日後にトリノに着いた。兄に書いた手紙によると、「恐ろしい断崖《だんがい》絶壁に沿って進む道は昼なお暗く、満員の乗合馬車は立ち往生し」、急な下り坂では暴走しかねなかった。サルデーニャ王国の国務大臣となったコスタ伯爵《はくしゃく》は不在で会えなかったが、シャンポリオンはあたたかく歓迎され、宿を提供された。六月十日、コスタが戻り、自宅に滞在するように言った。ドロヴェッティ・コレクションを研究する公式の許可状も届き、シャンポリオンの夢がついにかなえられた。

ジャック＝ジョゼフあての手紙に、彼は想像をはるかにこえた、驚くべきドロヴェッティ・コレクションの第一印象をこう記した。「この国の言葉で言うとこうなります。Questo è cosa stupenda!（なんとすばらしいものだろう！）」。部屋には、緑や黒、薔薇色《ばらいろ》の、きれいに磨かれた御影石《みかげいし》の巨大な彫刻がならんでいたが、これらの彫刻の碑文よりすばらしいのは膨大なパピルスのコレクションだった。これらのコレクションにざっと目を通しているうちに、たいへんな大仕事が待ちかまえていることに彼は気づいた。大量のテキストは、簡単に解読できそうなものばかりだった。それらのテキストは、未知の王や奇妙な葬儀、外交文書、古代エジプト人の手紙などについて彼に語りかけていた。手紙などは、彼が家族や友人に書くものと少しも変りがなかった。これはひとつのコレクションにすぎなかった――言うなれば砂漠のなかの一握の砂にすぎない。イタリアや他の国の他のコレクションについてはどうか、エジプトそのものについてはどうだろうか。これは人間が一生かかっても終らないような大仕事である。売りに出されている多量の情報を印刷するだけでもたいへんな仕事だった。トリノを去る前に、シャンポリオンは、他人《ひと》の作成した不正確な複写に頼るよりも、遺跡そのものを調査することの重要性について記すこととなる。

進むべき道を見て、この新しい豊かな分野で着実に前進するために何が必要なのかはわかっているが、しかし、そのような大きな仕事にたいして、たったひとりの人間の熱意とその全生涯だけで十分なのかどうかはわからない。何があろうとも、自分の研究をつづけ、遺跡そのものを追いかけるつもりです。その唯一の案内人さえあれば、ぼくが十年間もそうであったように、エジプト委員会作成の不正確な碑文のために研究が遅れるというようなことはなくなるでしょう。

この時から、シャンポリオンは迷いを払い、突き進んで行った。彼はテキストを読むことのできる唯一の人間であり、そこに記された情報を役立てるためには翻訳しなければならなかったが、しかし、同時に、解読法を他の人びとに教え、なによりも、できるだけ広く利用されるように、彼の最新の方法と研究成果を公表する必要もあった。

コレクションを目にした興奮がおさまると、彼はただちにテキストの徹底的な調査を開始した。一時期、健康は回復し、山越えの旅行で彼を苦しめつづけていた耳鳴り（「楽器の演奏会」と彼は呼んでいた）はおさまったかに見えた。トリノでの歓待にも勇気づけられ、碑文の鋳型《いがた》づくりやテキストの複写を行ってくれるボランティアも大勢いた。コレクションのほんの一部分にすぎなかったが、墓石からだけでも大量の情報が得られた。そのなかには、ヤングが複写を取ろうとした二か国語の記された、傷のついた石もあった。この石のテキストは、ユリウス・カエサルとクレオパトラのあいだに生れたカエサリオンがエジプトを彼女とともに支配していたという、シャンポリオンがすでに推論していたことを確証していた。ギリシア語とデモティクと摩耗を免れたいくつかのヒエログリフが併記されたテキストは、彼の解読法を確認するのに役立った。しかし、その他の墓石が提供する情報はほとんど興味を惹《ひ》くような内容ではなく、ヤングが探し求めていた解読の鍵《かぎ》は得られなかったことであろう。

この段階ではシャンポリオンはロゼッタストーンの碑文をあまり利用していなかった。彼はその翻訳を発表していなかったし、この面倒な仕事に挑戦者があらわれるのは数十年後のことである。ロゼッタストーンが重要なのは、そこにヒエログリフを含む三つの言語が併記されているからであった。このことが解読の手がかりとなるものと考えられ、ヒエログリフの新たな研究の刺激剤となった。実際にはロゼッタストーンのテキストは使用に限度があった。というのは、シャンポリオンが『ダシエ氏への書簡』で指摘したように、そのヒエログリフはだいぶ破損していたからである。「ロゼッタストーンのヒエログリフ・テキストはそれほどこの研究には役立たなかった。というのは、その破片から読み取れたのはプトレマイオスの名前ひとつだけだったからである」。ロゼッタストーンは解読志願者の注目の的となり、その碑文は寄せられた期待に応《こた》えることはできなかったものの、いまだに一般によく知られたシンボルとなっている。しかし、解読の手がかりを与えるものとして、これよりはるかに重要なのは、他の碑文やパピルスだった。

シャンポリオンはドロヴェッティ・コレクションのエジプトの美術品に記された碑文の解読に取りかかり、三十以上のファラオの実際の像と名前を発見した。いまや文字通り名前と顔とを突き合せることができたシャンポリオンは、それまで考えられていたように、エジプト美術は決まりきった形式のものだけではないことに気づいた。ファラオを様式化して表現しているものもあったが、なかには写実的な肖像のようなものもあった。彼ははっと気がついた——彫像を通して、数千年前、エジプトを支配していた人びとと対面していることに。彫像の短い碑文でさえ、想像をこえるようなことを語り、歴史的資料として、エジプト美術はギリシア人やローマ人のどのような作品よりも有用であることを示していた。それからしばらく後、この魔法のようなコレクションのとりこになっていたシャンポリオンは義兄にこう書いた。

歴史的な碑文の記された五十以上のエジプトの彫像、ヒエログリフで書かれた二百以上の手稿、二十五から三十のミイラ、いずれも碑文のある四千から五千の肖像や小像に囲まれて、自分の思い通りに時を過ごし、活力を得ているさまをご想像ください。最初の興奮はまだ消えていません。六月十二日以来、一日中、わが古代エジプトの珍しい遺物を研究しています……ぼくの全生涯のほとんどが死者の真只中《まっただなか》で、歴史の古い埃《ほこり》をまきあげながら過ぎていきます。

エジプト美術に記された比較的短い碑文が提供する情報の量に圧倒されたシャンポ

リオンは次に、膨大な枚数のパピルスの調査に取りかかった。そこには、ヒエラティクとヒエログリフの長文のテキストが記され、両面に異なるテキストがあるものや、余白に書き込みのあるものなどもあった。エジプト人に（シェフェドウ――パピルスの巻紙）として知られるパピルスは、かつてはエジプトの湿地帯の淀《よど》んだ浅い水辺に繁茂していたカミガヤツリからつくられた一種の紙である。この水草はサンダルや籠《かご》から川舟などさまざまなものをつくるのに利用され、紙をつくるには茎が使われた。刈り取ってから、茎をある長さに切り、外側の皮や筋を剝《む》く。茎の芯《しん》をさらに短く切断し、あるいは、薄く裂き、並べて敷きつめる。その上に直角に細長い薄片を同じように敷きつめ、上から押したりたたいたりする。乾燥すれば、植物に含まれる自然の接着剤によって細長い薄片は結合される。こうして現代の筆記用紙よりやや厚いパピルス紙が出来上り、文字などを書くために使われる。

　多くの目的のために書記は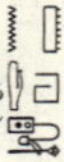（メンヘドゥ――書記のパレット）と呼ばれる基本的な道具一式を使う。ペンは葦《あし》でつくられ、その先端は細く裂かれ、ペン先というよりも毛筆のような形をしている。黒と赤のインクが一般的な筆記に使われるが、テキスト内に図を描くためには他の色のインクが使われた。インクは固形物としてつくられ、ふつう木製の長方形のパレットの窪《くぼ》みに収められていた。書記はインクを液体としては使わず、葦のペンを水に浸してから、インクの固まりにこすりつける。便宜上、パピルスは巻かれ、ひもでしばって封印される。巻物はふつう木箱や陶製の壺《つぼ》に保管され、幾巻きものパピルスに書かれた物語のような長いテキストは、専用の箱や壺に収められた。

シャンポリオンがパピルスを調査すると、それらの多くが、来世における死者の生存を願う呪文《じゅもん》(今では『死者の書』として知られる呪文)であることがわかったが、そのなかにはぼろぼろになった墓の設計図が一枚あった。古代エジプトの墓の設計図はきわめて稀《まれ》だった。これは現存するものではもっとも詳しい王の墓の設計図で、二十八分の一の縮尺で描かれていた。『エジプト誌』にあった王家の谷の図版と比較して、シャンポリオンは、それはラメセス四世の墓の設計図だと考えた。しかし、なぜかのちにラメセス六世のものと報告書には記された。

シャンポリオンは、トリノで何日も、時にはパピルスの断片をつなぎ合せたりして、徹底的に研究をつづけていたが、ある日、博物館の別室に、「使用不可」とされたために彼に提供されなかった小さなパピルスの断片があることを知った。それらの断片を目にしたときの驚きを兄への十一月はじめの手紙にこう記した。

「歴史の霊廟《れいびょう》」と呼ぶことになるこの部屋に入ったとたん、長さ三メートルのテーブルの全面をおおう、少なくとも厚さ十五センチのパピルスの破片の山を目にして、背筋に冷たいものが走るのを感じた。Quis talia fando temperet a lacrymis!（だれがこのようなことを涙なしに語りえようか！）ぼくは気を鎮《しず》めるために、まず、そこにあるのは四、五百枚の死者を弔う文書なのだと考え、勇気を出して、いちばん大きくて、破損していないものに目を向けた。とたんにぼくは仰天した。なんとぼくが手にしたのは、ファラオ、アメノフィス・メムノンの第二十四年という日付のある断片だったのである。その瞬間、この見棄《みす》てられたテーブルをおおう大小の断片を一枚ずつ調べる決心をした。

パピルスがこのような悲惨な状態になったのは、輸送中の扱い方のためだった。エジプトの気候のもとではパピルスは非常に耐久力があった。もっとも古いものは約五千年前のものである。しかし、不適切な取り扱いと湿気のため、もろいパピルスはたちまちぼろぼろになってしまう。砕けやすいパピルスを広げることも難問で、未知の内容を秘めたパピルスの多くは、それを広げる新しい技術が開発されるまで、巻かれたまま博物館に保管されている。

「使用不可」のパピルスの断片の調査をはじめた頃、トリノ滞在はすでに五か月に達し、それまで朝から晩まで休みなく働きつづけ、シャンポリオンはまたもや過労のため体調を崩すこととなった。秋に何度も繰返されたトリノ川の洪水で湿気が増したため、冬の襲来とともにリウマチが痛みだし、発熱と眩暈《めまい》に襲われ、これに追い打ちをかけたのが、博物館に押しかける来訪者への応対だった。追い返すわけにはいかない来訪者には、仕事を中断してコレクションについてあれこれ説明しなければならなかった。仕事は思ったほどはかどらなかったが、それでもパピルスの破片を寄せ集め、内容がわかるようになった。その内容たるや、驚くべきものだった。

手にしたパピルスには、その生涯が完全に忘れ去られた人びとの名前、千五百年間祭壇を持たなかった神々の名前などがありました。粉々になりはしないかと息をひそめて、パピルスの小さな破片を集めました。これが、生前はカルナクの広大な宮殿でたぶん腹痛に苦しんでいた王の記憶をとどめる最後の、そして、唯一《ゆいいつ》の手段だったのです！

これらのぼろぼろになった数千の資料の残骸《ざんがい》のなかに、彼は、胸おどらせるような興味深い破片をいくつか発見した。八日間にわたって調査した結果、彼が「王表」と名づけた、全部で五十の手稿を見つけ出したのである。

これは現在は「トリノの王表」として知られているが、そのパピルスにはラメセス二世（紀元前一二七九―一二一三）の時代までの、エジプトの支配者の名前が列挙されていた。ドロヴェッティが最初にそれを入手したとき、パピルスはほとんど完全な形をしていて、約三百人のエジプトの支配者の名前が記されていたが、エジプトからイタリアに運ばれるあいだに破損し、その一部が失われた。そのパピルスには、普通は他のリストから除外される外国の支配者の名前だけでなく、各支配者の正確な在位期間も記録されていた。エジプトの初期の歴史を解明し、年代を確定するためには王のリストは絶対不可欠なものであるとシャンポリオンは考えたが、徹底的な調査にもかかわらず、パピルスの一部は見つからず、リストには空白が残った。その空白のひとつひとつに彼は溜《た》め息をもらし、その打ちのめされた気持をジャック＝ジョゼフに伝えた。「このような手稿をかくも悲惨な状態で目にするというのは、ぼくの学者人生における最大の失望だと言っていいでしょう。自分を慰めるすべを知りません。この傷は長いあいだ痛みつづけるでしょう」

トリノでシャンポリオンはほとんど毎日のように兄と友人に手紙を書き、また、パトロンのブラカス公爵《こうしゃく》に二通の長文の手紙を書いた。その最初の一通はエジプト美術に関するもので、一八二四年七月、パリで出版された。一連の書簡集の出版を計画していたが、結局、もう一通が二年後に出版されただけだった。パピルスの研究をつづけるうちに、彼はヒエラティク（これらのテキストの大部分で使われているヒエログリフの筆記体）を読むことに非常に上達した。その頃、もうひとつのパピルスの大コレクションがリヴォルノの検疫所《けんえきじょ》に到着したという知らせが届いた。所有者はイギリスの駐エジプト領事、ヘンリー・ソールトで、コレクションは売りに出されていた。しかし、フランス政府がそのようなコレクションを買い取ることはないだろうと思ったシャンポリオンは兄に手紙を書いた。「エジプトの遺物はフランス以外のあらゆるところであふれることでしょう……まもなくサンマリノ共和国の首都にエジプト博物館ができるでしょうが、パリではほんの余りものを手にするだけという有様です」。もうひとつ、あまり確かでないニュースも届いた。彼の新しいパトロン、ルイ十八世が九月十六日に死亡し、アルトワ伯爵がそのあとを継いで国王シャルル十世になったというのである。その兄のルイ十八世よりも反動的なアルトワ伯爵は、以前シャンポリオンを迫害した極右ウルトラ王党派から祭りあげられていた人物だった。しかし、シャンポリオンがイタリア旅行に資金援助したルイ十八世と宥和《ゆうわ》したように、新しい国王と同じように友好的関係をつくることも可能だった。シャルルは学問に関心があり、兄のルイ十八世より倹約家ではなかったからだった。シャンポリオンはものごとを楽観的に考えることにした。

トリノでシャンポリオンは、博物館の館長、コルデオ・ディ・サン・クィンティーノとの反目で面倒な思いもした。両者のあいだの軋轢《あつれき》は避けられなかった。というのは、シャンポリオンは名士および専門家として歓迎され、何か月にもわたって、本来はサン・クィンティーノの領分である博物館を実質的に牛耳っていたからである。研究熱心なシャンポリオンは遠慮なく口をはさみ、ときには相手に不快な思いを与えることもあった。一方、サン・クィンティーノは館長としての自分の地位に不安を感じ、有力な友人を持つ外国人の干渉に腹を立てていた。

まだ仕事は残っていたが、一八二五年一月、シャンポリオンは、イタリアの別の場所へ行き、またトリノに戻って仕事を完成させたほうがいいと考えた。サン・クィンティーノとその取り巻きは、シャンポリオンが戻って来る理由をなくすために、博物館のドロヴェッティ・コレクションを整理して目録を作成する絶好の機会だと考えた。これを察知したサン・クィンティーノの反対勢力は、シャンポリオンがトリノのアカデミーの会員になれるよう働きかけ、一月中旬、シャンポリオン兄弟は全会一致で会員に選ばれた。三月のはじめ、シャンポリオンはローマに向けてトリノを出発し、十日間にわたる旅の途中で、ミラノやボローニャなどに短期間滞在し、エジプト・コレクションを調査したり、ヒエログリフ・テキストを複写したりした。旅の大半は大雨つづきで、居心地のよくない宿屋で眠れぬ夜をあかし、三月十一日、朝の六時、ローマに到着した。疲れはて、手足はむくんでいた。しかし、興奮は隠せず、ローマをはじめて訪れた旅行者がそうであるように、彼も宿に荷物を預けるや、すぐふたたび街に飛び出した。「ぼくはすぐサン・ピエトロ大聖堂へ行きました。空腹の極みにあったので、まず、極上の御馳走《ごちそう》で腹ごしらえ。この大聖堂を目にした印象を言葉であらわすのは不可能です。ぼくたちは哀れなフランス人で、ぼくらの記念建造物もこれらローマの壮麗な建物に較《くら》べたらちっぽけなものです」とジャック゠ジョゼフに書いた。彼は市内を足速にめぐり、オベリスクや他のエジプトの遺物を見物し、宿に戻ったのは真夜中すぎだった。うきうきするような一日を兄に報告し、最後はこう結んだ。「これがぼくの最初のローマの一日です。この一日を忘れることはないでしょう！」

トリノを出発して以来、はじめてぐっすり休むことができたものの、翌朝もまだ足がむくんでいて、歩くのもままならなかったが、ある友人が馬車を貸してくれた。シャンポリオンは次の四日間を市内の友人や知人を訪ねたり、ローマの名所を見物したりして過ごしたが、時間も金も限られているのに気づいて、すでにナポリにフランス大使として赴任していたブラカスに会うために南への旅をつづけた。長旅とローマでの心奪われるようなしばしの滞在のあとで、シャンポリオンに必要なのは休息だった。さまざまな社交的な仕事はこなさねばならなかったが、トリノで毎日の仕事となっていたエジプトの美術品やテキストの調査からは解放されていた。彼の主な仕事は、ナポリの新国王、フランチェスコ一世が所有するカノープスの壺などのエジプトの遺物に関する論文を書くことだった。彼はイザベラ王妃に何度か拝謁《はいえつ》し、ヒエログリフの解読法について質問を受けた。もちろん、その方法について説明を求められたのはそれが最初というわけではなく、彼の名声が広まるにつれ、彼に会った人びとは、その秘密を解明した本人からヒエログリフについて聞きたがった。

ナポリでの短い滞在を有効に使うためにシャンポリオンは、紀元七九年、ヴェスヴィオ火山の噴火によって灰と溶岩に埋まったローマ時代の都市、ポンペイの廃墟《はいきょ》を訪れた。わずか三年前にも噴火があり、溶岩はポンペイをそれて海に流れ込んだ。ジャック＝ジョゼフあての手紙に、新たに発見された廃墟を目にした驚きが記されている。

四月一日という日は一瞬のうちに過ぎました。そこで見たものすべてを正確に伝えるには一冊の本が必要でしょう。市場を探検し、広場《フォーラム》へ駆け出し、メルクリウス、ネプトゥーヌス、ユーピテル、ディアーナ、ウェヌスの神殿で祈りの言葉をささげました。それから、イシスの神殿でしばらく瞑想《めいそう》、聖俗まぜ合せ、二つの劇場を訪ね、円形演技場に駆けつけ……最後に街路を駆け抜け、ぎっしり並ぶ家々のあいだを通りました。フレスコ画が飾られ、珍しいものもあれば、そうでもないものもありました。二枚の絵が目を惹《ひ》きました。一月前に発見されたそうで、すばらしい色あざやかな絵です。少なくともぼくの意見ではもっとも美しい古代の絵画です。

そのほかに彼はエジプトの墓に描かれた絵も見ている。

ポンペイには感動したものの、シャンポリオンが本当に見たかったのは、ポセイドニアとも呼ばれる、古代ギリシアおよびローマ時代の都市、パエストゥムだった。そこにはギリシア時代初期の美しい三つの神殿が保存されていたが、だれもが彼にそこへは行かないほうがいいと言った。というのは、それは山賊の出没する人里はなれた不健康な沼地の真中にあったからだった。彼は忠告を無視して四月十日ナポリを出発し、その夜はエボリに泊り、翌日、壮大な廃墟を前に深い感動をおぼえた。

荷馬車が山麓《さんろく》伝いの道を行こうとして、岩場で先に進めなくなったため、三時間半も歩いて、荒野に広がるパエストゥムの廃墟にたどりつきました。パエストゥムの廃墟についてはこれまで多くの人が語ってきました。その建築様式はきわめて簡素なものですが、三つのギリシアの神殿から受ける深い印象には筆舌に尽しがたいものがあります。神殿は驚くべき状態で保存され、イタリアにギリシアの植民地が繁栄した非常に古い時代にまでさかのぼることは疑いありません……少しはなれて美しい紺碧《こんぺき》の空と海を背景にそびえる黄金色のその建物をながめると、これこそエジプトの神殿だと思いました……ぼくは以前から古い様式に惚《ほ》れこんでいましたが、いまやそのとりこになっています。パエストゥムを訪れたすべての人(その数は周辺を荒らしまわる新しいギリシアの英雄のためにそれほど多くはありませんが)と同様、これ以上、付け加えることはありません。イタリアにこれほど美しく、堂々たるものはありません。これにはローマも含まれます……あたりに聞こえるのはカラスや水牛の声ばかりで、カラスは美しいネプトゥーヌスの神殿がお気に入りのようです。カラスが柱頭のあたりを飛びまわり、壁面の突き出た部分にとまり、がっしりした列柱の陰に休んでいます。ぼくはその情景をけっして忘れないでしょう。いままで経験した遠足のなかでこれほど思い出に残るものはないでしょう。

その夜はサレルノに泊り、翌日、ナポリに戻ったが、その途中、もう一度、ポンペイで四時間ほど過ごし、「イシスの神殿とウェヌスの神殿にラクリマクリスティを注いだ」。ラクリマクリスティは、キリストが美しいナポリ湾を見下して、その住民たちの罪に涙を流したという伝説から名づけられた地元のぶどう酒で、彼はこれを用いて、ローマの愛の女神とエジプトの第一の女神、イシスの神殿に捧《ささ》げものをしたわけである。その行為の意味はさまざまに理解できる。愛とエジプトのためにカトリックの信仰を棄《す》てたとさえ解釈できる。しかし、シャンポリオンはこの献酒について何も語っていない。少なくとも外面的には、生涯、カトリック教徒で通したが、彼の信仰の本当のあり方については若干の疑問を残した。

いまやナポリに着いたときよりはるかに心すこやかになったシャンポリオンは、パエストゥムについて記した兄あての手紙をこう結んだ。「持病を別にすれば、健康は万全です。健康のためにいちばん大切な歯には気をつけてください。私の歯は良好で、食欲は旺盛《おうせい》です」。見たいと思っていた遺跡を訪ねることができたシャンポリオンは、まだ仕事がたくさん残ってはいたが、このあたりでナポリ滞在を切り上げたほうがいいと考え、十日後、ローマに戻った。ローマではただちに、千五百年以上も前に何人かのローマの皇帝によって運ばれて来たエジプトのオベリスクの研究をはじめた。ローマの四月の太陽に焼かれたり、雨に打たれたりしながら、臭気たちこめる廃墟に立つオベリスクの碑文を複写するという面倒な仕事を進めるうちに、以前の複写にいかにたくさん誤りがあるかがわかった。十七世紀の聖職者で、ヒエログリフを解読したと誤解していたキルヒャーが出版した碑文はとくに不正確だった。シャンポリオンは、可能なかぎり多くの碑文の原物そのものを見なければならないという持論に自信を深め、イタリアよりもエジプトに行くべきだと考えた。

ローマではじめ、いっしょに帰って来たブラカスの家に滞在し、多くの有力者に紹介されたが、ヒエログリフ解読について彼から直接話を聞きたいという人のために貴重な時間を費さざるをえないことなどもあって、シャンポリオンにとっては良し悪《あ》しだった。またもや名士扱いされ、彼としては人目に隠れた学者でいたかったが、ブラカスがローマを去ったとき、宿を提供したいと、一種の争奪合戦が行われたのは彼にとっては有難いことだった。オベリスクなどの公共の記念建造物とならんで、利用可能な公共および個人のエジプト関係のコレクションの研究に着手した。これにはパリで学生時代に調べたことのあるヴァティカン・コレクションも含まれていた。ヴァティカンから略奪されたものの一部はナポレオンの最後の追放後、ローマに返還されていた。

一八二五年六月十五日、ローマを離れるわずか二日前、シャンポリオンは教皇レオ十二世に拝謁する名誉を与えられた。教皇からあたたかく迎えられ、その様子をのちに兄あての手紙にこう書いた。「フランス語をとても上手に話され、私がいくつかの発見によって、宗教にたいする、すばらしい偉大で立派な義務を果したと、嬉《うれ》しそうに三回も私に言われました」。教皇は、ヒエログリフの解読よりも、シャンポリオンがデンデラの黄道《こうどう》十二宮図の年代を確定して、聖書年代学への反論をとりあえず鎮《しず》めたことにいたく感激した様子で、彼を枢機卿《すうききょう》に任命したいとまで言った。驚き戸惑ったシャンポリオンは、結婚して娘もいるという理由で、これを辞退した。シャンポリオンに何か栄誉を授けたいと思った教皇は、フランス国王にはたらきかけ、それからわずか一月後に、フランス政府はシャンポリオンにレジオン・ドヌール勲章を与えた。ジャック＝ジョゼフが十年前にナポレオンから与えられたのと同じ栄誉である。

権力者の寵愛《ちょうあい》と友誼《ゆうぎ》を得た者は、そうではない者から妬《ねた》みと憎しみを受けることをシャンポリオンは知っていた。教皇からの御墨付は彼にたいするカトリック教会の非難の声を鎮めるどころか、むしろ新しい敵を生み、なかには、いぜんとして彼の研究を教会の権威にたいする脅威であると見なしている者もいた。ヨーロッパの学者のあいだでは、賛否の構図が変化していた。サン・クィンティーノのような者はシャンポリオンに反対する立場に立ち、ライバルのヤングに与《くみ》していたが、実際には、それが役に立つという理由だけで、シャンポリオンの解読法を支持していた。また、自分たちの誤りを認めてヤングを支持するのをやめる者もいた。ローマでシャンポリオンに会ったサー・ウィリアム・ジェルは彼の方法が正しいことを確信していた。ドイツの多くの学者はシャンポリオンを支持していたが、厄介な敵も何人かいた。シャンポリオンより一歳半年下で、ライプチヒ大学のギリシア・ローマ文学の教授、フリードリヒ・アウグスト・スポーンはヒエログリフを解読したと主張したが、一八二四年のはじめ、その理論が試される前に亡《な》くなった。その著作の出版を託されたドイツの東洋学者、グスタフス・ザイファルトは、死ぬまでシャンポリオンに異を唱えつづけた。一八一五年にパリに定住しながら、ベルリン大学のアジア語教授の称号をもち、大学から報酬を得ていた、ドイツの東洋学者、ハインリヒ・ユリウス・クラプロートは、以前はシャンポリオンを支持していたが、いまや完全に反対の立場に立っていた。シャンポリオンがクラプロートの学会をめぐる陰謀に加担するのをきっぱり断って、イタリアに出発したとき以来、この学者はシャンポリオンのすべての発見にたいして、しばしば匿名《とくめい》の小冊子などを使って復讐《ふくしゅう》の挙に出て、何年間も彼を苦しめた。

シャンポリオンはローマからトスカナ大公国のフィレンツェに移った。二週間あまりの滞在だったが、彼はたちまちこの都市に恋してしまった。「真の自由を味わうことができる、イタリアで唯一の都市です。また、政府というものが存在するイタリアで唯一の国です。これはたいしたことです」。またもや彼は例によって社交界や学者の集りに顔を出してはちやほやされ、有力者のつてを求めて、エジプトの遺物のコレクションの研究を含め、自分の発見について説明し、大公レオポルド二世から少し前に整ったコレクションの目録を作成してほしいと依頼を受けた。ローマ滞在後もっとも印象的だったのは、フィレンツェの自由な知的風土だった。彼の研究は、論理的、科学的観点から偏見や宗教的頑迷さなしに、期待どおりに判断されていた。

シャンポリオンは七月はじめフィレンツェを去り、フランスに帰国する前にトリノに寄ることにしたが、エジプトの遺物とパピルスのコレクションを見るために、遠回りしてリヴォルノへ行った。二、三か月前、売りに出されていると伝え聞いた、そのコレクションの所有者の名前は秘密だったが、ヘンリー・ソールトが持主であることはわかっていた。そのコレクションを目にしたシャンポリオンは感激のあまりジャック＝ジョゼフに「ドロヴェッティのもの（行方不明の大彫像を別にしても）よりすばらしいこのコレクションは売りに出されています。政府は二十五万フランで購入できるでしょう」と書いた。シャンポリオンは、今度はフランス政府が動くかもしれないと期待して、コレクションの詳細をブラカスに伝え、トリノでもう一度、兄に手紙を書き、ソールトはフランスに売りたがっていることを強調した。「前にも言いましたが、何度でも言います。それは闇《やみ》に消えようとしています。フランスの高官は、畜生《ゴッダム》〔イギリス人への蔑称《べっしょう》〕の苦心の成果を逃さないことに関心を持っています。奴《やつ》はお国の誇りのために名前を明かしていませんが、フランスのカエル野郎から金をせしめるつもりです」

当時四十五歳のヘンリー・ソールトは領事として十年近くエジプトに滞在していた。彼の最初のエジプト遺物コレクションは三年前に大英博物館に売却されたが、彼はその売買契約に不満を感じていた。シャンポリオンの見方とは逆に、友人に手紙で書いているように、彼はこの第二のコレクションをフランスではなくイギリスに売るつもりだった。「それがイギリスへ行くことになったら、みんな大喜びでしょう。しかし、大英博物館とはもう取り引きはしません」。ソールトの望みはエジプト領事から隠退して、年金生活にはいることだった。「私は収集した。私のコレクションはいまリヴォルノにある。四千ポンドの値打ちだ。存在するもっとも美しいパピルス、エジプトの最上の青銅製品セット、何枚かの蠟画《ろうが》、たくさんの金細工と磁器――要するに、世界中でもっとも選び抜かれた大英博物館のコレクションとなりうるような逸品だ」

トリノに戻って、当地のコレクションの目録の完成に専念していたシャンポリオンは、ソールトのコレクションにフランス政府が関心を示さないことに失望していた。博物館の館長、サン・クィンティーノは彼の仕事に口をはさむようなことはなかった。ソールトから、出版されたばかりのヒエログリフに関する本(『ヤング博士とシャンポリオン氏のヒエログリフの表音文字に関する小論』)が届き、シャンポリオンは勇気づけられた。イギリスのコレクターにエジプトの遺物を提供するという仕事を通して、ソールトはヤングの支持者になっていたが、彼の本には、ごく最近になってシャンポリオンの発見が正しいことを認めるようになったと記されていた。わずか一年前、彼はウィリアム・ハミルトンにこう書いていたのである。「シャンポリオン氏のヒエログリフ理論に私が完全に改宗したと聞いて、あなたは驚くことでしょう……それを笑いものにしていた誤りに気づいたのです」。ソールト自身も解読を試みていたが、ライバルというほどではなく、彼の本は「彼自身の考えが述べられている部分は完全な誤りという、みじめな著作」と見なされていた。シャンポリオンは、自分がいくつかの外国の新聞で名士扱いされていることを知って喜んだ。ローマの外交官たちが、彼の研究について好意的な報告を本国政府に送り、それが新聞記者に伝わったからだった。この予期せぬ名声によって、ソールトのコレクションをフランス政府が購入するよう働きかけることができるかもしれないと彼は期待した。

トリノでの仕事を終えるのに約三か月半かかり、十一月を迎え、アルプスの山道が閉鎖されるおそれがあった。モンスニ山道を通る際、近くの村に大きな被害を与えた激しい嵐《あらし》のために遅れたものの、夜の十時にグルノーブルに着き、帰って来るのは翌日と思っていた妻を驚かせた。一年半のあいだに娘のゾライードが立派に成長したことに彼はびっくりしたが、長い留守にもかかわらず娘を溺愛《できあい》する気持は変らなかった。「かりにぼくが彼女の父親でなくても、このあたりに鳴り響く彼女の評判はもっともなことで、彼女はドフィネ地方でいちばん可愛《かわ》いい子供だと、私も思うことでしょう」

シャンポリオンはジャック＝ジョゼフと再会し、二人は、ソールトのコレクションの購入に反対するフランス政府の態度など、手紙で触れられなかったことをいろいろ話し合った。シャンポリオンにたいする教皇の賞讃《しょうさん》と恩典にもかかわらず、カトリック教会の敵意はおさまらず、トリノでの研究がそれを助長することとなった。シャンポリオンはデンデラの黄道十二宮図の年代確定によって聖書の年代学を守ったが、一方で「王表」の発見によってそれを危機にさらしたのであった。そこには、聖書年代学による世界創造よりはるか以前にさかのぼる、最古の王朝について述べられていた。それは手稿というよりもジグソーパズルのような断片にすぎなかったため、教会は「王表」を容易に無視することはできたが、しかし、教会が聖書を誤って解釈しているという証拠になるような、新しいパピルスのコレクションがいつ出てこないともかぎらず、多くの教会関係者はソールト・コレクションの購入によってそんな証拠が見つかるのを恐れていた。とりあえずシャンポリオンは、エジプト王朝の年代は非常に古いという証拠を自分の胸ひとつに収めておいた。というのは、その証拠はまだ絶対的なものではなかったからだ。しかしそれでも教会の敵たちは正しく事態を見抜き、彼にたいする中傷をやめなかった。

ジャック＝ジョゼフはパリに帰ることになったが、シャンポリオンはグルノーブルにとどまり、ソールト・コレクションの成行きを見守りながら、著書の改訂をつづけていた。それより数か月前の七月、馬の仲買い人から考古学マニアおよびコレクターに転身したジュゼッペ・パサラックァというイタリア人が所有する遺物のコレクションがパリに到着した。これはソールト・コレクションに匹敵するようなコレクションだった。『エジプト誌』の編纂者《へんさんしや》、エドム・ジョマールはそれを購入するよう政府に働きかけていた。というのは、そのコレクションを管理する学芸員のポストが自分に与えられるものと期待していたからだった。ソールト・コレクションが購入されれば、そのポストはシャンポリオンに与えられる見込みだった。シャンポリオンは外国でいくつかのポストを与えられていたので、彼の敵たちは、パリで学芸員のポストから締め出されれば、シャンポリオンは外国へ行き、ジョマールのもとに結束できると考えていた。パサラックァのコレクションはソールト・コレクションより安かったが、国王は決心がつかず、パリの新聞で論争が展開された。

論争は一八二六年のはじめまでつづき、パリにいたジャック＝ジョゼフもこれに深く係わっていた。シャンポリオンに有利に一件落着するかに見えたが、ジョマールとその取り巻きはそのような決定は「不正」であると異をとなえた。しかし、二月末、国王がシャンポリオンをリヴォルノへ派遣し、その価格について調査するよう、五千フランの出費を認めたという報が届き、シャンポリオンの勝ちに思われた。彼はただちに旅行の用意をして、三月一日、グルノーブルを出発した。山道が開通するにはまだ季節が早く、モンスニ山道はまだ雪におおわれていた。兄あての手紙にことさら控え目にこう書いている。

馬車に乗ったかと思うと、すぐ降りなければなりませんでした……モンスニの麓《ふもと》では、雪の上を走るために馬の尻尾《しっぽ》の先につながれたそりに固定された高さ一・四メートルほどの箱のなかに飛び込むんです。登り坂も下り坂も平穏無事でしたが、多少の恐怖感がないわけではありませんでした。多少のこわい思いをせずに深さ七、八メートルの雪道——四か月前に土の上を通った道です——を通るのは容易なことではありません。

アルプスのイタリア側からの最初の手紙に記されているように、彼は幸運だった。

「三日遅かったら、生命《いのち》がけでなければ通ることはむずかしかったでしょう。雪は溶けはじめ、すでに二つの雪崩《なだれ》が道をふさぎ、谷を埋めました」

三月中旬にリヴォルノに着いたシャンポリオンはすぐ仕事をはじめた。コレクションの量は増えていた。というのは、彼がはじめてそれを目にしたとき、大量の彫刻や巨大な石棺がエジプトからイタリアへ輸送中だったからである。いまや彼は約五千点のコレクションをすべて調査しなければならなかった。その後まもなくして、ブラカス公爵《こうしゃく》によるコレクションの報告書が国王シャルル十世に承認され、購入が決ったという知らせが届いた。彼の仕事は価格の評価から、すべてのものが輸送中に紛失することのないよう取りはからうことに変わり、遺物の包装とパリへの輸送の準備をはじめた。

シャンポリオンの名声は非常に高かったので、ほとんどどこでも学術協会は彼を歓迎し、会員に推挙した。リヴォルノでは科学アカデミー会員となり、ピサ大学の東洋語教授、イッポリト・ロッセリーニを紹介された。彼はシャンポリオンの生徒になりたいと言って、シャンポリオンとともに旅行する場合には、その費用を払うという取り決めをした。二十五歳のロッセリーニは一年前からヒエログリフを研究していて、シャンポリオンはためらうことなく彼を生徒とした。このアカデミーの会員になったことで、もうひとつの運命的出会いがあった。四月二日、彼の名誉をたたえる会合があり、発言者のひとりがアンジェリカ・パッリだった。この二十八歳の女性はリヴォルノの有名な実業家の娘で、詩人として知られていた。会合で彼女はシャンポリオンをたたえる詩を読んだ。彼はその詩才に感動し、それを「この十五年間、私の主食となっていたエジプトの埃《ほこり》にたいして受取ったもっとも甘美な褒美《ほうび》」と言った。彼女に恋をしたシャンポリオンは、トリノ大学の図書館員で、彼の方法を使ってヒエログリフの解読に熟達した、友人のコンスタンツォ・ガッツェラに彼女についてこう書き送った。

教養ゆたかで、純真、余所者《よそもの》でないなら、彼女の評判は誰もが聞き及んでいることでしょう。ぼくについて言えば、彼女と知り合いになり、彼女に気に入られたことを偉大なアメン・ラーに感謝しています。しかし、口はきけないけれどもミイラにも権利があることを思い出し、できるだけミイラといっしょにいます。気立てのよいシビル〔アンジェリカ・パッリ〕と会うのは時たまです。というのは、ハトホル〔エジプトの愛の女神〕が邪魔立てするかもしれないからです。

現存するシャンポリオンからアンジェリカ・パッリあての手紙を見ると、彼は彼女に恋をしていたが、それは愛の交歓ではなく友情の交換にとどまったことは明らかである。彼女はその後まもなくリヴォルノの旧家の息子と結婚したが、シャンポリオンがソールト・コレクションの輸送を準備し、それをフランスに運ぶ船が来るのを待つ数週間のあいだ、彼女が彼の心を支配していたのは事実だった。四月末、彼はコレクションに関する報告書を書き上げ、それは、国王の購入決定に反対する敵を沈黙させる目的でパリで出版された。しかし、六月になってもまだ船は来なかった。時間の空費にいらいらしたが、すべてのものが無事に船に積み込まれるのを見届けるまで、フランスに戻ることはできなかった。というのは、五月中頃、シャンポリオンがルーヴル美術館の新しいエジプト部門の学芸員という、切望していたポストに任命されたという知らせが、ジャック＝ジョゼフから届いていたからだった。いまやソールト・コレクションは彼にまかされ、長いこと学問の荒野にあって、ついに専門的ポストを得たのであった。

一日中ほとんど休みなく仕事をしてきたシャンポリオンには、リヴォルノで船の到着を待っていた数週間は完全に時間の無駄だったが、このあいだ中、ロッセリーニがともにいて、彼はヒエログリフやエジプトの遺物について猛勉強していた――のちにその知識をもとに、ロッセリーニとその生徒たちがイタリアにおけるエジプト学の基礎をつくることになった。六月末、ようやく船が到着し、七月の第二週、コレクションは船積みされ、北フランス、セーヌ川河口のル・アーヴル港へ向けて出航し、ル・アーヴル港から川を遡上《そじょう》してパリへ向った。パリに戻って、ソールト・コレクションの荷を解くまで数週間の時間があったので、シャンポリオンはこれを利用して旅行を計画し、ロッセリーニとともにピサとフィレンツェを経由して、七月中旬、ローマに着いた。

シャンポリオンはローマにあるエジプトのオベリスクの碑文の記録を再開し、以前作成した図版の誤りをただした。出版費用を出すという教皇の約束に支えられて、これらのオベリスクのすべての碑文の完璧《かんぺき》で正確な記録をとった。こうしてローマで三週間ほど過ごしたが、その間、珍しい出来事があった。シャンポリオンと、ライバルのひとり、ドイツの東洋学者、グスタフス・ザイファルトとの直接対決である。ジョマールやルーラック、ヤングなどのライバルの場合、個人的会見は対決というより社交儀礼に則《のっと》っていたが、ザイファルトは別だった。彼は、亡《な》くなったスポーンのヒエログリフを解読したと称する遺稿を完成して、ラテン語で出版するため、エジプトのコレクションやコプト語の手稿を研究しながらヨーロッパ中を旅行していた。ザイファルトがシャンポリオンに匹敵する、すぐれた学者であることは疑いなかった。しかし、彼はヒエログリフなどいくつかの問題をめぐって奇妙な考えにとりつかれ、才能を無駄に使っていた。彼はシャンポリオンの大部分の研究を否定し、ヒエログリフ初期のコプト語に基づいていて、コプト語はヘブライ語に由来し、すべてのヒエログリフはノアの時代のアルファベットに起源があり、その綴《つづ》りを示していると考えていた。シャンポリオンがイタリアにいると聞いたザイファルトは、専門家の前で彼と議論し、どちらの解読法が正しいか決着をつけるため、わざわざローマへやって来た。挑戦を受けて立ったシャンポリオンは、「カピトリウムの丘のふもとで奴をたたきのめしてやる」と宣言した。

八月はじめ、トーマス・ヤングあての手紙で、サー・ウィリアム・ジェルは、ザイファルトとの会見と、彼とシャンポリオンとの対決の様子をこう記している。「シャンポリオンと音信があるかどうか知りませんが、彼はローマで大活躍中です。その競争相手、ザイファルト教授は彼より十日前にローマに来ていました。ザイファルトはパーマストン卿《きょう》のような立派な紳士です」。ジェルがヒエログリフで記された名前の解読をテストすると、ザイファルトが正しく答えられたのは、シャンポリオンによってすでに解読されていたものだけだった。

しかし、シャンポリオンが見たことも聞いたこともない問題を出すと、ザイファルトは、図版満載の四折判の大きな本を抱えていましたが、答えられませんでした……ザイファルト氏は頭がおかしいと私は判断しました。シャンポリオンが〔ローマに〕来ると、二つのオベリスクを剣に、カヴァッロ山の装飾浴槽〔御影石《みかげいし》製の大きな浴槽〕を楯《たて》に戦うよう提案しました。二人はイタリンスキーの家で会いました。大きな四折判の本のような甚大《じんだい》なる影響力を持つニッビィは、イタリンスキーはザイファルトの味方だと言いますが、観客はみなその反対で、翌日、私はフランス公使館で二人に会いました。シャンポリオンは彼に、ヒエログリフを何語に訳したのか訊《き》きました。これにたいして彼は「コプト語」と答えました。それからシャンポリオンが言います。「文章になっていないとは言いませんが、あなたの翻訳にはコプト語がひとつもありませんね」。「いや」とザイファルト「それは本に書かれているより古い古代コプト語です」。シャンポリオン「どこでそれを学びましたか」。ザイファルト「ロゼッタの碑文でです」。シャンポリオン「あなたが発表した二行ですか」。ザイファルト「そうです」。シャンポリオン「それなら言わせてもらいましょう。あなたが発表したとき、それらは本当のかたちがわからないほど誤って複写されていて、正しい文字は十もありません。そのうえ、あなたが選んだ名前はオリジナルそのものに書き違いがあるものなのです……」(すべてそのとおりである)。ザイファルトはエジプトの遺物について何も知らず、何も見たことがない。彼は何も答えず、ニッビィに、シャンポリオンがあまり乱暴なので黙っているほうがいいと思うと言った。私の見るところでは、シャンポリオンはそんなに乱暴ではありませんでした。私に言えるのは、このドイツ人は自分の考えを主張すらしなかったということです。彼のすべての文字はその位置しだいでどんなアルファベットをも意味するということで、かりに彼の方法が正しいとしても、学ぶ価値はないでしょう……アメリカ人たちが言うように、シャンポリオンがコプト語をヒエログリフに応用することについて、この一年でずいぶん進歩したことに、私もまったく驚きました。

シャンポリオン自身の言葉によると、このライバルの完敗だった。「私は遠慮なく彼の誤りを指摘し、彼の答えられないような議論を吹っかけた。聴衆は彼の沈黙に判定を下しました。彼とは毎日顔を合せますが、もうヒエログリフのことは話題になりません……彼はイタリアで葬《ほうむ》り去られました」。ザイファルトの方法は突飛で裏付けがないと多くの学者は考え、彼に反対する人が増えた。のちにシャンポリオンはパリからロッセリーニにこう手紙を書いた。「もしトリノでザイファルトに会ったら、考えを改め、おかしな夢で自分を笑い者にしないようにと説教してやってください。彼はドイツでは笑い者にされ、フランスでは彼を支持する者はひとりもいません。イタリアではどんな具合か、あなたもご存知のとおりです。お説教は彼のためになるでしょう。うまくやってください」。一八二八年にドイツに戻ったザイファルトは状況がますます悪化していくことに気づき、約二十五年後、アメリカに移住し、そこでシャンポリオンとその支持者にたいする戦いを精力的に続行した。

ザイファルトとの対決後、ジェルはシャンポリオンの熱烈な支持者となって、ヤングをひどく口惜《くや》しがらせた。まだセント・ジョージ病院で働いていたヤングは、ロンドンのパークスクエア九番地の広い優雅な家に引っ越し、ヒエログリフについてヨーロッパ中の学者と情報交換をつづけた。彼の主な関心事は二つあった。デモティクの研究と、自分こそ最初のヒエログリフ解読者であると学者たちに認めさせることだった。シャンポリオンを褒めそやし、彼は何でも自分に教えてくれるという、ジェルの手紙は彼を立腹させるばかりだった。「新しい発見を隠すどころか、シャンポリオン本人が私に未発表のことをたくさん教えてくれるので、もしその気になれば、私がその発見者だと偽ることもできるほどだと申し上げたいと思います」

ローマでシャンポリオンは、前回の滞在中に彼に心服した多くの外国の外交官に接触し、彼の指揮のもと、各国から専門家を集めてエジプトにヨーロッパ調査隊を送る可能性を打診した。碑文と遺跡を研究するためにエジプトへ行くことこそ自分の次の一歩だと確信していたシャンポリオンは、この問題をめぐってブラカスに接触し、彼の支持を取りつけていた。彼は心のなかで将来のことを思い描いていた。ソールト・コレクションがパリに着くまでの時間をできるかぎりイタリアで活用し、それから、すでにその構想は出来上っていたが、ルーヴル美術館の新しい部門を軌道に乗せるために一年を費し、同時に、エジプト調査隊を編成したいと考えていた。ロッセリーニとイタリアを旅行しながら、調査隊のメンバーの選定をはじめていた。ロッセリーニは急速に知識を身につけ、有能な助手だったので、当然、候補者のひとりだった。

ローマからナポリへ行く途中、シャンポリオンは、その神殿にいたく感動したパエストゥムを再訪した。ナポリではジェルに会い、彼が最近出した本、『ポンペイアーナ』を手にポンペイを歩いた。その研究に感動したシャンポリオンは彼をエジプト調査隊の隊員候補に加えた。ところで、ブラカスは、エジプトを征服したローマ皇帝アウグストゥスが最後の日日を過ごしたエトルリアとローマ時代の都市ノーラの発掘を指揮していた。シャンポリオンはその遺跡を訪ね、ナポリ地方の澄んだ空気を胸いっぱい吸い込み、心身ともに元気を取り戻した。仕事を仕上げるためローマに戻るつもりだったが、ローマでは疫病《えきびょう》が猛威をふるい、教皇をはじめ、みんなわれ先にと恐怖の都から逃げ出していた。どんどん時間が過ぎ、パリが彼を待っていた。リヴォルノとフィレンツェを通り、ヴェネツィアへ遠回りして、グルノーブルに着いたのは一八二六年十月末だった。彼は悲しい思いでイタリアの「きらめくような青い空」と、ロッセリーニをはじめ多くの友人に別れを告げた。北へ行くにつれて天候は悪くなり、ナポリ滞在中のあの健やかさはすべて帳消しとなった。グルノーブルに着くや、シャンポリオンの右足は激しい痛風の発作に襲われたが、しかし、休む時間はなかった。

彼の家族もジャック＝ジョゼフの家族も、マザラン通り十九番地ではじめて全員そろってひとつ屋根の下で暮すことになるパリへ彼といっしょに行く用意をしていた。パリに着いたのは、五日後の十一月二十日だった。

ルーヴル宮殿内の国王シャルル十世博物館のエジプト部門で作業は開始された。セーヌ川沿いに建つクール・カレ（四角い中庭）の二階の四部屋が割り当てられ、二階に置くには重すぎる彫刻は階下に陳列された。シャンポリオンは新しい博物館についてトリノのガッツェラにこう書いた。「大きなもののための一階の広い部屋と、宮殿の二階の四部屋とを与えられました。まもなく画家や建築家や石工の仕事がはじまり、予定通り進めば、問題はないでしょう」。ところが、新旧の敵からの抵抗に遭って、問題が生じた。とくにジョマールは、シャンポリオンに学芸員の地位が与えられたことに激怒し、彼にたいする陰謀を画策していたが、最大の反対勢力は、彼を侵入者と見なし、彼の考える新しいエジプト部門の展示方法に同意できない博物館関係者だった。ロッセリーニへの手紙でシャンポリオンはこう嘆いた。「ぼくの生涯は戦いとなった……ぼくが博物館に着くや、みんな右往左往し、職員たちはみんなでぼくに陰謀をたくらんでいる。というのは、ぼくは自分の地位を名誉職とは見なさず、自分の領分の仕事は自分でこなすので、連中には何もすることがなくなってしまうからです。

これが問題の核心です！　釘《くぎ》一本手に入れるにもたたかいが必要なのです」

彼は多くのたたかいで負けた。彼の強い反対にもかかわらず、エジプト・コレクションの展示室はエジプト様式ではなく古典様式で装飾され、エジプトと何らかの関連がある天井画では、聖書やギリシア・ローマの古典が題材とされ、それを選定したのは彼以外の者だった。シャンポリオンは、例の『パンテオン』の図版を作成した画家のジャン＝ジョゼフ・デュボアを自分の助手に据えて、論理的、学問的原則に従った展示法の実現のためにたたかった。教師としての経験から、来訪者への情報提供と教育のために展示を活用しようと考えた。これは、並べ方を工夫して美しく見せることを最優先する従来の展示法とはまったく異なるもので、彼はこれによって新しい方法を確立した。彼は展示法についてこう考えていた。

もっとも古い時代からローマ時代にいたるまでのエジプトの支配者の名前のついた神々や遺物をできるかぎり完全に提示し、古代エジプト人の公的および私的生活に関連するものを秩序立った方法で分類するようにしなければならない。このようにして、宗教、王の歴史、エジプト人の日常生活にそれぞれ関連する遺物の体系的なコレクションが出来上る。

展示品の大部分はヒエログリフの記された碑文だったので、シャンポリオンは正しい展示法を決めるにはそれらを解読すればよかった。他のコレクションには碑文のあるものは少なかったので、そういうわけにはいかなかった。それらのコレクションが正しく展示されるまでには、何年もの考古学的研究が必要だった。

博物館での仕事はたたかいだったが、マザラン通り十九番地(二十八番地の以前の家から遠くないところにあった)には幸福な生活があった。シャンポリオンと兄の一家が仲の良い「グルノーブル居留地」をつくり、ルーヴルでは仲間たちをうまく教育できなかったが、家では子供たちの教育に大きな喜びを感じていた。エジプト調査計画を忘れたわけではなく、実際、フランスの駐エジプト領事のドロヴェッティは、遺跡が破壊される前に調査隊ができるかぎり多く記録し、発掘できるようにと熱心に働きかけていた。エジプトの支配者、ムハンマド・アリは経済の発展に力を注ぎ、そのためには砂糖と綿花の増産が必要だと考えていた。サトウキビの処理工場と綿工場が建設され、それに必要な石材が古代エジプト遺跡から切り出されていた。シャンポリオンが早くエジプトに行けば、それだけ多くの非常に重要な遺跡が調査され、保存されることになるだろう。しかし、彼は廷臣たちと接してみて、国王の側近にはまだ敵がいることを知った。ルーヴルの新しいエジプト部門が完成するまでに、調査隊を編成できる見込みはなかった。シャンポリオンとしては、その仕事が終るまで、博物館で毎日くり返されるたたかいに耐えるしかなかった。

ドロヴェッティが収集した古物の第二のコレクションが売りに出されたが、サルデーニャ国王は、第一のコレクションを所有していたものの、トリノのために新しいコレクションを購入することを断り、そこで、シャンポリオンとジョマールは（このときは力を合せて）、フランスが入手するよう尽力した。ドロヴェッティは国王シャルル十世に一本石でつくられた聖物容器などの贈りものをしていて、一八二七年秋、このコレクションは購入され、ルーヴルのソールト・コレクションに加えられた。大喜びのシャンポリオンは、九月、トリノのガッツェラに書いた。「たいへん貴重な買いものが行われました。ドロヴェッティの新しいコレクションです。いまパリにあります……信じられないようなすばらしいエジプトの貴金属類……たとえば黄金製の杯など、その大部分に王の碑文があります」。さらに手紙はつづく。「このコレクションには、そのほかに彫像、五十点のエジプトないしギリシアの手稿、五百点のスカラベ（訳注　神聖視されたコガネムシの形に彫刻された宝石や陶器）、壺《つぼ》、八十点の石碑などなど。われわれはそちらよりも美しいものをたくさん手中に収めました。そちらは第一位になれたのに、そうしようとしなかったのです」

シャンポリオンは、十一月四日の国王の誕生日を祝してエジプト展を開く準備でおおわらわだった。エジプトの状況をめぐる最新情報もこれに拍車をかけた。ドロヴェッティは八月にパリに戻り、二つの悪いニュースを伝えた。遺跡の破壊が進んでいること、もうひとつは、エジプトへの渡航が不可能になるほど東地中海の政情が悪化しているというニュースだった。一八二〇年以来、ギリシアはオスマン・トルコ帝国からの独立をめざして戦っていた。ヨーロッパの大国ははじめ介入を控えていたが、一八二五年、ムハンマド・アリがトルコに援軍を派遣したため、ロシアとイギリスは、トルコにギリシアと何らかの合意に達するよう圧力をかけた。情勢の悪化にともなって、イギリスとフランス、ロシアは、一八二七年七月、トルコから合意を引き出すために、必要であれば武力を行使するという条約に調印し、その結果、十月二十日、イギリスとフランスとロシアの艦隊がナヴァリーノ海戦でトルコとエジプトの海軍を破った。しかしそれでもムハンマド・アリはフランスとの友好関係を維持し、その年の末、エジプトのヨーロッパ人の安全を保障するという彼の声明がパリの新聞に掲載された。

室内の装飾が未完成だったため、ルーヴル博物館でのエジプト展の開始は十一月四日という期日に間に合わず、国王シャルル十世は十二月半ばになって新しい部門の開館を公式に宣言した。その頃にはドロヴェッティはパリからアレクサンドリアに戻り、エジプトへの学術調査隊派遣はまだ未定だったが、彼のコレクションとソールトの第二のコレクションによってルーヴルのエジプト部門の重要性は増した。残念なことに、シャンポリオンは、パリでの自分の生活を一変させたコレクションの所有者だったイギリス領事に会うことはなかった。帰国して隠退生活を送ることを前から望んでいた、ヘンリー・ソールトは、一八二七年十月二十九日、四十五歳でエジプトで亡《な》くなった。アレクサンドリアに葬られ、その墓碑銘にはこう記されていた。「その闊達《かったつ》なる才能によりてヒエログリフおよびこの国の古代遺物を調査し、解明せり」

一方、ヤングはついにヒエログリフの研究をあきらめ、デモティクだけに的を絞ることにきめていた。ヘンリー・タッタム師というイギリスの学者がコプト語文法を編《へん》纂《さん》中と聞いて、それに合せてデモティク辞典を書きたいと提案したが、年末になって、完成まで数か月もかかるとタッタムに伝えた。皮肉なことに、シャンポリオンに運が向き、彼が大量のコレクションを自由に利用できたのにたいして、今度はヤングが研究資料の不足に悩む番だった。「飼葉《かいば》おけの犬のように、自分では食べないのに、私には触れさせようともしない。ヨーロッパ中にあるとわかっているパピルスに記されたデモティクの契約書を一行すら手に入れることができないのだ」

　展示の仕上げのために疲労困憊《こんぱい》し、健康はすぐれなかったが、シャンポリオンはエジプト調査隊については楽観的になっていた。宮廷内で大臣の交代があって、彼の敵の何人かは要職からはずされ、新設の展示室の評判は上上で、彼の評価も高まった。一八二八年春までに宮廷内のシャンポリオンの支持者たちはこの計画に国王の関心を向けることに成功し、四月下旬、国王は支援を約束した。かくてシャンポリオンの計画は実現することとなった。ロッセリーニを助手にしたがえ、シャンポリオン総指揮のもと、フランス国王シャルル十世とトスカナ大公レオポルド二世の庇護《ひご》によるフランス＝トスカナ合同調査隊が結成されることとなった。

　二年以上にわたってそのような調査旅行を夢想し、計画してきたシャンポリオンはジャック＝ジョゼフの助力をあおぎ、ただちに計画の実行に着手し、同行する人びとと連絡を取り、備品や装備、外交的および法的書類を整え、二か月ですべての準備が完了した。六月、ヤングは科学アカデミーの定員八名の外国会員のひとつの座を得るためにパリを訪れ、あたたかく迎えられ、シャンポリオンに会った。シャンポリオンは、エジプトへの調査旅行の準備で忙しかったが、彼のためにデモティクのパピルスの複写を手配した。シャンポリオンの尽力に恐縮し、その成功に威圧されたヤングは、七月のはじめに天文学者のアラゴにこう認《したた》めた。「彼の研究を見るほどに、彼の研究熱心さとともに彼の才能を認めざるをえない。私が求めたすべての複写を手配してくれた、その親切さと気前のよさには感謝しなければならない」

七月末にはシャンポリオンはトゥーロンにいて、出航まで順風を待っていたが、エジプトの情勢は悪化していた。エジプト海軍敗北のニュースはエジプトの人びとにまで達していたからだった。アレクサンドリアはヨーロッパ人にたいして戦闘態勢にはいり、ドロヴェッティは状況を非常に危険なものと判断した。五月のはじめ、彼はシャンポリオンに手紙を書いて、エジプトへ出発しないよう警告した。しかし、その手紙がパリに届くまで三か月近くもかかり、その頃には、すでにシャンポリオンはトゥーロンに来ていた。ジャック＝ジョゼフは手紙を開封し、その写しをシャンポリオンに送ったが、間に合わなかった。一八二八年七月三十一日、ナポレオンとその学者たちが同じ港から出航した約三十年後、シャンポリオンは彼自身のエジプト遠征に乗り出していた。

第九章 翻訳者

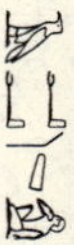

「エグレ」は重装備の快速艦で、通常はフランスと東地中海を往来する商船の護衛艦として使われていたが、長びくギリシアの独立戦争のために東方の状況が不安定となり、東地中海地域とフランスとの貿易はほとんど途絶えたため、シャンポリオンのエジプト調査隊を運ぶために使われることとなった。シャンポリオンは、「心配するな。エジプトの神々がわれわれを見守ってくれる」と言って家族と別れた。一度だけ激しい嵐《あらし》に襲われたが、順風を受けて、十九日間でエジプトに着いた。調査隊は、エジプトの情勢が危険なため、調査旅行を中止するようシャンポリオンに伝えようと追ってきた船をそれと知らずに、やすやすと引きはなしてしまった。帰国命令で希望を打ち砕かれることもなく、一八二八年八月十八日、アレクサンドリアに上陸し、あれほど長いあいだ彼をとりこにしたエジプトの大地に一歩をしるした。

シャンポリオンを隊長に、イッポリト・ロッセリーニを副隊長とするフランス＝トスカナ合同調査隊は、他に十二人の隊員で構成され、その多くは画家と製図家で、このことからいかに遺跡の記録に重点が置かれていたかがよくわかる。フランス側の調査隊員は、エジプト学者で貨幣研究家のシャルル・ルノルマン、建築家のアントワーヌ・ビバン、探検家で画家のアレクサンドル・サンロメン・デュシェーヌ、考古学者で製図家のネストル・ロート、画家のエドゥアール・フランソワ・ベルタンとピエール・フランソワ・ルウ。ロッセリーニが率いるトスカナ隊は、彼の叔父で、技術者および建築家のガエタノ・ロッセリーニ、画家のサルヴァトーレ・ケルビーニとジュゼッペ・アンジェレッリ、植物学者のジュゼッペ・ラッディとその助手のガラストリ、そして、以前エジプトを旅行したことのある探検家で医師のアレッサンドロ・リッチで構成されていた。

アレクサンドリアの光景にはだれもが目を見張った。フランスやイギリスなどの多くの船のマストが林立して、港を埋めつくしていた。「敵も味方も含め、あらゆる国の船がひしめきあっているさまはまさに驚くべき光景で、当時の状況を十分に物語っていた」。まず最初にすべきことは、フランスとトスカナの領事に連絡をとることだった。フランス領事のドロヴェッティはシャンポリオンの姿を目にしてびっくりした。ドロヴェッティから調査隊の出航中止を求めた手紙のことを聞いて、シャンポリオンは平然として、「このような重大な時にこそ、私の幸運の星が輝いたのです。その手紙が届かなかったのですから」と言った。いぜんとして政治情勢は悲観的だったが、ドロヴェッティは、エジプトの支配者、ムハンマド・アリから必要な許可を得られるようにしたいと言った。

エジプトとヌビアを旅行し、発掘する許可を待つあいだ、調査隊の隊員はアレクサンドリアの探検を開始した。ナポレオンの遠征に同行した学者たちと同様、彼らの関心は「クレオパトラの針」と呼ばれるオベリスクに向けられた。三十年前、学者たちはそのオベリスクを遺跡として鑑賞することしかできなかったが、いまやシャンポリオンはそのヒエログリフを読むことができた。それによると、ラメセス二世の後期の碑文は現存のとおりであるが、その最古の碑文によると、オベリスクはもともとはトトメス三世によって百六十キロ以上もはなれたヘリオポリスの太陽の神殿の前に建てられたとのことだった。これらのオベリスクの碑文は『エジプト誌』にすでに掲載されていたが、あらためて模写された。掲載されたものと実際の碑文とを較《くら》べると、多くの誤りが明らかとなり、兄あての手紙でシャンポリオンはこう書いた。「ビバンがオベリスクの三つの面を書き写しました……委員会によってめちゃくちゃにされたヒエログリフの碑文です」

ナポレオンの学者たちはエジプトのヒエログリフ碑文にあまり関心を寄せていなかったが、エジプト人は彼らのことを忘れてはいなかった。年輩のエジプト人のなかにはフランス語をまだ話せる者もいて、とくにジョゼフ・フーリエは公平で寛大な行政官として語りつがれていることを知って、シャンポリオンは気をよくした。ある時、シャンポリオンは、フランス語で「今日は、市民。何かください。何も食べていないのです」と語りかけてくる盲目のアラブ人に出会った。ナポレオンの遠征時代に覚えたにちがいない、この共和制時代の口調に驚いたシャンポリオンは何枚かのフランスの硬貨を与えた。するとその老人はそれを手で触って、「わが友よ、これはもう通用しません」と言った。シャンポリオンはそれをエジプトの硬貨にかえた。のちに彼は日記に、「アレクサンドリアのどこへ行っても、われわれのエジプト遠征の名残りがある」と記した。製図家のロートは、自分を収税人と思って、エジプト人は逃げて行ったと記しているが、フランス人だとわかると、歓迎してくれた。「ボナパルトの印象深い遠征の思い出が貧しいアラブ人の記憶からまだ完全に消えてはいなかった。彼らは、当時——彼ら自身の言い方では——それぞれ自分たちのロバと牛を持っていて、税金を二倍も払わないで済んだ」

アレクサンドリアでヒエログリフの碑文のある遺跡や工芸品を調査する一方で、このエジプトの都市の日常生活の観察が、ヒエログリフを理解するうえでまだ残っているいくつかの問題を解明するのに役立つことにシャンポリオンは気づいた。いたるところで見かける野犬の群をヒエログリフと結びつけて考えてみた。「犬はエジプトでは完全に自由な状態で生きている……それらの犬は、赤茶けた黄色の毛色を除けば、ジャッカルに非常によく似ている。ヒエログリフ碑文で、犬とジャッカルを区別するのが難しいことに、もう私は驚かない！」。事実、次の四つのヒエログリフは混同されやすい。（グレーハウンド）、（横たわる犬）、（ジャッカル）、（たぶん、燭台の上のオオカミ）。

　許可を待つ数週間のうちに、調査隊員たちはこの国とその習慣になじんできて、灼《しゃく》熱《ねつ》と乗り物のロバ、暑い日中の休息などにしだいに慣れてきた。彼らはあまり目立たないようにと、ヨーロッパ式からエジプト式の服装に変えた。剃髪《ていはつ》した頭にターバン、縞《しま》模様の絹のチョッキに刺繍《ししゅう》のある上着、袋のようなズボン、幅の広いベルトに三日月刀、柔らかな靴あるいはスリッパ――日に焼けた顔で完璧《かんぺき》なアラビア語を話すシャンポリオンは現地人として通った。隊員たちはナイル川の旅行に必要なものを集め、二隻《せき》の船を用意した。

　許可がおりないまま時が過ぎ、何者かが調査旅行を阻止しようとしていることが明らかになり、古代の遺物を扱う商人たちが邪魔立てしていることをシャンポリオンは知った。彼らは「私が発掘するためにエジプトにやって来たと知って震えあがった」という。ドロヴェッティが遺物取引に深い関係を持っていたので、シャンポリオンは彼の介入を疑い、また、調査隊がエジプトに行かないよう警告した本当の理由はそこにあったのではないかと考えた。この調査旅行は国王シャルル十世の完全な支援のもとに行われており、もし許可がおりなければ、この学術調査が一握りの遺物売買人の個人的な利害のために阻止されていることを国王に報告しなければならないと言って、ドロヴェッティに決定を迫った。この最後通牒《つうちょう》の数日後に許可証が届いた。

調査隊の二隻の船は、古代エジプトの二人のもっとも重要な女神にちなんで、「イシス」と「ハトホル」と名づけられ、九月十四日、料理人や船の乗組員、それにムハンマド・アリから派遣された二人の警官とともに調査隊は、九年前にアレクサンドリアとナイル川のロゼッタ支流とを結ぶために砂漠に切り開かれたマフムーディー運河に沿って出航した。途中で遺跡の場所を確認したり、重要な碑文や彫像を模写したりしながら、ナイル川を南に進み、第二瀑布《ばくふ》に着いたら、そこで比較的重要な場所を調査し、帰途は、もっとも重要な遺跡を時間の許すかぎり詳しく研究する、というのがシャンポリオンの計画だった。調査隊は、フランスとトスカナのエジプト・コレクションに加えるにふさわしい遺物を探すことにもなっていた。一日近く航行してマフムーディー運河を通過し、ついにナイル川に達した――シャンポリオンはその水を口に含み、「シャンパンの味がする」と言った。

一行はナイル川のロゼッタ支流を南に進み、デソウク村を通過した。シャンポリオンは、ルーヴルのために獲得に成功したすばらしいコレクションとヘンリー・ソールトのことを思い出し、日記に悲しげにこう記した。「イギリスの総領事、ソールト氏が数か月前に亡くなったのは、この村の近くの田舎の家だったことを知った。もはやこの教養ある、ヒエログリフ研究を深く愛した人物にエジプトで会えないことが残念でならない」。翌日、調査隊はナイル川沿いの最初の古代遺跡、女神ネイトの信仰の中心地、サイスを調査するために立ち寄った。見る影もないサイスの地は陶器のかけらとナイル川の泥土《でいど》でおおわれ、現代の墓地からは悪臭が一面に漂っていた。それがきっかけになって、調査隊員たちはエジプトでいかにして疫病《えきびょう》を抑えるべきかについて熱い議論を交わした。

古代遺跡がありそうな場所に立ち寄り、ナポレオンがマムルークと戦った戦場をついでに見物しながら、五日後にカイロの近くまで来た。はじめて遠くにピラミッドを目にした印象がジャック゠ジョゼフへの手紙で活《い》き活《い》きと記されている。「十九日の朝、起床すると、ピラミッドが見えました。四十キロもはなれていましたが、その雄大な姿はわかりました。午後一時四十五分、三角洲《さんかくす》の頂点（バツン＝アル＝バカラ。「牛の腹」）、ロゼッタ支流とダミエッタ支流という二つの大きな支流に分れる所に達しました。壮大な眺めで、ナイル川の幅といったら驚くほどです。西の彼方《かなた》、ヤシの木のなかにピラミッドがそびえ、たくさんの大小の船がひしめきあっています。東の彼方……その絵のような光景の地平部分はカイロの要塞《ようさい》を囲むように、ムカッタム丘陵で縁取られ、その麓《ふもと》はこの大都市に林立する尖塔《せんとう》の陰になっています」

ピラミッドの戦いの戦場では、ナポレオンとその兵士の亡霊に合掌し、翌日、調査隊はカイロにはいった。預言者マホメットの記念祭で町中が湧《わ》いていた。調査隊は思いがけない歓迎を受けた——シャンポリオンは、自分が「古い石の文字を読むことができる男」として知られていることに驚いた。翌日、カイロの調査がはじまり、ナポレオンの軍隊とは対照的に、シャンポリオンはカイロを魅力的な場所だと感じた。

人びとはカイロのことをひどく悪く言ってきた。ぼくにとっては居心地のよい所です。たいへん評判の悪い幅二、三メートルしかない道については、灼熱を避けるために完全に計算されたものと思われます……カイロは完全に記念碑的な都市です……優雅なアラベスクでおおわれ、魅力ゆたかな、すばらしい尖塔で飾られた、たくさんのモスクはこの首都に、雄大で非常に変化に富む表情を与えています……カイロはいまだに千夜一夜の都です。

彼の健康状態は、ジャック＝ジョゼフに手紙で書いているように、エジプト到着以来、少しずつ良くなっていた。「ぼくの健康はいぜん良好で、ヨーロッパにいたときより優良です。この七ページの手紙を一気に書けるほどです。パリでは頭痛の発作などでこんなことはできなかったことでしょう。ぼくはまったく新しい人間になったのです」。これからの骨の折れる長旅を考えて、彼は隊員たちに市内での自由行動を許可した。大仕事の前の短い休日だったが、シャンポリオンはいつも時間を無駄に過ごすことに罪悪感を感じていて、カイロに着いて十日後、船には新鮮な食糧が積み込まれ、一行は南に向った。

カイロから少し行った最初の停泊地トウラは、先史時代から石の供給地として利用された、周囲約十キロの広大な石灰石の石切り場だった。ここで調査隊は、ナイル川沿岸の遺跡を移動するうちに慣例となった方法をはじめて実行した。各隊員に調査、記録する地域が割り当てられ、シャンポリオンは、とくに碑文など関心を惹《ひ》くものを調べるために各現場に足を運んだ。「発見の重要性を調べるためにそれぞれの場所へ行きました。興味深い碑文がある場合、ぼくがそれを模写するか、あるいは、非常に明瞭《めいりよう》なものはだれかに模写してもらいました」。トウラには多くのデモティクの碑文といくつかのヒエログリフの碑文があった。灼熱下の碑文の模写は、できるかぎり速く仕上げねばならない苛酷《かこく》な作業だった。

調査隊はナイル川西岸へ移動し、一時期、古代エジプトの首都だったメンフィスの廃墟《はいきよ》へ向った。ちょうどナイル川の増水で一部分が浸水していた。この毎年くりかえされる現象は夏のあいだにエチオピアに降る豪雨のためで、洪水は六月下旬にアスワン、九月末にカイロに到達し、その頃になって水は引きはじめる。洪水によって、ナイル川沿岸に肥沃《ひよく》な黒土が堆積《たいせき》し、古代エジプトでは増水の深さによって翌年の豊作と凶作がきまった。それで川の水深がナイル川の各所で「ナイロメーター」によって測定され、ハピ神は増水の神として崇拝された。古代エジプトの脈搏《みやくはく》とも言うべき毎年の洪水はこの三十年間、起っていない。いまでは南部のアスワン・ダムの奥にある広大なナセル湖に貯水されているからである。

メンフィスにいたのは十月のはじめだったが、調査隊は洪水の結果に悩まされた。乾燥した地域の御影石《みかげいし》は砂でおおいつくされたが、ラメセス二世の巨大な彫像のある遺跡を記録することはできた。それは現在でも見ることのできる、数少ない荒れはてた遺跡のひとつである。古代都市の遺跡のうえにつくられた、ミト・ラヒネーという近くの村で、調査隊は発掘を行い、ハトホルに捧《ささ》げられた神殿と墓地を発見した。洪水が拡大するおそれがあったため、発掘を途中で切り上げ、船に戻って寝るには、ナイル川から距離がありすぎたので、ラクダにテントや備品を乗せて、三キロはなれたサッカラに向った。野営の準備をしていると、ベドウィンの一団が通りがかり、(ナポレオンの遠征隊とは対照的に)彼らと非常に友好的な関係が生れ、労働者と夜警として何人かを雇うことができた。シャンポリオンは、偏見のない正義観からこう言っている。「彼らは、人間として扱われるならば、勇敢ですばらしい人びとである」

調査隊は王と高官のためのメンフィスの墓地だったサッカラを一目見て、失望した。壮麗な建物とたくさんのピラミッド、神殿、墓、スフィンクスを期待していたが、そこにあるのは、二十年以上にわたって遺跡を徹底的に荒し回った略奪者の残していった残骸《ざんがい》ばかりで、多くの場所ではそれらの残骸は厚い砂でおおわれていた。シャンポリオンは兄あての手紙でこう嘆いた。「メンフィスの古代墓地で、ミイラの平野、サッカラを訪ねました。墓とピラミッドは荒らされ放題です。古代遺物商人の野蛮な貪《どん》欲《よく》さのために、このあたりは研究対象となるものはひとつもありません」。建築家のビバンが調査隊を去ったのもこの場所だった。出発したときから健康がすぐれず、シャンポリオンにはじめて会ったとき見せたような熱意と力を失っていた。ビバンはエジプトを去ってから一年もしないうちに亡《な》くなった。

シャンポリオンの手紙（その多くはジャック＝ジョゼフによって編集され、フランスで出版された）に言及されていない話題のひとつに、彼がサッカラで発見したファラオの名前の意味があった。

この二つのカルトゥーシュ（ドゥジェカレとイセシ）を、彼は紀元前二四一四年頃から約四十年間支配した第五王朝のあるファラオの名前だと考えた。このファラオの正確な年代ははっきりしなかったが、第五王朝のファラオの存在を確認するだけで十分だった。学者たちはエジプトの初期の王朝の王について、紀元前三世紀後半の歴史家でエジプトの司祭長だったマネトンのギリシア語の著作で知っていた。そのエジプト史（『エジプティアカ』）でマネトンは、神々からはじまり、半神、死者の霊から、洪水の神、それから三十の王朝の王に関する年代を述べていて、シャンポリオンが用

いたこのリストは今日でも利用されている。シャンポリオンによって発見されたトリノの「王表」のような、それより古い王のリストとほぼ対応して、マネトンの王朝の区分も、たとえばメンフィスやテーベなど、あるグループの王が支配していた場所によって行われていた。聖書年代学では、最初の十五の王朝はあまりに古すぎる（したがって、ありえない）ので、その存在が否定されていた。第五王朝のファラオの名前の発見は、聖書年代学と真っ向から対立し、世界の創造の年代について疑問を投げかけるものだった。シャンポリオンは神学のドグマを打破するさらに多くの証拠を発見することになるが、彼は用心深くそれを個人的記録や日記に記すだけで、調査隊の他の隊員とそれらの発見について話したことすらなかった。

予想に反して、サッカラのある墓から古代エジプトの暦についての資料が見つかった。エジプト人は夜を十二時間に、昼を十二時間に分けていたとシャンポリオンは日記に記し、を正確に「時間」（ふつうはと書かれる）と解読している。事実、エジプト人はこのような一日を二十四時間とする分割法を最初に使用したと考えられている。一年は三つの季節、（アケト——ナイルの増水期）、（ペレト——穀物が芽生える春）、（シェーム——収穫期）に分けられ、それぞれの季節は四つの月に、そして、月は一週十日間の三つの週に分けられ、結局、一

年は十二か月からなり、一月は三十日で、一年は三百六十日となる。一年を三百六十五日にするために、オシリス、イシス、ホルス、セト、ネフティスの神々の誕生日とされる五日が加えられた。年代と日付は当時のファラオの即位紀元で記された。たとえば、は、「カーカウラー王の治世二年、増水期の二月、一日」を意味する。カーカウラーは、紀元前一八七八年頃から一八四一年まで支配した第十二王朝のファラオ、センウセレト三世の即位名である。

サッカラで拍子抜けした調査隊はギザのピラミッドとスフィンクスに向った。ギザは北に十六キロ行った、もうひとつの大きな墓地都市《ネクロポリス》で、現在はカイロ郊外の端にある。その遺跡を訪れる現代の多くの観光客と同様、シャンポリオンも、三つの巨大なピラミッドが近づくにつれて、壮大さを失うことに幻滅を感じ、この奇妙な感じを日記にこう記した。

それに近づくにつれて、この巨大な建造物の印象が弱まることに、私同様、だれしも驚くことだろう。この遺跡を五十歩の距離で見たとき、驚きもなく、なんと言うか期待はずれの感じだった。その巨大さを感じるにはそれなりの距離が必要である。接近するにつれ威厳は失われ、積み上げられた石は小さな瓦礫《がれき》にしか見えなくなる。目の前に見える石の巨大さとそのがっしりした形を実感するには、自分の手でこの遺跡に触れる必要がある。十歩の距離に近づくと、「それを小さく感じる」錯覚が強くなって、巨大なピラミッドは普通の建物と同じようなものに見えてくる。近くで見なければよかったと悔むばかりである。

一方、スフィンクスは謎《なぞ》めいて印象的だった。製図家のロートはこう記した。「頭は人間で胴体はライオンというこの古代遺物は肩の近くまで砂に埋もれていて、そのかたちから動物の背中と体の後ろの部分がわかる」。三日間にわたってギザのピラミッド周辺を探検し、墓の内部の様子や碑文を記録してから、調査隊は船に戻り、上流のベニ・ハッサンに向った。二百キロ進むのに十二日間かかり、十月二十三日の夜おそく到着した。以前ここを訪れた旅行者たちは、石灰石の絶壁に刳《く》り貫《ぬ》かれた墓のある、この遺跡には見るべきものがないと報告していたので、シャンポリオンはすべての作業を一日あるいは二日で終えるつもりだった。まず墓の内部を調べたところ、装飾や碑文については、厚い埃《ほこり》におおわれた、いくつかの意味ありげな印のほかには見るべきものはなかったが、シャンポリオンは、濡《ぬ》れたスポンジで埃をきれいに拭《ふ》き取ったらどうかと考えた。だれもが驚いたことに、生き生きとした色彩画があらわれ、そこには、農業、美術工芸、戦闘場面、遊戯と音楽、歌手と踊り子などのありとあらゆる様子が描かれていた。このすばらしい絵を記録するには一日や二日では足りそうもなかった。

調査隊がベニ・ハッサンを出発したのは十一月のはじめで、ジャック＝ジョゼフに書いたように、シャンポリオンの計画は遅れ気味だった。

これらすべてはあのご立派なジョマールのせいです。彼は、この付近の岩に刳り貫かれた墓について、小さな不正確な絵と舌足らずの説明によって貧弱な印象しか与えなかったため、ぼくはこれらの墓の調査に一日しか割り当てなかったのです。しかし、十五日もかかってしまいました……この墓は実物通りに完全に正確に写生され、すでに三百枚以上にもなっています。この宝物だけでも、エジプトへ来た甲斐《かい》があり、「エジプト委員会」のすべての資料よりも価値があると言いたいくらいです。

墓のなかのすべての絵や碑文がエジプト人によるものではなかった。ここを訪れた旅行者のなかにはその記念に落書きを残していった者がいたからである。ある墓には、ナポレオンの兵士の一人が記した「一八〇〇、第三ドラゴン隊」といった文字があった。シャンポリオンは敬意を払って、もっと読みやすいようにその文字をインクでなぞり、その下に「J.F.C. Rst. 1828」と自分の印を付け加えた。

この宝の山とも言うべきベニ・ハッサンの墓はたくさんの資料を提供したが、同時に、ちょっと面倒なこともひきおこした。はやくテーベへ行きたいと焦《あせ》っていたシャンポリオンは、計画の遅れを最小限にするため、できるかぎり速く墓の絵などを記録するよう自分と他の隊員を急《せ》き立《た》てた。その結果、彼は健康を害《そこ》ない、何人かの隊員は不満を感じた。ベニ・ハッサンからテーベまで三百二十キロを行くあいだも隊員たちの不平不満は消えず、第二瀑布《ばくふ》に着くまでそれは変らなかった。

時間は残り少なくなっていたが、調査隊はそれでも大きな遺跡を訪ね、滞在時間を最小限におさえるようにした。遺跡が破壊されているのを発見したような場合、仕事はすぐに済んだ。二世紀に皇帝ハドリアヌスがナイル川で溺死《できし》した寵臣《ちょうしん》アンティノウスの思い出に建設したローマ時代の都市、アンティノポリスでは、ナポレオンの学者たちによって記録された柱や浴室、凱旋門《がいせんもん》、競技場の柱廊、劇場などはすべて姿を消していた。憤然としてシャンポリオンは、「『エジプト誌』に記された遺跡で、野蛮な住民の乱暴狼藉《ろうぜき》を免れたものはひとつもなかった。彼らは政府の許しを得て、すべてを根こそぎ破壊した」と記した。一行は先を急ぎ、予定よりちょうど一週間遅れて、十一月十六日の日没後、デンデラに着いた。

ナイル川からデンデラを見ることはできなかった。デンデラは、ナポレオンの軍隊や画家のヴィヴァン・ドゥノンに強い印象を与え、パリに運ばれて論争の的となった黄道十二宮図《こうどう》が発見された遺跡である。月に照らされた神殿を想像しただけで隊員たちの胸ははずんだ。シャンポリオンはその興奮をジャック゠ジョゼフあての手紙にこう書いた。

すばらしい月光だった。われわれは神殿から一時間のところにいた。だれがその誘惑に逆えるだろうか。氷のように冷たい人間だってじっとしてはいないだろう。食事を終え、すぐに出発した。ガイドを連れずに、完全武装で原野を横切り、神殿はわれわれの船の真正面にあるものと思って、最新のオペラの行進曲などを歌いながら、一時間ほど歩きつづけた。しかし、何もなかった。ひとりの男があらわれ、声をかけると、われわれをベドウィンと思ってか彼は駆け出した。東洋人風の身なりをして、大きな白いフードのついたケープをまとっていたので、われわれは、エジプト人にはベドウィンに似て見えたのであろう。一方、ヨーロッパ人はすぐさまわれわれのことを銃と剣とピストルで武装したカルトゥジオ修道士のゲリラと思ったことであろう。駆け出したその男は連れ戻され……私は彼に神殿まで案内するよう命じた。はじめはどぎまぎしていた、この哀れな男はわれわれを正しい道に案内し、すたすたと歩き出した。やせこけて、ぼろをまとったこの黒人は歩くミイラだったが、われわれを親切に案内し、われわれも彼を親切に扱った。ついに神殿がわれわれの前にあらわれた。その巨大な記念門や、とくに巨大な神殿の柱廊から受けた印象を記そうとは思わない。だれにもそのすばらしさはすぐわかるが、しかし、それを伝えるのは不可能だ。それは優雅にして荘厳《そうごん》なるものの極致です。

彼らは午前三時に船に戻って休み、四時間後に起きて、日光のもとで調査を開始した。いまやすべてのすばらしいレリーフをはっきりと見ることができた。ヒエログリフの読めるシャンポリオンは、以前から考えていたようにイシスではなく、ハトホルに捧げられた、プトレマイオス王朝期の神殿だと判断した。当時、併記されたヒエログリフが読めないと、とくにイシスとハトホルのように、神々を区別するのは難しかった。シャンポリオンは神殿を頽廃《たいはい》的な彫刻でおおわれた建築の傑作と見なしていたが、彼が何よりも驚いたのは、支配者の名前の記されていない、空白のカルトゥーシユ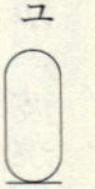だった。

神殿のテラスに建てられた部屋や建物は言うまでもなく、神殿の内部のどこにも名前の彫られたカルトゥーシュがひとつも見当らない。すべて空白で、抹消された形跡もない。risum teneatis, amici!（友よ、笑わずにいられようか）、いちばん滑稽《こっけい》なのは、カルトゥーシュのある有名な円形の黄道十二宮図の一部がまだここにあって、そのカルトゥーシュは、神殿内の他のすべての内装と同様、空っぽで、鑿《のみ》の跡がまったくない。「エジプト委員会」の委員は、碑文の模写を忘れたものと考えて、独裁者という言葉を図版に加筆したのであるが、しかし、その碑文ははじめから存在していなかったのである。

長年にわたって、デンデラの黄道十二宮図の年代をめぐって激しい論争があった。ヤングは、エジプト委員会の出版した、付随するカルトゥーシュをアルシノエと読み、シャンポリオンは、出版されたカルトゥーシュを正しく「独裁者」と読むことによって、論争に終止符を打ち、この称号はローマ時代に使われているところから、黄道十二宮図の年代は確立されたかに見えた。ところが、「委員会」は、出版にあたって空白のカルトゥーシュを埋めるために他の場所の碑文を使ったということを彼は発見したのである。彼を聖書年代学の擁護者にし、教皇の寵愛を得て、間接的にレジオン・ドヌール勲章の受章にまで到《いた》らしめたデンデラの黄道十二宮図の年代推定は、皮肉にも、捏造《ねつぞう》された図をもとにしていたのであった。

デンデラもすばらしかったが、いまやテーベの間近に来て、早くそこへ行きたい気持がつのり、逆風だったが三日後に到着した。「テーベ！ この名前は私の心のなかですでに非常に大きなものとなっていた。古い都の廃墟《はいきょ》を訪ね歩いて以来、この世界最古の都への思いはますますふくらんだ。まる四日間というもの、信じられないようなことの連続だった」。ナイル川の東西の両岸にある広大な遺跡のために費された四日のうち、第一日目、シャンポリオンは、アメンヘテプ三世の神殿の唯一《ゆいいつ》の廃墟である巨大な柱とともに、ラメセス二世の神殿を調査し、二日目はメディネト・ハブ神殿で、三日目は墓で費された。ルクソールとカルナクで過ごされた最後の日の壮大な光景は、ジャック＝ジョゼフあての長い熱のこもった手紙にこう記されている。

四日目、ナイル川の左岸からテーベの東の部分を訪ねるために行きました。何よりもまず目にはいったのはルクソール、広大な宮殿の正面にある高さ二一・五メートル近くの二本のオベリスクは薔薇色《ばらいろ》の御影石《みかげいし》の一本石でつくられ、みごとな職人わざです。その横にならぶ四つの巨大な彫像も同じ材料でつくられ、高さ約九メートル。胸のあたりまで埋まっていました……最後は宮殿というか記念建造物の都市、カルナクです。人間が想像し、そして、それを巨大な規模でつくりあげたすべてのものに、ファラオのような壮大さがあります。テーベで見たすべてのもの、左岸で感激したすべてのものも、まわりを取り囲む、この途方もない構想に較《くら》べると小さなものに思えてきます……われわれヨーロッパ人はリリパット人（訳注　スウィフトの『ガリヴァー旅行記』に出てくる小人国の住人）にしかすぎません。どのような古代あるいは現代の人びとも、古代エジプト人のように荘厳で壮大で巨大な建築を考えたことはありません。

テーベから南西へ十六キロ行ったところで、調査隊は一日かけてヘルモンティスのプトレマイオス朝期の神殿の碑文を記録した。この神殿はのちに解体され、その石は石灰窯《がま》で焼かれたため、調査隊の記録がこの遺跡の存在を示す唯一のものである。さらに遡上《そじょう》するうちに、一行は調査旅行中に生じた遅れを後悔することとなった。というのは、一行が到着するわずか十二日前、エスナ近くのある神殿が取りこわされて、その石が、毎年の洪水で流失のおそれのある近くのナイル川の堰《せき》のために使われたのだった。さらに南へ進み、エドフの神殿が無事なのを発見したが、その周囲や上には小石が積み重なり、アラブ人の小屋が密集していた。見ることのできた碑文を記録し、十二月四日、ついにアスワンに到着した。

アスワンの第一瀑布はエジプトとヌビアの国境で、その自然の障害物のため、旅行をつづけるには、調査隊は二隻《せき》の船から下り、荷物を瀑布の南側の小舟に移さねばならなかった。アスワンそのものも興味ある場所で、シエネという古代の都市だった。シャンポリオンがとくに見たかったのはアスワンに向い合ったところにあるエレファンティネ島の二つの神殿だったが、他の多くの遺跡同様、その神殿も最近、解体され、再利用されていた——この場合は、兵舎とムハンマド・アリの新しい宮殿を建てるためだった。

アスワンでシャンポリオンの健康はふたたび悪化し、激しい痛風の発作のために、二人の人間に両側から支えてもらわないと歩けないほどで、そんな格好でフィラエ島の近くのイシス神殿を訪ねた。彼は知らなかったが、十四世紀前のローマ時代の門には、紀元三九四年八月二十四日という日付のある、もっとも年代の新しいヒエログリフの碑文が石に刻まれていた。彼は、ナポレオンの遠征隊が到達した最南地点を記念するために、一七九九年三月三日、フランス軍によって取り付けられた記念銘板を記録した。その地点を越えてシャンポリオンと隊員たちはヌビアにはいり、第二瀑布に向うところだった。

その頃、シャンポリオンの健康はさらに悪化し、フィラエの神殿を無理して訪ねたため、体力回復のために数日間の休息が必要だった。しかし、一八二八年十二月十六日、すべてのものが瀑布の向う側の七隻の船に積み込まれ、調査隊はエジプトを去り、ヌビアに入国した。

できるかぎり滞在時間を短くして計画通りに南へ進むようにしたため、十日後にはアブ・シンベルの二つの岩に刳り貫かれた神殿に達した。そこでシャンポリオンは、六年以上も前、ヒエログリフの表記法を解く手がかりを与えてくれた図版（建築家ユヨの手になる）の碑文を直接その目で貪《むさぼ》るように眺めた。調査隊はいちばん大きな神殿を中心に、二つの巨大な神殿の調査に二日を費した。大量の砂を取り除くと巨大な全容があらわれたが、近づくのは危険だった。その模様をジャック＝ジョゼフあての手紙に書いている。

アブ・シンベルの巨大な神殿はそれだけでもヌビアに旅行する価値があります。テーベに持ってきてもけっして引けをとらないすばらしさです。これを刳り貫くために要した労働力は想像を越えます。正面は四つの巨大な坐像《ざぞう》で飾られ、高さは十八メートルはあります。みごとに仕上げられた四つの彫像はいずれもラメセス大王をあらわしていて、その顔はまさに肖像で、メンフィスやテーベなど他のあらゆる場所にあるこの王の姿に完全に似ています。まさに最高の賞讃《しょうさん》に値する作品です。入口はそんな様子で、内部もたいへんみごとにできていますが、なかにはいるのはちょっとした仕事です。われわれが到着したとき、砂が入口を塞《ふさ》いでいて、ヌビア人がそれを取り除いていました。われわれは砂を掻《か》き分けて狭い通路をつくり、エジプトでもヌビアでもすべてを呑《の》み込む砂が崩れないよう細心の注意を払い、アラビア風のシャツと木綿のパンツだけを身につけて、腹這《はらば》いになって入口に掘られた小さな穴に向って進みました。その入口は砂を完全に除去すれば、高さは少なくとも七・五メートルはあったでしょう。かまどの口に向って進むような感じで、神殿のなかに完全にはいると、温度は五十二度もありました。ロッセリーニとリッチ、私、それにアラブ人は手にローソクをもって、この驚くべき穴を通り抜け……二時間半かけてすべてのレリーフを見終ったときには、新鮮な空気が吸いたくなり、かまどの入口に戻る必要がありました。

神殿の外に出たシャンポリオンは、二枚のフランネルのチョッキと厚地の大外套《おおがいとう》とフード付きマントなど（この時期の防暑用の）衣服を身につけ、強い風を避けるためにラメセス二世の巨大な彫像の横に坐《すわ》り、体を休めた。船に戻ってからも、神殿探検の際の滝のような汗はまだおさまらなかった。しかし、彼の心からはあの美しいレリーフの映像が去らず、それを複写しようと決心した――彼は「それを手に入れるためにはなんでもしようとした」

はやる気持をおさえて、シャンポリオンはアブ・シンベルから近道をしてワディ・ハルファへ向った。第二瀑布のすぐ下で、現在のスーダン国内である。ここからさらに南へ行くには、船に大部分の荷物を置いて、歩いて砂漠を横断しなければならなかった。当時、ヌビアには飢饉《ききん》が広がり、遠距離を行くには食糧が不足するおそれがあったので、計画通り、ナイル川を下りながら、重要な遺跡をさらに詳しく調べることにした。調査隊は新年をワディ・ハルファで迎えた。シャンポリオンにとって、それは自分たちのこれまでの成果と今後の計画を反省するよい機会となった。エジプトに来て四か月間、彼の解読法はさまざまな碑文で試され、立派に役に立ったばかりでなく、いっそう洗練され、補強された。否定するライバルもいたが、ヒエログリフが解読され、古代エジプトのテキストは読むことができるということについて、もはや疑問の余地はなかった。

シャンポリオンは、当時の考えや希望、恐れを反映する、何通かの手紙をワディ・ハルファで書いている。ダシエあての手紙で、調査隊のそれまでの成果と解読法の応用についてこう要約している。

ナイル川を河口から第二瀑布までたどって、『ヒエログリフのアルファベットに関する書簡』にはまったく変更すべきところはないとお伝えすることができることを、私は誇りに思います。われわれのアルファベットは正しいのです。まずはじめに、ローマ時代およびギリシア時代のエジプトの遺物に、そして次に、さらに大きな関心をもって、ファラオ時代のすべての神殿、宮殿、墓の碑文で試してみて、同じように成功しました。だれもそれを認めようとしなかったときに、あなたが私のヒエログリフ研究に与えてくださった励ましの言葉が正しかったことを、すべてのものが証明しています……フィラエは、われわれがナイル川を遡上していた十日のあいだにほとんど破壊されていました。「エジプト委員会」から評価されなかったテーベの神殿のかわりに褒めそやされたオンボス、エドフ、そして、エスナの神殿には短い時間しか滞在しないでしょう……私の画帳はすでにいっぱいです。宗教や歴史、美術、工芸、慣習、礼儀作法など、エジプトのすべてをご覧に入れるのを楽しみにしています。私の絵の大部分は色つきで、われらが友、ジョマールのものとはまったく違うと予告しておきましょう。それらは完全な正確さで原物の真の姿を再現しています。

兄あての手紙では、シャンポリオンは前途について積極的な姿勢を示している。「すでに画帳には六百以上の絵がありますが、ぼくの本当の仕事は今日からはじまるのです。あまりたくさんすることがあるので、どうしていいかわからないほどです」。同じ手紙で、ジャック＝ジョゼフに、十月のはじめにアレクサンドリアでフランス海軍の船に乗れるよう手配してほしいと依頼し、旧友のテヴネあての手紙では皮肉な調子でこんなことを記している。「私の健康はなんとか持ちこたえています。それがつづくことを願っています――私は美徳と同じように必要によってしゃんとするのです。たがいに助け合いながら、私はこの国の病気を避けるでしょう」

エジプト学者のシャルル・ルノルマンは、第二瀑布まで行くことでシャンポリオンと話がついていた。忠実な隊員だったルノルマンは船に乗って北へ帰って行き、その前にはビバンが去り、いまや調査隊は十二人に減った。一八二九年一月一日、一行はワディ・ハルファからナイル川をくだり、翌日、断崖《だんがい》の高いところにあるマシャキット洞窟《どうくつ》の下で船を停めた。シャンポリオンとロートとリッチの三人だけが危険をおかして洞窟まで登った。その洞窟は、紀元前一三〇〇年頃、ファラオのホルエムヘブの時代に礼拝堂として掘られたもので、シャンポリオンは碑文を、他の二人はレリーフを模写した。洞窟からの下りは、突然の嵐《あらし》の襲来のために危険だったが、三人は無事、断崖の下に達し、ただちに船は出発した。三十分も行かないうちに、激しい風で船は岸に押し寄せられ、そこで、翌日の明け方に嵐がおさまるまで停泊を余儀なくされた。

嵐の翌日、シャンポリオンは右膝《みぎひざ》に激しい痛風の発作を感じ、ベッドに横たわっていなければならなかった。アブ・シンベルでは、残念なことに、みずから碑文の写しを取ることができなかった。他の隊員が主神殿の内と外とで必要な模写やスケッチをしているあいだ、彼はヒエログリフ辞典のためのノートを整理していた。かたわらでは、博物学者のラッディが、せっかく集めた石のサンプルを、船が沈むのではないかと心配した乗組員によってナイル川に捨てられたとしきりに嘆いていた。一月六日、まだ十分に回復していなかったが、シャンポリオンは神殿で仕事をしたいと言い張り、そこまで運んでもらった。ひとたび神殿のなかにはいると、彫像やレリーフ、碑文などを目にして力を与えられたかのように、彼は約二時間ほど作業をつづけた。神殿内部のむしむしする暑さで痛風はおさまり、それから数日間、連続して約三時間もそこで作業をすることができ、そのうちに健康もしだいに回復した。
神殿の内部での作業はたいへん苛酷《かこく》なものだったが、そこで得られた情報はきわめて重要なものばかりだった。シャンポリオンは、仲間のすばらしい仕事ぶりを褒めながらも、問題をジャック゠ジョゼフにこう伝えた。

われわれの仕事を含め、ここではすべての規模が巨大で、その成果は人びとの関心を呼ぶことでしょう。ここに来たことのある人なら、この大神殿のヒエログリフを一字でも模写するために、どのような困難を克服しなければならないかよく知っています……いまや地下にある(砂がその正面をほとんど埋めつくしています)、この神殿のなかで体験される暑さは非常に暑いトルコ風呂《ぶろ》のそれに匹敵し、また、そこにはいるにはほとんど裸になり、体からは滝のような汗が噴き出し、それが目を伝って、かまどのなかのような熱した空気の湿気ですでにずぶ濡《ぬ》れになった紙に滴《したた》り落ちるさまを聞いたら、だれしも、毎日三、四時間もこのかまどをものともせず、また、疲労困憊《こんぱい》し、歩きまわれなくなるまで作業をつづけるこれら若者の勇気をほめたたえずにはいられないでしょう。

画家と製図家がありとあらゆるものを描写しているあいだ、シャンポリオンとロッセリーニはヒエログリフのテキストが正確に模写されているかどうかを確かめていた。ロッセリーニと私は、ヒエログリフ碑文に関する作業を担当した。それはたいへん手間のかかる仕事で、彫像や歴史的なレリーフにはいずれもヒエログリフが記されていて、われわれはそれをその場で模写するか、非常に高い場所にあるものは、概略を紙に写し取った。私がそれらを何度も原物と照合して正確な写しをつくり、あらかじめそれらがはいる場所に印をつけていた製図家にその写しをすぐ渡す。

調査隊が最悪の条件のもとでアブ・シンベルの二つの神殿を詳細に記録するのに十三日間の重労働を要した。それが終る頃には一行は帰路にあった――シャンポリオンは日記にこう記した。「このようにして……この美しい記念建造物、二度と見ることのないこの神殿を永遠にあとにするのは何とも悲しいことだ」

アブ・シンベルからカスル・イブリームまでは一日足らずの航行だった。カスル・イブリームは、崖《がけ》の上につくられた強固な要塞《ようさい》で、数年前、マムルークが使えないようにムハンマド・アリの軍隊によって破壊されていた。調査隊は船を停め、崖の下の洞窟を調べた。そこへ行くには梯子《はしご》の助けを借りなければならなかったが、その岩に刳《く》り貫《ぬ》かれた洞窟は避難所および礼拝堂となっていて、少なくとも紀元前一五〇〇年頃の第十八王朝の時代のものと推定された。一九六〇年代のアスワン・ダムの建設によって、カスル・イブリームを含む広大な地域はナセル湖に水没した。現在、湖の水がかつての巨大な要塞の崩れ落ちた壁を洗い、洞窟は水深数メートルのところに沈んでいる。ヌビアの大部分はダム建設によって破壊され、シャンポリオンの調査隊が訪れた遺跡のいくつかは四十か国以上が参加したユネスコの大規模な事業によって救われたものの、他の多くの遺跡はいまやナセル湖の底に沈んでいて近づくことができない。もっとも大がかりな救出作戦は、コンクリート製の斜面の上に人工の岩肌がつくられた新しい場所に移転された、アブ・シンベルの二つの神殿である。

早朝にカスル・イブリームに着いた一行は先を急ぎ、同じ日の夕方にヌビアの首都、デルまで行った。デルについて、現代のある旅行案内書には、「泥でつくられた小屋と……モスクのある細長いさびれた村――フィラエの次にある唯一《ゆいいつ》の村」とあるが、シャンポリオンは、「二百戸の大きな村。他の多くのエジプトの町よりも快適で清潔である。道は広く、とくに、家々はヤシ畑で囲まれている」と記している。月明りのもとでの夕食後、シャンポリオンは住民のひとりに、「デッリ（デル）の神殿を持っていたサルタンの名前を知っているかと訊《き》いたところ、彼は、自分は若いので知らない、しかし、この国の老人はみんな、このビルベ（神殿）はイスラムの約三千年前に建てられたと考えているようだが、当時その仕事をしたのがフランス人なのかイギリス人なのかロシア人なのかはさだかではない、と答えた」。この説明に興味を感じたシャンポリオンは、こう述べている。「ヌビアでは歴史はこんな風に書かれる」と。

翌日の日の出とともに、岩に掘られたデルの神殿の調査が行われた。これによってシャンポリオンを悩ませていたちょっとした問題のひとつが解決された。戦場のラメセス二世が一頭のライオン（いまでも彼が愛着を感じていた象徴的動物）を従えている様がレリーフに描かれていたが、これは戦場におけるラメセス二世がライオンのような勇気と力を持っているという単なる象徴的な連想なのか、あるいは、それは本物のライオンで、戦いのために訓練されたものなのか、シャンポリオンは判断しかねていた。デルでは、ファラオのライオンは敵に襲いかかる様子が描かれていて、こんな説明がつけられていた。（主人の召使いのライオンが敵を引き裂く）。これについてシャンポリオンはこう述べている。「ライオンは実際に存在し、ラメセスについて戦場へ行ったことを示すものと思われる」

北への旅行がつづき、いくつかの神殿を調査し、二月一日の夕方、フィラエに到着した。ここで六日間ほど滞在し、第一瀑布の向うに荷物を運び、アスワンに停泊していた「イシス」と「ハトホル」の二隻《せき》の船に積み込み、さらにさまざまな遺跡の記録をとりながらナイル川を下り、三月八日にテーベに戻って来た。テーベでの最初の二週間は、ナイル川東岸のルクソール神殿の詳しい調査に費され、他にはしかるべき施設がなかったため、一行は岸辺につないだ船に宿泊した。次いで、調査隊は、西岸のファラオの墓地の調査を計画した。古代エジプト人はこのネクロポリスを「美しい場所」「偉大なる原野」「西の美しい梯子」などと呼んでいたが、その正式の名前は次のとおりである。

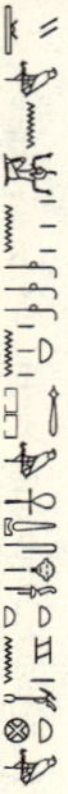

その意味は「西テーベのファラオ、生命、力、健康の数百万年の偉大にして高貴なる墓」。この墓地のアラビア語名は、ビバン＝アル＝モルークで、「王の門」を意味することをシャンポリオンは知った。これは、ホメロスの『イーリアス』でギリシアのテーベと区別するためにエジプトのテーベが「百の門のあるテーベ」として描かれて

いることを無意識に反映していた。この名前を一部借用して、シャンポリオンはこの場所を「王家の谷」と呼び、この名前が今日も通用している。

調査隊は、これまでに完全に略奪され、旅行者の避難所として使われていた、ファラオ、ラメセス四世の墓に野営した。数日後、兄あての手紙でシャンポリオンはその異様な宿泊施設についてこう記した。

ロバと学者からなるわれわれ一行は、同じ日にここに腰を落ち着け、エジプトで発見できる最良でもっとも豪華な宿を占拠しました。われわれに宿を提供したのはラメセス王（第十九王朝四代目）で、われわれ全員が彼の豪華な墓で寝起きしています。ここは「王の門」の谷で出会う二番目の墓です。この保存状態のいい、岩に掘られた墓は、風通しもよく、日の光もはいり、実に快適です。われわれは、奥行き六十五歩もある入口の三つの部屋を占拠しています。壁は高さ四・五ないし六メートルもあり、天井全面は彩色された彫刻でおおわれ、その色彩は光沢をほとんど失っていません。これはまさに王子の住いです……これが「王家の谷」のわれわれの家です。死者の真の安息地です。なぜなら、一本の草も、生きものもここにはないからです。ただし、ジャッカルとハイエナは別です。昨夜のことですが、召使いのムハンマドが乗ってきたロバがわれわれの宮殿から百歩ほどはなれたところで喰い殺されていました。

この手紙には、その長い入口のトンネル部分が居間と寝室に区分けされた墓の見取り図が同封されていた。この見取り図から、彼がその墓をラメセス四世の墓と考えていたことがわかる。たぶんローマ数字のⅣ（四）とⅥ（六）は混同されやすいため、のちに調査隊はラメセス六世の墓に宿泊していたと誤って記録された。それとは知らずに、シャンポリオンがトリノのドロヴェッティ・コレクションで古代エジプト時代の設計図を発見した、その墓に彼らはいたのであった。古代の設計図は不完全で、また、墓の現代的な実測図として彼が利用できたのは、エジプト委員会が作成した不正確なものだけだったため、この驚くべきめぐり合せに気づかなかったのである。正確な実測図がハワード・カーター（シャンポリオンがパリでヒエログリフを解読してからちょうど百年後にツタンカーメンの墓を発見して有名になった）によって作成され、ラメセス四世の墓がその古代の設計図にあるものと同一と証明されたのはのちのことである。

王家の谷で調査隊は、すぐれた絵画のある、調査可能な十六の墓の絵画と碑文を詳細に記録した。その後、水漏れや浸水、岩崩れ、塩害や大勢の観光客による破損が進んだため、これらの記録は現在では貴重な歴史的資料となっている。もっともフランス゠トスカナ合同調査隊も破損に加担した（あるいは、絵画を破損から救った？）。というのは、シャンポリオンとロッセリーニも、セティ一世の墓から絢爛《けんらん》たる絵の描かれた壁をはがして持ち去ったからである。それらは現在、パリのルーヴル美術館とフィレンツェの考古学博物館にある。

調査隊の手紙はカイロとのあいだを徒歩で往復する急使によって運ばれ、一度だけそういうことがあったが、急使が戻ってこない場合には、別の急使がその行方と生死を確かめるために派遣された。四月二日、シャンポリオンは、急使が翌朝出発することになっていたので、手紙を書き終え、袋に入れた。ジャック゠ジョゼフあてのこの手紙には、その日の夜、娘のゾライードの四歳の誕生日の一月遅れの祝いのための特別料理のことが記されていた。三月一日の誕生日に祝えなかったのは、その頃、第一瀑布《ばくふ》の近くまで来ていて、食糧がほとんど残っていなかったからだった。その祝いの食事のために、ようやくワニを確保することができたのである。前の年の九月にアレクサンドリアを出発して以来、美味だというワニの肉を食べたい一心でかねてから探していたのだった。急使が出発する前に、追伸が加筆された――「われわれのワニのご馳走《ちそう》は夜のあいだに腐敗してしまった。肉は緑色に変色し、悪臭を放っている。なんと残念なことか！」

シャンポリオンは、病気や過労のこともあったが、エジプトでの冒険と探検の日日は大いに幸福だった。彼は自分の使命を果しつつあることを感じていた。とくにテーベにおいてはそうだった。もちろん彼は、ヨーロッパ、とくにパリで自分のヒエログリフ解読法についてまだ激しい論争がつづいていることを知らなかった。とくに論争をあおっていたのは、あてこすりや中傷をやめないジョマールとヤング、クラプロートの三人だった。匿名《とくめい》での非難攻撃や誹謗《ひぼう》がつづいていたが、ジャック＝ジョゼフは、おそらくわざとこれらの問題には手紙で触れなかった。そのため、書くことも少なく、シャンポリオンを失望させることもあった。「兄さんの手紙はちょっと短いですね。ぼくは五千キロもはなれたところにいることをお忘れなく」。そこでジャック＝ジョゼフは弟に、ヤングが共通の友人、天文学者のアラゴを含め、パリの何人かの学者に、シャンポリオンの発見を賞讃《しょうさん》したことを非難する手紙を送ったと知らせた。自分の研究成果に絶対の自信を持っていたシャンポリオンは憤激と同情を綯《な》い交ぜにして反論した。

あわれなヤング氏はまことに救いがたい。ミイラになった昔のことをむしかえすつもりなのでしょうか。アラゴ氏には、フランス系ファラオのアルファベットの名誉のために雄々しく弁護していただいたことに感謝します。イギリス人が何をしようとも、それがわれわれのものであるのは変りないでしょう。すべての古きイギリス人は、若き《ヤング》フランス人から「ランカスター法」（訳注 ヤングとジョマールへのあてこすり）とはまったく別の方法でヒエログリフの綴《つづ》り方を学ぶことでしょう。博士はまだアルファベットについて議論していますが、ぼくは、この六か月間、エジプトの遺跡の真ん中で、想像していたよりもすらすらと読んだことに驚かされています。非常に厄介な結果が得られたのです（われわれのあいだでもそうです）。

この手紙には、ジャック＝ジョゼフにも理解しがたい、きわめて漠然としたことが記されていた――その結果に驚いたシャンポリオンは、エジプトでそれまでに集めた初期のファラオに関する記録が聖書年代学を完全に否定することを認めがたかったのである。

四月が五月に、そして、六月、七月となり、エジプトの夏の暑さで作業は耐えがたいほどになったが、隊員を苦しめたのは暑さだけではなかった。探検家で医者のリッチは腕をサソリに刺され、仕事ができなくなったのである。その後も調査隊に同行していたが、完全に回復せず、一八三四年、フィレンツェで亡《な》くなった。他の隊員も疲労困憊《こんぱい》し、体力の限界にあったシャンポリオンは仲間をはらはらさせた。王家の谷の墓で独り残って仕事をしていたシャンポリオンが、書類の上に倒れているのを発見されたことも何度かあった。彼があまりにヒエログリフ・テキストにこだわるのにうんざりする隊員もいた。ロートは両親あての手紙でヒエログリフについて、「われわれはヒエログリフに呑《の》み込まれっぱなしです。一年にわたる仕事、休みなしの一年——休息も、たった一分の中休みもないんですから」とこぼしていた。六月の末、画家のベルタン、ルウ、デュシェーヌは調査隊を去りたいと言ったが、結局、デュシェーヌだけが六月三十日、ギリシア旅行のために去ることとなり、シャンポリオンに代って遺物の収められた箱をいくつかアレクサンドリアまで運んだ。

シャンポリオンは疲れてはいたが、熱意と楽観的見通しは失っていなかった。七月のはじめ、ジャック゠ジョゼフあての手紙で計画の完全遂行の意欲をこう記した。

ようやく手紙を書けるようになりました。もう少しすれば、三通の手紙への返事も書けるでしょう。ぼくはつい六月一日に生き返ったばかりの人間だとお考えください。ぼくは墓の住人でした。そこではこの世のことはほとんど頭にありません。しかしながら、暗い丸天井の下で、ぼくの心は躍動し、セーヌ川のすばらしい思い出に浸るために、エジプトと地中海を越えて行くこともあります。こんな家族とのふれあいがぼくの血を生き返らせ、ぼくの心を強めます……しかるべき機会にド・サシ氏によろしくとお伝えください。彼がぼくの研究に示してくれた好意に報いることができれば、これほど嬉《うれ》しいことはありません。ブラカス公爵《こうしゃく》に書いた二通の手紙への返事はまだありません……手紙が届かないために、ぼくにたいする好意を忘れているなどと思われたら、とても悲しいことです。そんなことをぼくがするはずがありません——思ってみたこともありません。

　王家の谷での調査を終えると、一行は近くのクルナの一軒家に基地を移動した。「城《シャトー》」と呼ぶその家で、調査隊は朝の七時から正午までと午後の二時間、仕事を行い、夜は報告書の作成、図版の複写、手紙の執筆などに充《あ》てられた。シャンポリオンは近くのデイール・アル＝バハリの遺跡の碑文の研究をはじめたが、調査結果に彼は首をひねった。というのは、解読した二人のファラオの名前のひとつは未知の名前で、あごひげを生やしたファラオの肖像につけられているにもかかわらず、女性語尾をもっていたからである。女性語尾をもつ名前には意図的に抹消されているものもあることに気づいたシャンポリオンは、他の者が王になるまでファラオが摂政《せっしょう》として支配し、その摂政政治が反感を買ったために、摂政の名前が抹消されたのだと推定した。しかし、女性語尾については説明できなかった。テーベのナイル川両岸にあるデイール・アル＝バハリの遺跡は、みごとな眺めの石灰石の絶壁を背景にしていて、かつてはあらゆる埋葬神殿（死んだファラオが祀《まつ》られる場所）のなかでもっとも壮観なものだった。そこでシャンポリオンは、摂政として支配していたファラオは実際に女性であり、これは彼女の埋葬神殿ではなかろうかと考えた。それまでそんなことを考えた学者はひとりもいなかった。その女性のファラオは（マアトカーラー・ハトシェプスト＝アメン、ふつうハトシェプストとして知られる）だった。ファラオのトトメス一世の娘、ハトシェプストは、その異母兄のトトメス二世のあとを継いで、息子の若きトトメス三世に代って摂政として権力を握った。彼女は異例なことにファラオとなり、紀元前一四九八年から一四八三年まで、その大部分は息子と共同で支配した。彼女の死後、息子の遺恨よりもむしろ女性がファラオになるという瀆神《とくしん》行為を隠蔽《いんぺい》するために、彼女の名前は消されたのだった。

デイール・アル＝バハリの次にシャンポリオンは、驚くべきレリーフ彫刻のある、メディネト・ハブの神殿群など、ナイル川西岸のテーベの神殿を調査した。ここで彼は、古代エジプト人が戦闘のあとで敵の犠牲者の数をかぞえる方法を正しく解明し、それを記録した。あるレリーフに描かれた場面をこう記している。

エジプト軍の王子と指揮者たちは、戦いに勝った王の前に、捕虜たちを四列にならばせる。書記は戦場で死んだロボウ〔アジア人〕から切り取った右手と性器の数をかぞえ、記録する。碑文にはこう記されている。「捕虜を王の前に連れて行き、その数は千人。切断された手は三千、男根は三千」。これらの戦利品を足元に置き、ファラオは、将軍が馬の轡《くつわ》を取る戦車におだやかに坐《すわ》り、戦士たちに演説する。

テーベの神殿と墓を調べて、シャンポリオンは、エジプト美術ははじめ古代ギリシア美術の影響を受けずに発展し、ギリシア風に見える美術もエジプト美術から派生したというかねてからの持論を証明する証拠を得ることができた。ジャック＝ジョゼフにその結論をこう記した。

ギリシア人がエジプトに定着することによってエジプト美術はある程度の完成の

域に達したと、いぜんとして頑なに主張する人びとの意見を否定する、千とひとつの証拠のひとつがここにあります。もう一度くり返します。エジプト美術は、それが生んだ偉大で純粋で美しいものすべてを自前でつくりだしたのです……古代のエジプト人がギリシア人に美術を教え、ギリシア人はそれを最高度に発展させましたが、エジプトなしには、ギリシアはおそらく美術の古典的な世界にはけっしてならなかったでしょう。この大問題にたいする、これがぼくの完全なる信仰告白です。ぼくはこの文章をキリスト紀元前一七〇〇年に、エジプト人がきわめて優雅な技術と技巧でつくったレリーフの前で書いています。その頃、ギリシア人は何をしていたでしょうか。

七月はじめの兄あての手紙でシャンポリオンは、残されたエジプト調査旅行の計画変更を伝えた。八月一日、ルクソールとカルナクを調査するためにナイル川を渡って東岸へ行き、九月一日、帰途に就き、途中、デンデラとアビドスに寄り、九月末日にアレクサンドリアに着く、という計画である。オベリスクの調査を仕上げるためにローマに立ち寄るという、かねてからの計画は、支援者の教皇レオ十二世が二月に亡くなったために放棄された。それで、調査隊がアレクサンドリアから立派な船に乗れるよう手配してほしいと念を押した。パリで冬を過ごすことをひどく心配したシャンポリオンは、妻のロジーヌにどのようなアパルトマンを探せばよいか指示した。というのは、彼がエジプトに行っているあいだ、ロジーヌは、ジャック＝ジョゼフが前の年に国立図書館の新しいポストに就いた際に与えられた宿舎に、ジャック＝ジョゼフの家族と同居していたからだった。「それはあたたかいアパルトマンでなければならない。私の帰りを待つ酷寒の冬を快適に過ごすにはそういう部屋が必要なのだ。パリの冬を想像しただけで体が震える」とシャンポリオンは記した。

　手紙では書かなかったが、シャンポリオンは疲れはてていた。八月のはじめ、調査隊の残りの隊員とともにナイル川を渡り、巨大なルクソールの神殿と二つのオベリスクの記録を素早く完了した。当時、兄弟のあいだでは手紙を通して、オベリスクをパリに運ぶことをめぐって頻繁に議論が交わされていた。シャンポリオンはこの神殿の外側の二つのオベリスクの一方を気に入っていた。彼は意気込んでこう書いた。

　前にも書いたことですが、もし政府がパリにオベリスクを欲しいのであれば、ルクソールのもの（入口から見て右側のもの）を手に入れることが国家的名誉にかなっていると思います。高さ二十メートルの、これ以上美しいものはないと思われるようなモノリス（訳注　一本石でつくられた柱）です……みごとな出来映えで、保存状態も最高です。このことを伝えて、パリをこのような驚異で飾ることによってわが名を不滅にしたいと思うような大臣を見つけてください。三十万フランはする仕事でしょう。どうか真剣に考えてください。引き受けるつもりがあれば、建築家あるいは実務に詳しい技師（学者ではいけません）にたっぷり金を持たせてこちらに寄こしてください。そうすればオベリスクは動くでしょう……この二つの美しいモノリスの正確な複写を持っています。細心の注意で複写して「委員会」の図版の誤りをなおし、オベリスクの基礎まで掘って、それを完成しました。残念ながら、右側のオベリスクの東側の面の端と、左側のオベリスクの西側の面は記録できませんでした。というのは、そうするためには泥でつくられた家を何軒か取りこわし、貧しい農民たちを宿なしにしなければならないからです。

同時にシャンポリオンは、フランスの駐アレクサンドリア領事、ドロヴェッティに手紙を送り、アレクサンドリアではなくルクソールのオベリスクをフランス政府が選ぶよう働きかけてほしいと頼んだ。その後の折衝には深くかかわらなかったが、結局、シャンポリオンの選んだオベリスクがパリに運ばれ、一八三六年十月、コンコルド広場に建てられた。

次に取りかかったのは、カルナクだった。約一キロ平方のテーベの地に壮大な宗教的建造物がならび、前の年、はじめて訪れた調査隊が心を奪われた遺跡である。その中心となるのが、ルクソール神殿に通ずるスフィンクス通りの近くにある、オペトの小さな神殿だった。母性と出産の守護者の化身と考えられるオペトはふつう雌のカバとして描かれ、テーベの二大祭のひとつが年に一度の「オペト祭」である。この祭では神々の姿をした者が乗った儀式船の列がスフィンクス通りに沿ってカルナクからルクソールまで運ばれる。もうひとつの大祭は「谷の美の祭」で、神々の像がカルナクからナイル川を渡って、西岸まで運ばれる。

テーベに六か月滞在したのち、調査隊は一八二九年九月四日の夕方、デンデラに向け出航した。翌日その神殿を再訪したシャンポリオンは、黄道《こうどう》十二宮図に付随する空白のカルトゥーシュを調査した。「黄道十二宮図の側面の碑文にあるカルトゥーシュが本当に空白で、何も彫られていないことを、自分の眼と手で確認したかった。疑う余地はない。あの有名なオートクラトール（独裁者）はわれらが友ジョマールの創作である」。デンデラを出発しようとすると、二人の急使から手紙が届けられた。一通はジャック＝ジョゼフからのもので、二月、ジョマールとその仲間の反対で、シャンポリオンはまたもや碑文・文芸アカデミーの会員に選ばれそこなったとのことだった。ジャック＝ジョゼフは何年も前からアカデミー終身書記官ダシエの秘書だったにもかかわらず、いまだにグルノーブル在住の「通信会員」としか見なされていなかった。

調査隊を乗せた船は勢いよく下流に向って進んだ。ちょうどナイル川の氾濫《はんらん》期で、壮大な光景にシャンポリオンは目を見張ったが、同時に、収穫物と田畑を押し流された農夫たちの窮状に心を痛めた。洪水のために予定されていたアビドス訪問は取りやめられたが、シャンポリオンのガラスのように脆《もろ》い健康状態を考えれば、これもたいした打撃にはならなかった。いまでは彼はカイロで一休みして、アレクサンドリアから故国へ帰ることを楽しみにしていた。みんなの忠告を無視して、しかも体調を崩していたにもかかわらず、博物学者のラッディは自分ひとりでデルタ地帯に行くと言い出した。彼の助手ガラストリは病気のために数か月前にイタリアに帰国していた。ラッディはデルタ地帯で行方不明になったと思われる――彼の姿をふたたび見た者はいなかった。

カイロでシャンポリオンは、旧敵で研究仲間でもあったトーマス・ヤングが数か月前に亡くなったと聞いて動転した。二人がパリで最後に会ったのは、ヤングが行ったことのない国、エジプトへシャンポリオンが発《た》つ前夜だった。ヤングはパリからジェノヴァへ行き、一八二八年秋、ロンドンのパークスクエアの自宅に帰り、それまでと同様、病気ひとつせずに楽しい月日を送っていた。帰国後まもなく、こう記していた。「私はと言えば、この生活に完全に満足しています。毎日十一時から二時まで日課の散歩、残りの時間はヒエログリフと数学の研究、そして、図書室でアルプスや地中海の向うからやってきた人たちと談笑」

ヤングはタッタムのコプト語文法書に添えるデモティク（彼の言うエンコリアル）辞典のための研究をつづけていた。十二月中旬（シャンポリオンがヌビアからフィラエに向っていた頃）、旧友で彼の弟子だったハドソン・ガーネイに手紙でこう書いた。

ちょうどわがエジプト語辞典の原稿を清書したところです。そのほかに石版画用にもう一度すべて複写しなければなりません。それには二、三か月間の指と目の労働が必要でしょうが、頭はほとんど不要。驚くような内容ではありませんが、どこにもまとまって記録されていないことを、私の走り書きによってすべて忘却から救っています。約百ページになります。

ジェルは、その一月前にナポリからヤングにこんな手紙を出した。

あなたが私をシャンポリオンといっしょにエジプトへ送ってくれたらいいのにと思っていました。シャンポリオンは私を連れて行きたいと言っていましたが、私には金がありませんでした。シャンポリオンは何かをすべきだと思っています。私のまわりの人たちよりも私は考えたり計画したりするのが速く、ヒエログリフの研究には熱心だと思っているからです……あなたの友情に感謝します。早くあなたの「エンコリアル辞典」を出版してください。ドイツの連中に追い越されるようなことがあってはなりません。大勢の連中がこの瞬間にも脇目《わきめ》もふらずにこつこつとやっていると申し上げておきましょう。

シャンポリオンがフィラエからヌビアへ戻りつつあった一八二九年二月頃から、ヤングは喘息《ぜんそく》の発作に苦しみ、体力が衰弱し、四月になると肺と心臓が悪化した。病床のヤングは、辞典を除いて自分のすべての研究は終了したと宣言した。いままでは体がひどく弱って、ペンではなく鉛筆しか握れなくなっていたものの、辞典の印刷の管理をつづけていた。辞典の編纂《へんさん》は大きな楽しみであり、「もしこの病気で生命《いのち》が縮まるとしても、怠惰な人生を送ってこなかったことに満足している」と彼は言った。ついに一八二九年五月十日、シャンポリオンが王家の谷の墓にいた頃、ヤングは五十五歳で「大動脈硬化」で死亡し、ケント州ファーンボロ村のセントジャイルズ大修道院教会の地下納骨所に妻の家族とともに葬《ほうむ》られた。彼の妻はウェストミンスター寺院に何か記念になるものを置きたいと思い、ガーネイの書いた碑銘のついた円額肖像彫刻がつくられた。今日まで伝わるヤングの記念物としてはほかに、サマセット州ミルヴァートンの生家と、ロンドンのウェルベック通りの彼の家に飾られている記念銘板がある。サマセット州トーントンの州裁判所には、ヤングの大理石の胸像があって、その下に次のようなガーネイの碑銘を短くしたものが記されている。

トーマス・ヤング。王立協会会員および外務秘書官。フランス学士院会員。その知識の量と正確さにおいて匹敵するものなし。自然現象、とくに光学においての洞察力はニュートンに次ぐのみ。エジプトのヒエログリフの最初の発見者。自然哲学について講演。科学者のもっとも古典的な手本の一人。その家庭的徳によって友人たちから慕われる。名高い業績によって世界から賞讃《しようさん》される。正義の復活を願って死す。一七七三年六月十三日、サマセット州ミルヴァートンで生れる。一八二九年五月十日、ロンドン、パークスクエアで死す。享年《きようねん》五十五歳。

ヤングの『古代エンコリアル文字によるエンコリアル辞典──意味の判明せるすべての語を含む』は、その一部をノートの走り書きから編纂して、死の一年後にタッタムとガーネイによって出版された。これには彼の略歴と著作リストが付けられていた。この辞典には、主として天文学にもとづくエジプト年代記やデモティクの数字と月と日の名前なども収められていたが、そこでは、シャンポリオンが彼のために提供したパピルスの多くが使われ、その旨《むね》の謝辞が記されていた。そして最後に本の大部分を占める、英訳のつけられたデモティクの単語および語句の辞典となる。ヤングは、ヒエログリフを解読するために必要な難関を突破できなかったが、紀元前七世紀半ば以後使われていた古代エジプト語であるデモティクの研究を進歩させた最初の学者だった。初期の研究ではデモティクとヒエラティクについて混乱していたが、トーマス・ヤングはデモティクの真の解読者と見なされてしかるべきであろう。このような功績が、ヒエログリフ解読にたいする彼の役割をめぐる論争の陰に隠されてしまうのは残念なことである。

九月末、ヤングが亡《な》くなって四か月後、フランスから到着する船に間に合うようにシャンポリオンの調査隊の残りの隊員はカイロからアレクサンドリアに向った。アレクサンドリアで、数か月前に調査隊を去ったデュシェーヌが運んだ遺物の収められた箱が、ドロヴェッティに代った新しいフランス領事のもとで安全に保管されていると思いきや、実は商人の手に渡って、多くのものが行方不明になったことを一行は発見した。かくていまや、やり場のない不満が募るばかりの空《むな》しい時間がはじまった。約束されたフランスからの船はまだトゥーロンを出発もしていないという有様だった。シャンポリオンは何度かエジプトの支配者、ムハンマド・アリに会い、彼から簡略な古代エジプト史を書いてほしいと依頼された。求めに応じて書きあげられた論文には、エジプトの起源の古さに関する最新の考えがはじめて表明されていた。「イスラム前六千年」にさかのぼると言っているのである。これはキリスト教神学による世界の創造の少なくとも千年前となる。

ムハンマド・アリは依頼した第二の論文も受け取った。シャンポリオンも緊急の問題と見なしている、エジプトとヌビアの遺跡の保存についての論文である。この論文のなかで彼は如才なく、しかし、悲しそうに、多くの旅行者と学者が「この数年間で完全に破壊され、見る影もなくなった古代遺跡の惨状を非常に嘆いていた。このような野蛮な破壊行為は、国王の啓蒙的考え方や世間周知のその善意にさからって行われたことをだれもがよく知っている」と書いた。シャンポリオンは、最近破壊された遺跡と、ぜひともいますぐ保存の必要な遺跡のリストをあげ、そして最後に、それによって得られる情報はたいへん価値があるので、考古学的発掘は中止すべきではないが、過剰な発掘は抑制すべきだと助言した。

要するに、学問の共通の利益のために求められているのはこういうことである。このような研究を通して学問は日日、新しい事実と予期せざる啓発を得ているので、発掘は中止されるべきではないが、現在そして未来に発見される墓の保存が完全に保証され、無知や盲目的貪欲《どんよく》の攻撃から守られるように、発掘を管理監督すべきである。

ロッセリーニと残りのトスカナ隊はフランスの船を待ちきれず、商船で直接リヴォルノに帰国した。それで、シャンポリオンとケルビーニ、ロート、ベルタン、ルウだけがアレクサンドリアに残された。三人のフランスの画家は肖像画や劇場の舞台画を描く仕事があるかぎりエジプトに留まることにきめ、シャンポリオンとケルビーニは十二月はじめ「アストロラーブ」でトゥーロンに向けて出航した。一八二九年十二月二十三日、シャンポリオンの三十九歳の誕生日に、二人はトゥーロン港に着き、一か月間、検疫《けんえき》のために足止めされた。エジプトではいつも疫病が流行していたため、検疫が必要とされていたのだった。二人は、記憶にあるかぎり最悪の冬の陰鬱《いんうつ》な日日を不潔な、がらんとした検疫所で過ごした。そこには暖房用に煙たい炉しかなく、二人は夜は暖房のない船で寝た。

一八三〇年一月末、検疫から解放されたシャンポリオンはパリに戻ることに不安を感じた。パリは自分の健康のためによくないことを知っていたからである。そこで、寒いけれども湿気の少ない南フランスに留まり、二月末まで友人を訪ねたり、エジプトの遺物を見たりすることにした。「今年は何と寒い冬なのだろう」と彼はジャック＝ジョゼフに書いた。「寒さがとてもこたえ、湿っぽいパリに行ったら痛風がまた痛むのではないかとひどく心配です」。エジプトへ行っているあいだに自分にたいする反感が増していると聞いて、ますますパリへ戻る気になれなかった。シャンポリオンは自分の解読法に都合のいいように証拠を歪曲《わいきょく》していると非難する者すらいた。ロッセリーニへの手紙でシャンポリオンは、当面の関心はヒエログリフ文法書を完成することだと書いた。「それは今年の末にはできているでしょう。それはわれわれの旅行記には不可欠の序文です。しかし、それが私の方法を否定し、私の研究を軽視する人びとを改宗させることはないでしょう。なぜなら、それらの紳士たちは、改宗させられることを望まず、根っからの不正直者だからです……連中につばを吐きかけてやります」

三月四日の午前二時、シャンポリオンはパリに着いたが、とたんに痛風の発作に襲われ、新しいアパルトマンに運び込まれた。ファヴァール通り四番地の二階にあるそのアパルトマンは、ジャック＝ジョゼフの家から数分、ルーヴル美術館のすぐ近くにあった。彼のぱっとしないパリ到着とは対照的に、帰還したトスカナ隊はイタリアで拍手喝采《かっさい》の熱狂的な歓迎を受けた。大公レオポルド二世は調査結果のすべてをできるかぎり速やかに出版するよう求めた。それで、四月末、ロッセリーニはシャンポリオンに協力を要請し、ピサへの来訪を促した。「書類を持って、こちらに来てください……わが家に滞在され、この夏も秋もいっしょに過ごしましょう……ロジーヌ夫人と娘さんもどうぞご一緒に」

パリでは状況はそれほど容易ではなかった。シャンポリオンはしだいにどんな仕事にも集中するのがむずかしくなっていた。エジプトからの遺物はなかなかルーヴル美術館に届かず、エジプト旅行の直前にドロヴェッティ・コレクションが購入されたことにともなって、全部門の新しい目録を緊急に作成しなければならなかった。その忙しい最中、エジプト調査報告書に取りかかる前に、すぐれぬ健康を庇《かば》いながら、ヒエログリフ文法の仕事に取りかかっていた。三月、彼はまたもやアカデミーから締め出された。ヨーロッパ中の学者に不信を抱かせ、フランス学士院の信用を失墜させるような出来事だった。これに対応してアカデミーは新会員の選挙を行い、シャンポリオンは一八三〇年五月七日、ついに会員として認められた。

その九日後、エジプトの思い出をたくさん胸に秘め、ジョゼフ・フーリエが六十二歳で亡くなった。数日前、シャンポリオンは調査旅行について彼と話をしたばかりだった。ナポレオンが亡命先から帰還したために一八一五年にイゼール県知事を追われたフーリエが新しいポスト、ローヌ県知事に留っていたのはわずか数週間にすぎなかった。その後パリに戻り、はじめは統計事務所で、次には科学アカデミーで働き、一八二二年八月、その数学部門の終身書記官となり、最後の数年間はシャンポリオンの新しい研究に大いに関心を寄せていた。シャンポリオンがエジプトに出発する前夜、フーリエは、フランスの偉人たちが葬られるパンテオンを指さしながら、彼をはげましてこう言った。「いつの日かエジプトが君をあの聖堂に置くことになるだろう」

一八三〇年の後半、ヨーロッパのいくつかの国で革命が起こり、またもやフランスもその例外ではなかった。自由主義派はシャルル十世のウルトラ保守主義の政府にしだいに反発を強め、政府はますます抑圧的になっていった。王党派は新しい内閣を倒し、七月二十五日、憲法を廃止した。その結果、七月二十七日、市民は武器をもって蜂起《ほうき》し、「栄光の三日間」の革命となった。当時、チュイルリー宮殿に隣接していたルーヴル宮殿が王を護《まも》る近衛兵《このえへい》の宿舎として使用されていたが、七月二十九日、数千の武装した市民がルーヴル宮殿のシャルル十世博物館に突入した。彼らの狙《ねら》いは革命よりむしろ略奪にあった。シャンポリオンのエジプト展示室からは、たくさんの彫像、小立像、護符、パピルス、金製品や銀製品、宝石などが盗まれ、そのなかには、エジプトから持ってきたばかりのものや、ドロヴェッティ・コレクションも含まれていたが、いずれも行方知れずとなった。まさにシャンポリオンとエジプト学にとっての大損失だった。

シャルル十世はイギリスに逃れ、オルレアン公ルイ゠フィリップが、「フランス国王」ではなく、「フランス人の王」と宣言された。とは言え、政治情勢は不安定だった。国民の大多数は新しい王政の見通しに不満だった。多くの貴族は顕職を放棄し、ブラカス公爵《こうしゃく》は、シャルル十世の側近だったため、亡命を準備していた。フーリエの死のわずか数週間後、シャンポリオンは、長年の友人であり、支援者だったブラカスに別れの言葉を言わねばならなかった。気落ちした彼はルノルマンに「この離別でぼくは何歳も年を取った」と告白した。

シャンポリオンがエジプトから帰国したとき、ブラカスはシャルル十世に、その功を愛《め》でてエジプト学教授のポストをシャンポリオンに与えるよう進言したが、実現しなかった。しかし、ルイ＝フィリップはシャンポリオンにきわめて好意的で、彼は新しい王に拝謁《はいえつ》して、オベリスクをルクソールからパリへ運ぶ計画など、興味ある話題について話すことができた。革命の動乱がすべておさまり、九月下旬になってようやくシャンポリオンはいつもの仕事に戻ることができた。そして、返事を出すのが遅れに遅れていたロッセリーニに自分の計画を手紙で知らせた。十月と十一月は二か月後に印刷がはじまるヒエログリフ文法書の残った問題を処理するために費し、同時に、エジプト調査旅行に関する共同研究の編纂を行う予定だった。

シャンポリオンの遅ればせの手紙が届いたのは、ロッセリーニがイタリアでの出版予告を発表する直前だった。彼は翌年から定期的に出版する予定だったが、十月はじめに出した返事でロッセリーニは、さらに出版が遅れることに怒りをあらわにしていた。革命はフランスでは水面下でまだくすぶりつづけ、十二月、またもや軍司令部として使われたルーヴル宮殿は攻撃の危機にさらされていた。このような政治的混乱による心労に加え、シャンポリオンは自宅でもルーヴル宮殿でもフランスや外国から彼の名声を慕って訪れる客の応対や、博物館の修理などに忙殺され、その結果、自分の個人的研究は夜でなければ行うことができず、体調を損うばかりだった。

天文学者のジャン＝バティスト・ビオと共同で行っていた研究のひとつに、エジプトから持ち帰った、暦、季節、農業年と天文学に関するノートや図版の分析があった。これらの問題に関する論文は、一八三一年三月と四月に科学アカデミーと碑文アカデミーで発表され、聴衆に深い印象を与えた。というのは、絶対的な日付は、日食や月食、夏至や冬至などの古代の天体現象を示す証拠によって決定できることをその論文は明らかにしていたからだった。三月十八日のもっとも重要な会合の最後に、シャンポリオンは、わずか十三年前に生徒だったコレージュ・ド・フランスの教授に任命するという勅任状を与えられた。

恐るべき条件下の検疫所で四週間を過ごした、きびしい冬の寒さで彼は肺と喉《のど》を痛め、二、三か月前から長いあいだ話すのがむずかしくなり、ルーヴル宮殿へ行くことも少なくなった。彼は助手のデュボアと、もうひとり、数か月前から彼のもとで学ぶようになった学生の助けを借りるようになった。当年二十二歳のフランチェスコ・サルヴォリーニは、ボローニャで東洋語を学び、シャンポリオンのトリノ在住の友人、ガッツェラから推薦されていた学生である。ガッツェラはサルヴォリーニをロッセリーニよりも高く評価していた。この学生はルーヴルで使い走りなどありとあらゆる雑用をこなし、また、シャンポリオンのアパルトマンではヒエログリフ文法や大学での講義の準備を手伝いながら、ヒエログリフやエジプトに関するシャンポリオンの最新の研究を学ぶという絶好の機会を得た。

はじめての大学での講義の準備はできた。その講義内容はこう予告されていた。「シャンポリオン氏は、エジプト－コプト語文法の原理を解説し、神聖文字の全体系を述べ、同時に、ヒエログリフおよびヒエラティク・テキストに一般に使用されるすべての文法を教授する」。就任講義は出版予定の文法書の序文となるはずだったが、健康不調のため数週間延期された。一八三一年五月十日、シャンポリオンは、コレージュ・ド・フランスで教授として就任講義を行った。その講義で彼は、古代エジプト文字をめぐる学問の発展について述べ、古代語の研究は文献学と考古学にもとづくと主張した。「今日からはじまる講義の主要な対象である古代エジプトの遺跡が、こういう言い方が許されるならば、その本質において属しているのは、主として、歴史を補足するために不可欠の考古学と文献学という二つの学問分野である」

この最初の講義への反応はシャンポリオンを大いに元気づけるもので、ヨーロッパ中の多くの学者がこの記念すべき場に席を占めようとしたほどだった。しかし、シャンポリオンは疲れ切っていた。気管支炎が悪化したため、安静を余儀なくされ、二日後に予定されていた二回目の講義は二週間後に延期された。彼は、共同出版の細部について相談するため、まだ非常に立腹していたロッセリーニをパリに寄こしてほしいとトスカナ大公レオポルド二世に手紙を書いた。大学ではシャンポリオンはさらに二回の講義を行っただけで、声を出すのが困難になったため、その学期の講義は終った。さらに痛風がぶり返し、まわりの人たちは、インフルエンザの流行しているパリから離れるよう彼にすすめた。しかしロッセリーニがいつ来るかもしれないため、そうするわけにはいかなかった。

七月半ば、灼熱《しゃくねつ》と暴動のパリにロッセリーニがやって来て、ひどく具合の悪いシャンポリオンの様子に深く心を痛めた。七月の末になってシャンポリオンは回復し、二人はエジプトで集めた資料を研究し、シャンポリオンはロッセリーニに最新の見解と発見をすべて伝えた。いつも弟の守護者であり、その最新の発見に関心を持っていたジャック＝ジョゼフは、共同出版協定が法的契約として正式に取りきめられたことを確認した。シャンポリオンはルイ＝フィリップ王に手紙を書いて、この本を王に献呈する許しを求めた。十七年前、自分の最初の本が国王ルイ十八世に献呈されると聞いて怒り、これを阻止しようとしたのとはまさに対照的だった。八月中旬、ルイ＝フィリップとの個人的会見が行われ、献呈が認められた。それから数日後の八月二十一日、シャンポリオンは、もはやパリの空気に我慢できなくなり、生れ故郷のフィジャックに向った。

四日後にフィジャックに着くや、その名誉をたたえて命名されたシャンポリオン通りの家族の家へ行った。二人の姉、マリーとテレーズは大喜びし、彼の来訪はたちまち町中の話題となった。パリをはなれてから体力を取り戻したシャンポリオンは、毎日、昼ごろ短い散歩に出るだけで、文法書の出版に向けて推敲《すいこう》に没頭した。姉たちは会いたくもない好奇心旺盛《おうせい》な客から彼を守り、彼が快適に落ち着いて仕事ができるように全力を尽した。シャンポリオンはこの本の完成を急いでいた。というのは、戦争や革命、ヨーロッパ中に猛威をふるうコレラの流行などのために、未来に不安を抱いていたからだった。彼はいまだに本を出版するのが早すぎるのではないかと心配していた。確実にあと数年生きることができるとわかっていたら、いま出版するつもりはないと、何度もルノルマンに言っていた。十一月にはパリに帰るつもりだったシャンポリオンは、本の印刷の手配を兄に頼んだ。ジャック゠ジョゼフはロッセリーニと法的契約の細目を取りきめ、ロッセリーニは署名された契約書を携えて、九月のはじめイタリアに向けパリを発《た》った。

フィジャックで健康はだいぶ回復したが、シャンポリオンは、二十か月前、検疫でトゥーロンに足止めされたときと同様、パリに戻る気になれなかった。大学での講義に間に合うように帰るつもりで、冬の寒さがひどくこたえるので、朝八時からの講義は避けたいと、ジャック＝ジョゼフに手紙で伝えた。落ち着いて研究に没頭できたのは、エジプト旅行以来はじめてだったが、それは長くはつづかなかった。ジャック＝ジョゼフは、すぐ帰って来るように言ってきた。ルーヴルは彼の帰りを待っていたし、また、その文法書が自分に献呈されるものと知っていたド・サシは、シャンポリオンがコレージュ・ド・フランスに戻ってきてほしいと思っていた。また、海軍大臣はルクソールからのオベリスクの運搬について話をしたいと言っていた。「バベルで私を死が待っている」とシャンポリオンはフィジャックのある友人に悲しそうに言った。ヒエログリフ文法書を完成するにはもう少し独りにしてほしいと、彼は兄に手紙を書いた。「あともうひと月——そうすれば、ぼくの五百ページの本は完成します。しかし、あきらめること、できることで満足することが必要です」

シャンポリオンは、十一月二十八日にパリ行きの乗合馬車に乗り、十二月二日の講義に間に合うよう三日後にパリに着くつもりだった。しかし、リヨンで暴動が勃発《ぼっぱつ》して、パリ到着が遅れ、その間の寒さが健康にこたえた。ようやく十二月五日、月曜日にコレージュ・ド・フランスで講義を再開し、聴衆はその明晰《めいせき》な表現と信じられないような熱意に魅了された。なんとかもう一度、講義を行うことはできたが、十二月九日、いざ講義をはじめようとしたとたん、卒倒してしまった。四日後、発作が起こり、体が部分的に麻痺《まひ》した。数日後にはベッドから起きあがることはできたが、書くことはほとんどできなくなっていた。狼狽《ろうばい》したシャンポリオンは、文法書の草稿とノートを兄に委託した。

一方、ロッセリーニは一八三二年一月に第一巻を出版するつもりで、シャンポリオンにもう一度こちらに来て滞在するように言った。「私があなたの生活の面倒をすべて見るつもりです。私と妻がそばにいれば、あなたはきっとわが家にいるような気持になるでしょう」と。シャンポリオンは少しずつ回復し、すぐにでも仕事を再開できると思っていたが、しかし、体力がつづかなかった。ほとんどいつも学生のサルヴォリーニが付き添っていたが、ジャック＝ジョゼフは彼を警戒していた。サルヴォリーニはサルデーニャ国王から送り込まれたスパイだという噂《うわさ》を耳にしていたからだった。

一八三一年十二月二十三日、四十一歳の誕生日を迎えたシャンポリオンは、マザラン通り二十八番地の自分の部屋に連れて行ってほしいと頼んだ。彼はその部屋にしばらくいて、感動のあまりこう言った。「ぼくの学問が生れたのはここだ。ぼくらは分かつことのできない存在を形づくっている――ぼくらはひとつだ」。同時に彼は、この数年間、病床にあって、何度もシャンポリオンに会いたいと言ってきたダシエを見舞った。一八三二年一月十一日、天文学者のビオがシャンポリオンに会いに来て、天体現象によって年代を決定する革新的方法について熱心に議論した。翌日、その仕事に取りかかりはじめたとき、シャンポリオンは叫び声をあげて倒れた。駆けつけた医者は、急性痛風と運動麻痺と診断した。彼はほとんど話すことができなくなっていた。これらの症状はしだいに和らぎ、一月の末には回復のきざしも見えたが、シャンポリオンは苦しみの底からこう叫んだ。「神よ、あともう二年――それくらいいいではありませんか！」。そして、頭を指さしながら言った。「あまりに早すぎます――ここにはしなければならないことがたくさんあるんです」

病気はさらに数週間つづき、二月はじめには意識朦朧《もうろう》状態となった。三月三日の夕刻、シャンポリオンは突如、意識を取り戻し、はっきりと話ができるようになった。最期《さいご》が近いと察したジャック＝ジョゼフは、弟に最後の秘跡を与えるために司祭を呼んだ。数人の友人と、八歳になったばかりの娘のゾライードを含め、家族が最後の別れを言うために集まった。姪《めい》は二か月以上ものあいだ付きっきりで看病していた。シャンポリオンは、仕事部屋から、アラビアの服と靴、それにノートブックなど、エジプトから持って来たものをいくつか取ってくるように言った。エジプトからパリに帰って来てから二年と二時間後の、一八三二年三月四日午前四時、ジャン＝フランソワ・シャンポリオンは死んだ。

訃報《ふほう》はパリ中に衝撃を与えた――家族が病状の公表を差し控えていたので、彼の病気を知っていた多くの人びとも、まさかそれほど重病だとは知らなかったのである。その容貌《ようぼう》が一変していたため、遺体を見ることを許されたのはごく少数の人だけだった。三月六日の朝、シャンポリオンは、約二十五年前、その司祭からコプト語を学んだ、近くのサン＝ロック教会に運ばれた。ここから長い葬列は、謝肉祭の最後の日を祝う人びとの雑踏のなかをペール・ラシェーズ墓地へと向った。ナポレオンがパリ市外につくり、みずからの墓所とするつもりであったが、それを果せなかった墓地である。

弔辞は碑文・文芸アカデミーの会長、ウァルクナエール氏によって読み上げられた。彼は、死があまりにも早く天才を奪ったと述べ、こう結んだ。

『エジプト語文法』を書き上げ、それを印刷にまわしたところで彼は、彼を心から愛する家族から、彼が多くの友人と同僚を持つアカデミーから、彼を偉人に列するフランスから、すでにその名を学問の殿堂に銘記したヨーロッパの学界から突如として奪い去られたのです。その名は不滅です。シャンポリオン氏がこの大地を、そして、古代エジプトの遺跡の上を照す眩《まばゆ》い光は、もっとも明るく輝いた、まさにその瞬間に消え、われわれが光のなかに消えてほしいと願う闇《やみ》がわれわれを悲しみでおおっています。おそらくこれからも末長く、後世の人びともその悲しみをともにすることでありましょう。一家族にとっての不幸は、学問を重んじ、進歩を貴ぶすべての人にとっての普遍的な不幸となるのです。

第十章　言葉と文字を与えし者

ジャック＝ジョゼフはエジプトを見ることがなかった。彼はいつも一七九八年のナポレオンの遠征に参加できなかったことを後悔していた。いろいろな仕事に就いたが、二度とその機会はなかった。しかし、彼は弟が完成できなかった著作を編集、出版することによって、エジプト学の発展のために非常に重要な役割を果した。シャンポリオンの死にジャック＝ジョゼフは打ちのめされた――彼はいまや五十四歳で、一緒にさまざまなことを経験してきた弟の早すぎる死は大きな打撃だった。

　医学が未熟な時代のことゆえ、シャンポリオンの生命を救うことができなかった医者は、その死因を確定することもできなかった。慢性的な痛風は別にして、死を招いた病気についてさまざまに伝えられているが、結核や心臓疾患、あるいは糖尿病などをわずらっていたのはたしかなようだ。なによりも確かなのは、最後は発作で死亡したことである。その短い生涯でシャンポリオンは、フランス革命とナポレオンの興亡、そして、三人の国王の治世を生き抜いた。エジプトとイタリアを旅行し、学校と大学で教え、ルーヴル美術館にエジプト部門をつくり、古代エジプトについて多くのさまざまなことを研究し、その重要な研究の大部分は未刊だった。長年の夢を実現するために、彼は自分の形見として、ヒエログリフの解読という偉業を後世に残した。

ジャック＝ジョゼフの最初の仕事は、弟の未刊の文書を政府に買い上げてもらって、確実に原稿を保管し、同時にシャンポリオンの未亡人、ロジーヌと娘のゾライードの生計を支えることだった。これらの文書には、ヒエログリフ文法と辞典およびコプト語文法と辞典の草稿、古代エジプトの宗教とその年代学などに関する多量のノートのほか、エジプト調査旅行に関する膨大な資料が含まれていた。シャンポリオンがエジプトの数体系について行った研究やヒエログリフ辞典の半分以上など、いくつかの草稿が行方不明になっていることを発見してジャック＝ジョゼフは顔色を変えた。彼は友人たちに行方不明の文書を知らせ、すぐに、病気のあいだ中シャンポリオンの仕事部屋に自由に出入りしていたサルヴォリーニを疑った。サルヴォリーニは終始一貫、断固として自分の無実を主張したが、彼はその頃からヒエログリフに関する先駆的な論文を発表しはじめ、賞讃《しょうさん》を浴びていた。

はじめ政府は、シャンポリオン文書を購入する余裕はないと言っていたが、新聞は大々的なキャンペーンを展開し、その結果、この件について検討する委員会がつくられ、すべての文書は一時的に国立図書館に保管された。委員会の報告書は、コプト語文法は出版する価値はないとしたうえで、その他の文書の購入を勧告し、エジプト調査旅行での資料収集がシャンポリオンの死の一因かもしれないと述べた。

エジプトでの短期間の滞在中に、たったひとりの人間が助けもなしに、このような膨大な量の記録を行うというのは信じられないようなことである。そこにはほとんど毎ページにヒエログリフの碑文が記されている。そのための多大な労力と実に途方もない仕事が、学問にとってかけがえのない生命を縮めたのだと考えざるをえない。

一八三三年四月、シャンポリオンの死後一年目、政府はついにその草稿を合計五万フランで購入し、ロジーヌに三千フランの年金を与えることを決定し、全八十八巻からなる草稿がパリの国立図書館に収められた。

文書の購入を決定した委員の一人である、シルヴェストル・ド・サシは、ダシエのあとを継いで、碑文・文芸アカデミーの終身書記となっていた。一八三三年八月のアカデミーの公開講演で、彼はシャンポリオンの追悼演説を行い、彼の死によってふたたび古代エジプトが闇《やみ》と忘却の中に投げ込まれる危険を指摘した。

学問の世界が失ったのは単なるひとりの優秀な学者ではありません。彼とともに古代エジプトに関するあらゆる学問と芸術が埋葬され、闇と死の領域へと戻ってしまったかに見えました。テーベとメンフィスの遺跡を照しはじめ、廃墟《はいきょ》のなかからそれらを浮かびあがらせた光は、薄霧によって砂漠のなかにつくり出された幻の湖が、焼けつくような渇きをいやすために旅人がそこにたどり着いたと思ったとたんに消えるように、消え去ったかに思えました。しかし、断じてこのようなことがあってはなりません。疲れを知らぬ卓越したシャンポリオンの研究は彼のあとにもその天才を継ぐ者を生み、彼らは彼がはじめて耕した野をさらに耕すことでしょう。

シャンポリオンの生涯と研究の歩みについて述べてから、ド・サシは次のように追悼演説を締めくくった。

シャンポリオン氏はレジオン・ドヌール勲章のほかに、トスカナ大公国の勲功章を受章した。ゲッチンゲン、ペテルブルグ、トリノ、ストックホルムの各アカデミー、ロンドンの王立アジア文芸協会、さらには国内外の学術団体は競って彼をその会員に迎え入れた。彼はユジェーヌ・ブルヌフ氏のあとを継いで碑文・文芸アカデミー会員となった。コレージュ・ド・フランスに彼のために新設された教授職はいまだに空席である。

ジャック゠ジョゼフは弟の著作の出版に着手した。まず最初の、いちばん容易な仕事は『文法』の出版だったが、彼の手元にある原稿は一部が欠けていて、それはサルヴォリーニが盗んだものと疑っていた。フィジャック滞在中にシャンポリオンは草稿の半分以上を清書していて、それをもとにジャック゠ジョゼフによって出版された第一巻は、ド・サシに献呈され、シャンポリオンの四十五歳の誕生日となるはずだった、一八三五年十二月二十三日に彼のもとに見本が届けられた。この『エジプト語文法――話し言葉を表記するための神聖なるエジプト文字の一般原理』は一八三六年から五年間にわたって分冊で出版された。ジャック゠ジョゼフはその序文で、いかにシャンポリオンがこの最後の著作のために労力を費し、また、「これを大切に保管してくださいい。これが後世の人びとへのぼくの名刺となることを期待しています」という言葉とともに弟から原稿を託されたことを記した。

『文法』が出版される頃には、サルヴォリーニにしだいに疑惑の目が向けられていた。彼の研究のいくつかは彼自身のものではないことがわかってきたからである。一八三三年八月、アカデミーの公開講演で、ド・サシは、シャンポリオンの原稿を持っている人は差し出すように呼びかけたが、サルヴォリーニは原稿紛失事件を残念がるだけだった。しかし、一八三八年二月、彼がパリで二十八歳の若さで死亡した際、一連の出来事が偶然にも重なり合って、彼が剽窃《ひょうせつ》していた事実が明らかとなった。イタリアの彼の家族は、サルヴォリーニの持っていた文書類の返還を求めるのではなく、パリの古い友人たちにそれを処分するように依頼したが、買い手がつかなかった。そして、相談を受けたシャルル・ルノルマンによって、その文書のなかにシャンポリオンの原稿があることが確認されたのである。

盗まれた原稿が返却されると、ジャック＝ジョゼフは友人たちに行方不明の原稿が取り戻された顚末《てんまつ》を報告し、ヒエログリフ辞典に取りかかった。その原稿は出版用には整理されていなかったため、たいへん面倒な仕事となった。言葉の配列法がわからなかったため、彼は種類別（鳥とか動物とか）に分類した。ただし、現在は、アルファベット順に配列されている。『ヒエログリフ文字によるエジプト語辞典』は一八四一年から一八四四年にかけて分冊で出版されたが、引き方がたいへんむずかしく、研究者は索引がないことに不満を感じていた。とは言え、自分自身の研究を犠牲にしてまで弟の研究の出版に尽したジャック＝ジョゼフの努力は賞讃に値する。『文法』と『辞典』にはシャンポリオンが生きていれば訂正したであろう誤りも含まれてはいたが、両書はヒエログリフ研究に大きな刺激を与え、ヨーロッパ中で、とくにドイツ、イギリス、フランスでエジプト学の新しい波が生れた。

エジプトおよびヌビアのフランス隊調査報告書の出版はさらに面倒な仕事となった。というのは、ジャック＝ジョゼフはシャンポリオンの利益を守るため、トスカナ隊との共同出版を拒否したからだった。それでロッセリーニは先行してイタリアで数巻を出版したが、彼が一八四三年にシャンポリオンより一歳多い、四十二歳で亡《な》くなったため、出版は完結しなかった。フランス隊の記録のなかから、すべての遺跡の見事なスケッチが選ばれ、これに短い説明をつけ、五百点以上の図版を収めた四巻本が一八三五年から十年以上にわたって出版された。若干の不足を補うために一八三八年、ネストル・ロートが政府によってエジプトに派遣されたが、シャンポリオンの生前、とくにエジプト旅行中、なぜもっと彼の言うとおりにしなかったのかと反省することしきりだった。その自責の念は、この十年間で変りはてたエジプト、とくに王家の谷の姿を目にしたときいっそう強くなった。ここで彼は、かつてシャンポリオンが寝たラメセス四世の墓のなかにベッドを置き、ありし日の彼の姿を心に思いうかべながら楽しい思い出に浸った。

一八四八年、フランスでまたもや革命が起こり、ルイ＝フィリップ王は退位し、ジョゼフィーヌの孫、ルイ＝ナポレオン大統領のもとで第二共和制が誕生した（彼は一八五二年、皇帝ナポレオン三世となった）。ジャック＝ジョゼフは国立図書館を失職し、フランス隊調査報告書の出版を断念せざるをえなくなったが、彼の死の翌年の一八六八年、その仕事が再開された。最後の一巻が出版されたのは、一八八九年、シャンポリオンがエジプトをあとにしてから六十年後のことだった。この最終巻の出版を委《ゆだ》ねられたのは、十九世紀後半のもっとも重要なエジプト学者となる、若きガストン・マスペロだった。

シャンポリオンの悲劇的な死によってもその敵対者の態度は軟化することがなかった。とくにジョマールとクラプロートはシャンポリオンの研究を中傷しつづけていた。多くの学者がシャンポリオンの研究成果の重要性を認めようとせず、その反論を発表する一方で、ドイツのリヒャルト・レプシウス、イギリスのサミュエル・バーチ、アイルランドのエドワード・ヒンクス、フランスのエマヌエル・ド・ルージェなどの学者はシャンポリオンの多大なる研究成果を認め、ヒエログリフ研究を前進させた。レプシウスは出版されたばかりの『文法』でヒエログリフを独習し、シャンポリオンの解読法を発展させ、また、その誤りを正した。彼の大きな研究成果のひとつとして、単一文字による表音文字（一字の子音）のほかに、二文字あるいは三文字による表音文字も存在することを発見したことがある。

ベルリンのエジプト博物館のコレクション保管者であるレプシウスは、一八六六年、第二回エジプト調査旅行を行い、デルタ地帯とスエズ運河地帯とを探検した。タニス（現代のサン・アル＝ハジャール。カイロの北東百十キロ）は、紀元前一〇〇〇年頃の王の墓のある、デルタ地帯ではもっとも重要な遺跡だったが、シャンポリオンはそこを訪れる時間がなかった。この遺跡でレプシウスは石灰岩の石碑を発見し、調べてみると、そこには、プトレマイオス三世治下の紀元前二三八年に出された神官の布告が刻まれていた。これにはエジプトの暦を改めることが記され、この石碑はエジプト中の多くの神殿に建てられたもののひとつだった。神官たちはカノープス（のちにアブーキールとして知られる港）に集まったところから、タニスで発見された石碑は「カノープスの布告」あるいは「タニスの銘板」として知られるようになった。現在、カイロのエジプト博物館に、ロゼッタストーンと同じように、三種類の文字と二つの言語で記された布告が展示されている。表側には、三十七行のヒエログリフと七十六行のギリシア語が、裏には七十四行のデモティクが記されているが、石碑が発見されたときにはデモティクには気づかなかった。これらの碑文は、シャンポリオンおよびその後継者たちの解読法が完全に正しいことを最終的に証明していた。

しかし、十九世紀の後半になっても、シャンポリオンへの反論はまだつづいていた。ガーンジー島に住むエジプト学者で東洋学者のサー・ピーター・ル・ページ・リナウフは数十年来、飽きもせず自説を展開しつづけ、一八六三年にこう書いている。

もし非常に多くのことがその後継者によってなされたのだとしたら、シャンポリオンが「ヒエログリフをすらすらと正確に読んだ」とはたして言えるだろうか。彼はい、い、い、くつかのテキストはすらすらと正確に読んだが、他のものは読めなかった、というのが真実である。ヒエログリフは他のすべてのテキスト同様、翻訳の難易度に大きな差がある。あるものは比較的容易で、他のものは非常に難しい。あるものはいまだに翻訳不可能である。

さらに攻撃はつづいたが、聖書考古学協会会長となったリナウフは、それから三十年後の一八九六年、それまでヤングを擁護し、シャンポリオンを否定してきた議論をくつがえして、こう結論を下した。

すべての議論の果てに、二つの否定できない事実が残る。シャンポリオンはヤングからも、また、誰からも学ばなかった。エジプト学が今日のような地位にあるのは、シャンポリオンと彼が行った方法にのみ拠《よ》る。その方法を非常に厳密に適用することによってのみ、レプシウス、バーチ、そして、ド・ルージェは、それを基礎につくられた方法に付随する誤りや不備を正すことができた。それらの誤りや不備は本質にかかわるものではなかった。

しだいにシャンポリオンの敵対者は鳴りをひそめ、攻撃をまだやめない人びとの声は、シャンポリオンがヤングの功績を十分に認めていないといったあら探しに縮小した。

ヒエログリフ解読の衝撃はほとんど信じがたいほどだった。事実、それはまったく新しい文明の発見を意味した。ヒエログリフとデモティクで書かれた古代エジプトの文献の翻訳が本格的に行われるや、古代エジプトに関するさまざまな驚くべき情報が明らかになった。一九二二年、フランシス・ルーエリン・グリフィスというイギリスのエジプト学者は、「シャンポリオンは厄介な研究作業を見事な忍耐強い解読の仕事に方向転換した」と当時の状況を要約したが、このような解読作業は、グリフィス本人を含め、その後のエジプト学者によって拡充された。こうして翻訳されたものは膨大な量にのぼり、種類も広範囲に及ぶ。パピルスや板、革に記されたテキストのほか、割れた壺《つぼ》や石（陶片）に刻まれた言葉、神殿や墓の壁一面の彩色の碑文、ファラオの巨大な彫像からミイラに巻かれた布にいたるまで、さまざまなものに記された文字があった。ナポレオンのエジプト遠征に加わった学者たちの期待がついにかなえられたのである。彼らは古代エジプトの秘密を解くことを夢みたが、いまやこの夢は現実のものとなりつつあった。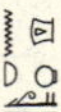「一年間の記録」、「ハンモック」、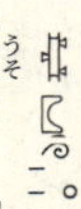「緑色のアイシャドー」、「ビール」、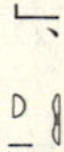「射手」、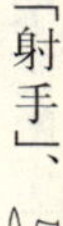「嘘《うそ》」、「納税者」といった言葉そのものが、エジプト文明の複雑さと、シャンポリオンの偉業の結果として産み出された途方もない情報範囲の広さを示していた。ヒエログリフとヒエラティクで記された古代エジプトに関する情報の量と多様性だけから見ても、その翻訳は非常に重要である。数多くのパピルスや陶片を含め、膨大な量の文書が残存したのは、適切な気候条件と古代エジプト人自身の態度のおかげだ

った。古代エジプト人は書記をもっとも重要な人間（ファラオが書記だった）と見なしていた。書記は同時代の人びとのためばかりでなく、後世の人びとのためにも書いていたのであった。このような意識は、書記の高い地位を賞揚する多くの文献に見られる。そのうちのひとつ、少なくとも三千年の時間を生き残った、ある教訓は、書かれた言葉はほかのあらゆるつくられたものより偉大であると述べている。それは現在、「死せる著者への賛辞」として知られている。

しかし、書くことの巧みなお前は、これらのことをしなければならない。
（これから来《き》たること、すでに起こったことを見ることのできる）
神々のあとに来る時代より
これらの書記と賢人について
その名は永遠に伝えられている。
彼らが去り、彼らが生命の時間を終え、すべての人びとが忘れられても、
彼らが青銅や鉄の柱でピラミッドをつくらなくとも、
跡継ぎたちがどのように自分たちの名を受け継いでいくかを知らなくとも、
彼らは、自分たちの書いた文字や教えを自分たちの跡継ぎそのものとした。

彼らは自分たちのために本を朗唱する神官に、
書記板を愛する息子に、
教えを自分たちのピラミッドに、
ペンを自分たちの赤ん坊に、
石の表面を妻にした。
大きなものから小さなものまで
彼の子供たちに与えられた。
書記、それは彼らの頭である。
扉と家がつくられ、そして、壊れ、
葬式が終り、
その石碑が土でおおわれ、
彼らの住処《すみか》は忘れられた。
しかし、彼らの名は、彼らがいた時から、彼らがつくった記録に記されている。
なんと彼らの思い出と彼らがつくったものはすばらしいことだろう、
永遠に通ずるものだ！
書記になれ！　このことを忘れるな！

お前の名は彼らのように存続するのだ！
〔パピルスの〕巻物は彫刻された石柱よりも、
囲い込まれた土地よりも貴重だ。
彼らの名を口に出す者の心のなかでは、
これらは礼拝堂やピラミッドのようなものだ。
たしかに人間が口にする名は、
墓地では効力がある！
人間は滅び、死骸《しがい》は塵《ちり》となり、
人びとは土地から去るが、
一人の語る者の口に
彼をよみがえらせるのは一冊の本である。
建てられた家よりも、西方の礼拝堂よりも
はるかに偉大なるものは〔パピルスの〕巻物である。
それは立派な邸宅にも、
神殿の石碑にもまさるものである……

文字の使用は古代エジプトでは選ばれた者――王の一族、廷臣、書記、神官、ある種の熟練労働者――に限られていて、それらの人びとは人口の五パーセントにも満たなかった。ヒエログリフ・テキストはある程度まで彼らの目を通して描かれた古代エジプトの一面を提供しているが、一般の人びとの生活についてはほんのわずかなことしか伝えていない。そのような状況は、識字率が五パーセント以下で、地域によっては古代エジプト並みの低い識字率だった、シャンポリオンの時代に見られたヨーロッパの状況よりそれほど劣ってはいなかった。先入観とは裏腹に、生き残ったさまざまな文献には、想像をこえるような内容が記され、古代エジプト文化の驚くべき実態が明らかにされた。売買契約書、勘定書、公文書、収税簿、人口調査表、布告書、技術に関する論文、軍の指令書、王の一覧表、葬式の呪文《じゅもん》と儀式、生者と死者への手紙、物語――ほとんどすべてが現代の社会にも存在するものばかりで、とくに欠けているものと言えば、演劇に関わるものぐらいであろうか。壺のかけらや小石に書き留められたメモには、建物の材料のリストや、誰がいつ仕事についたとか、ある容器には何がはいっているとかいったことが記されていた。おそらく教材および参照文献として使われた、用語集として知られるテキストは、植物や動物、自然現象、さらには水の種類といった分類による名前のリストである。このようなリストからしか知られていないエジプト語の単語もいくつかある。

エジプト社会は宗教と死後への希望が中心となっていて、シャンポリオンはこれらにとくに関心を寄せていた。このような考え方は、ある種の建物の保存性が良いことと同じように、ある特定の種類のヒエログリフ・テキストが多く残されていることにあらわれている。このことには、ナポレオンのエジプト遠征に参加した学者たちも気づいていた。画家で作家のヴィヴァン・ドゥノンは、兵士たちと行ったナイル・デルタ地帯の旅行記で、こう述べている。目にする廃墟《はいきょ》は「神殿ばかりだ！　時間に耐えられるような、公共の建物も民家も、王の宮殿もない。いったい人びとはどこにいたのか？　王たちはどこにいたのか？」。神殿と墓は非常に重要だったので、できるかぎり長く残るように石で建てられたのだ。しかし、それとは対照的に、貧しい農夫の家からファラオの大宮殿にいたるまで、エジプトの人びとの家は泥をかためたレンガでつくられ、いまやこれらの建物はほとんど残っていない。死と死後の生命にたいするエジプト人の考え方はきわめて筋が通っていた。質素な家や宮殿は生きているあいだしか使わないが、墓は（ペル・ヌ・ジュエトゥ——永遠の家）だった。

単一の統一された宗教というものは古代エジプトには存在しなかった。というのは、エジプト人の宗教は異なる神話をもつ多くのさまざまな神々への信仰から発展したからである。しかし、エジプト全土においては、ファラオは神々と人びととのあいだの仲介者だった。多くの神殿では、神官たちが、神意を守り、それをくつがえす恐れのある無秩序を抑えるための儀式をファラオのために行った。それがエジプト人が自分たちの置かれた状況にたいして取る自然な対応だった。自然の力が穏やかで、季節の歩みがいつもと変らず、戦争や隣国からの侵略の恐れがないとき、ナイル川沿岸の生活は非常に快適だった。しかし、ナイル川の増水が異常に高かったり低かったりすると、凶作となり、旱魃《かんばつ》や飢饉《ききん》を招いた。エジプト人はそのような壊滅的大惨事の引き金となるようなあらゆる変化を恐れたため、彼らの外見は保守的で、変化を阻止し、安定を維持しようとした。このような宇宙の本質的な調和は、真理と正義のような調和の化身、女神（マアト）に示されている。他の多くの神や女神は無秩序を防ぐためにそれぞれの役割を演じていて、多種多様な神格をまつるあれほど多くの神殿によって個々の宗教がつくられている理由はここにある。

　大部分の人びとにとって、神々との関係は通常もっと個人的なものだった。さまざまな方法で秩序を維持し、無秩序を阻止しようとしたが、礼拝者個人は神々が自分たちの生活に直接手をさしのべてくれることを期待した。テーベの王家の谷を見渡す山のコブラ女神、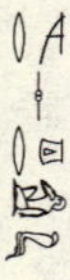（メレツェガー）のような地域的な神がたくさんいたが、

また、女神（イシス）のようにエジプト全土で崇拝されていた神もいた。もっと基本的なところでは、家の守り神が独自の神殿を持つことはまれであるが、一般の家のなかの祭壇で礼拝され、助力と保護を求めてしばしば祈りが捧《ささ》げられた。それらの神々のうちでもっともよく知られているのが、（ベス）だった。この神はふつう醜い小人の姿に描かれていて、その恐ろしげな表情が悪霊《あくりょう》を追い払うと信じられていた。幸運をもたらし、家族を守ると考えられていたベス神は、とくに出産――古代エジプトでは大きな危険を伴う出来事だった――の守り神とされていた。

宗教的儀式や祈りや魔法と科学とを区別する現代的な考え方は古代エジプト人にはなかったため、医者はしばしば病気を医術とともに呪文や儀礼によって治療し、いずれも重要な治療の一部と見なされていた。ある特定の悪霊を防ぐために魔除《まよ》けを身につけるのが普通で、ナポレオンもエジプトで魔除けをひとつ手に入れ、息子が生れるまで幸運を祈って身につけていた。パピルスに書かれた次の呪文は、子供を熱病から守るために、ワニと手が彫ってある紅玉髄の印章石の魔除け（ここでは「オバシギ」と呼ばれている）に向けてとなえるものとされていた。

羽の生えたばかりの子供、

オバシギのための呪文。
巣のなかは暑くないか？
やぶのなかは燃えていないか？
お前はお母さんといっしょか？
あおいでくれるお姉さんはいないのか？
面倒を見てくれる子守りはいないのか？
わたしのところに黄金の玉を、
四十のガラス玉を、
ワニと手の印された紅玉髄の印章石を持っておいで、
そうすれば、体を熱くする欲の悪魔は去り、
西から来た男と女の敵は去る。
お前は叫ぶ！　それがお守りだ。
この呪文を黄金の玉に、
四十のガラス玉に、
ワニと手の印された紅玉髄に吹きかけよ。
それらの玉をきれいな細長い布に通して

魔除けをつくり、
子供の首の上に置け。
それでよし。

魔除けは、生きている人間にたいしてだけでなく、死者を守るためにミイラを包む布にも結びつけられ、そこには『死者の書』の呪文がしばしば記されていた。この「死者の書」というのは、シャンポリオンが「埋葬儀式」と呼んだ文献にたいする現代の呼称で、エジプト人は（来たるべき日の呪文）と呼んでいた。死後における死者の生存を保証するために呪文は親類あるいは神官によって唱えられたが、儀式が執り行われない場合には、呪文に永遠の力を与えるための方法がとられた。紀元前二三〇〇年頃のファラオの場合、そこにヒエログリフが残っているかぎり効力があるようにと、ピラミッドの内室の壁にヒエログリフの呪文が記されていた（その呪文は現在、「ピラミッド・テキスト」として知られている）。紀元前二〇〇〇年頃には、呪文は墓の壁よりもむしろ棺《ひつぎ》に記されるようになり、このような「コフィン・テキスト」の導入により、ミイラ処置と魔法の呪文によって死後の生存を求める人びとが増えた。もともとそのような措置はファラオだけの特典であり、廷臣たちはともに復活することを願って、できるだけファラオの墓の近くに埋葬されることを望んだ。しかし、いまやエリートたちは、ファラオとは無関係に自分自身の死後の生存を保証するために、自分の棺に呪文を書かせたのであった。この呪文は、棺のなかに閉じ込められるのを防ぐことから、「腐敗の防止や死者の国で働かされないようにすること」など、考えられるあらゆる事態にたいして備えていた。

それから約五百年後、現在「死者の書」として知られる呪文が「コフィン・テキスト」に取って代わるようになった。「死者の書」は、特定の内容をもった一冊の本ではなく、約二百の呪文からなるもので、その多くは「ピラミッド・テキスト」と「コフィン・テキスト」に拠《よ》る。「死者の書」に定本といったものはなく、そこに含まれる呪文はさまざまである。それらの呪文はもはや棺にではなくパピルスの巻物に記され、死者とともに墓や棺のなかに葬《ほうむ》られる。その多くはトリノのドロヴェッティ・コレクションからシャンポリオンによってはじめて解読され、研究された。死者を守る呪文の効力をできるかぎり永続させる願いは、それらの呪文が他のエジプト語の文献より多く生き残っているところにもあらわれている。「ピラミッド・テキスト」や「コフィン・テキスト」と同様、「死者の書」の呪文は、ともに埋葬された人間の復活と生存を目的としているが、この目的が達成される方法は複雑だった。肉体と魂、あるいは、心と体と精神のかわりに古代エジプト人は、人間は次の五つの要素からつくられていると考えていた。物質としての肉体あるいは人体である（クアトゥ）、（バ）、（カ）、そして、その人の名前（レン）、人間の影（シュトゥ）の五つである。

「バ」は大雑把に「人格」と訳されているが、ある人間の個性をつくる非物質的な要素から成る。「カ」は、大まかに「魂」と訳されているが、食べ物を必要とし、死後に生きる生命力と見なされている。死者に捧げられる食べ物は「カ」が食べるのではなく、捧げ物から「カ」が生命を維持する力を直接吸収するものと考えられている。死後に生存するためには、人間は墓から出て、ふたたび自分の「カ」と合体しなければならない。しかし、このようなことは物質としての肉体には不可能なので、そのかわりに「バ」によって行われる。ひとたび合体するや、「バ」と「カ」は（アク――「祝福された死者」と訳されている）となる。これが、死者が地下の世界で永遠に生きる、変わることのない姿である。「死者の書」の呪文の目的は、「アク」を正しくつくり、死後の世界で脅威となるすべての危険からそれを守り、労働や悩みから解放されたこの上なく楽しい生活を確保することにあった。「死者の書」という現代の不吉なタイトルは誤解を招きやすい。というのは、この呪文集にたいする古代エジプト人の見方は、「永遠に生きる書」あるいは「復活の書」に近かったからである。生ける者と死せる者との世界は重なり合っていると信じられていたので、死者あての手紙がパピルスやおそなえの食べ物の入った容器に書かれたが、そのほかに生きている人間あての手紙も廷臣や王、神官、職人などによってたくさん書かれ、陶片に走り書きされた簡単なものもあった。家庭の出来事を扱った手紙として、たとえば、死んだ宰相イピの葬祭殿の長老神官、ヘカナクトゥがテーベの家族に書いた手紙がある。彼は手紙の最後に、所用でナイル川沿岸を旅行しているあいだ、新しい二番目の妻イウテンヘブにたいする家族の扱いが悪いことを訴え、自分のところへ連れて来るように命じている（ホテペトゥはたぶん姉か叔母）。

私はお前に言う。「彼女から、ホテペトゥの友人も髪結いも召使いも遠ざけてはならない」と。彼女を大事にしなさい。おお、そうすればお前はすべてにおいて栄えるだろう。しかし、お前は過去において彼女〔ホテペトゥ〕を愛していなかった。お前はいますぐイウテンヘブを私のところに連れて来なさい。私はこの男——イピのことだ——にかけて誓う、だれであれ私の新妻の性器に悪事をなした者は、私に刃向う者であり、私はその者に刃向う、と。見よ、これが私の新妻だ。新しい妻にたいしてどのようなことがなされるべきかは周知のことだ。彼女にたいして私がしたようなことをする者がどうなるか見よ――自分の妻が男に辱《はずか》しめを受けたら、我慢できるだろうか。私はとうてい我慢できない。

神殿の記録保管所にはありとあらゆる種類の文書があって、たとえば、医学に関するパピルスには、病気の診断法やさまざまな症状の治療法などが記されている。あるパピルスには、女性の尿を毎日、大麦とエンマ小麦に注ぎかけるという、知られているかぎり最古の妊娠検査法が書かれている。両方の麦が発芽すれば、妊娠していることを示し、大麦だけが生長すれば男の子、エンマ小麦が生長すれば女の子が生れるという。現代の実験によると、妊娠していない女性の尿は大麦の生長を妨げるということで、このような古代の方法には科学的な根拠がある。また、他の医学関係のテキストでは、骨折、ヘビによる咬傷《こうしよう》、他の動物による咬傷、眼病などの診断と治療法が取り上げられ、古代エジプト人が日頃どのような危険にさらされていたかが彷彿《ほうふつ》とする。一般的な教訓が記されたテキストもあって、「宰相プタハヘテプの教訓」には次のような格言が集められている。

汝《なんじ》が指導者であるならば、
請願者の言葉に静かに耳を傾けよ。
彼が話そうと思っていたことを
その体から吐き出すのを妨げてはならない。
不当な扱いをうけた者は用件が成就《じょうじゅ》されることよりも、
自分の思いを吐き出すことのほうを好む。
請願をはねつけた者について彼らは言う。
「いったいなぜ反対するのか」と。
彼の請願がすべて叶《かな》えられなくともいい、
よく耳を傾けてやれば、心が慰められる。

シャンポリオンは、自分が解読したヒエログリフとともに世界最古の文字とその表記法がエジプトで最初に生れたと考えた。彼の死から数十年後、メソポタミアを起源とする楔形《くさびがた》文字がついに解読され、楔形文字は最古のヒエログリフよりも古いことが判明し、文字が最初につくられた地域はメソポタミアとされた。最古のヒエログリフより以前の、非常に古いタイプの楔形文字が存在するとは言え、ごく最近エジプトで考古学者によって発見された初期のヒエログリフは、結局のところシャンポリオンが正しかったのかもしれないことを示しているように思われる——それは、紀元前三四〇〇年頃の、知られているかぎり最古の表音文字なのである。それこそ、シャンポリオンが生涯をかけて研究した文字の原型だった。少なくとも、エジプトとメソポタミアの両方で同時に文字が生れたと言えよう。しかし、まず最初にエジプトで生れたという可能性のほうが高い。

ヒエログリフの解読に成功する以前から、シャンポリオンは、その最大の成果のひとつは、古代エジプトの年代学が解明されることにあると考えていた。というのは、テキストは非常に長い時間にまたがっていて、しばしば歴史的出来事を記録していたからだった。空白や曖昧《あいまい》な部分もあるが、エジプトの年代学は、ローマ文明侵入前の地中海地域のどの国のものより完璧《かんぺき》で信頼できるものとなっている。エジプトは、北東にはアラビアやアナトリア、レヴァントの青銅器文化と、西にはギリシアとクレタのミノアおよびミュケーナイ文化やリビアのアフリカ文化と、また、遠く南にはスーダンと接触を持っていたため、これら三つのすべての地域の古代史の土台ともなっているのである。つまり、ヒエログリフの解読は、エジプトの初期の歴史を解明したばかりでなく、広大な地域にまたがる古代史の研究を大いに促進させたのであった。

今日ではフランスの国民的英雄とされるシャンポリオンの世界史にたいする貢献は、いまだ十分に認識されているとは言えない。それは、彼の敵とトーマス・ヤングの支持者の偏見が、学者たち、とくに英語圏の学者たちに大きな影響を与え、ヤングの功績を誇張し、シャンポリオンのそれを過小評価させているためである。公平な見方はきわめてまれで、ヒエログリフのどの文字をだれが最初に識別し、だれが他の研究者の成果を利用したのか、また、シャンポリオンの解読法は役に立つが、ヤングの方法は役に立たないといった、もっとも重要な点が無視されているのである。ヤングをヒエログリフの真の解読者にまつりあげようとして、その支持者たちは彼に甚大《じんだい》な損失を与えてしまったのであった。というのは、デモティクの解読という彼の真の功績は広く知られていないからである。

フランスではジャン＝フランソワ・シャンポリオンの足跡は、彫像や胸像、絵画、記念銘板、街路の名前、学校の名前、記念碑、学術協会、博物館などにたどることができる。レオン・コニエの描いたその肖像はパリのルーヴル美術館に展示され、そこから遠くないところに彼が学芸員をしていたことのあるエジプト・コレクションがある。もっとも強く心に訴えるのは、パリのコレージュ・ド・フランスの中庭にあるフレデリック・オーギュスト・バルトルディ作の彫像と、ペール・ラシェーズ墓地の彼の墓である。彼の寡婦《かふ》ロジーヌによって建立《こんりゅう》された墓には「弟シャンポリオン」と記された一本のオベリスクが立っていて、柵《さく》で囲まれた墓石には「ここにジャン＝フランソワ・シャンポリオン眠る。一七九〇年十二月二十三日ロト県フィジャックに生れ、一八三二年三月四日パリに死す」と刻まれている。彼が住んでいたマザラン通り十九番地の家は今でも見ることができる。解読のための重要な研究が行われた、同じ狭い通りの二十八番地にはシャンポリオンの名前が記された銘板が掲げられているが、彼が亡《な》くなったファヴァール通り四番地の家は取り壊された。パリやグルノーブルには彼の名前に因《ちな》んだシャンポリオン通りがあるが、彼が長年すごした町、グルノーブルでは、二十世紀のはじめから大規模な再開発が行われ、シャンポリオン兄弟ゆかりの建物の多くは姿を消し、シャンポリオンが生徒でもあり教師でもあったリセ（現在の「リセ・スタンダール」）と、その近くの、兄弟が働いていた図書館に通ずる門だけが二人の名残りをとどめている。「リセ・シャンポリオン」（グルノーブルの人びとには「シャンポ」として知られている）は一八八六年に創設された。

彼はわずかな期間しか過ごさなかったが、フィジャックはシャンポリオンの存在がいまでももっとも強く感じられる場所である。シャンポリオンとジャック＝ジョゼフが生れた、ラ・ブドゥケリ通り（現在は「シャンポリオン兄弟通り」）の家は、エジプトの遺物のコレクションを収め、ヒエログリフ解読を説明する展示室をもった、小さなすばらしい博物館となっている。子供の頃あそび回っていた父親の本屋は「カフェ・スフィンクス」となっているが、階上の部分は少し手が加えられ、また、革命中に処刑や祝賀が行われた広場は「シャンポリオン広場」と改名された。現代のリセを含め、町の他の建物にもその名誉をたたえてシャンポリオンの名前がつけられ、町の南端のセレ川沿いの交通の激しい道路わきには、人びとの献金によって彼の死後、シャンポリオンを記念するオベリスクが建てられ、現在もその姿を見ることができる。

フィジャックを離れると、ジャック゠ジョゼフ・シャンポリオン゠フィジャック本人の名誉とシャンポリオンを生前および死後にも支援したその役割をたたえる記念物はほとんどない。ルイ゠フィリップ王を退位させた一八四八年の二月革命後、ジャック゠ジョゼフは古文書学校の古文書学教授（一八三〇年に就任）と、王立（国立）図書館の手稿管理者のポストを失い、その結果、宿舎から追い出され、図書を盗んだ罪で訴えられた。一八五二年、ナポレオン三世が第二共和制から第二帝政への移行を行った際、ジャック゠ジョゼフはまたもや好機にめぐりあい、フォンテンブロー宮殿の図書館長に任命された。彼は一八六七年五月九日、八十九歳で（弟の死から約三十五年後）死ぬまでこの地位にとどまり、フォンテンブローの墓地に埋葬された。彼の息子のアリは一八四〇年に、妻のゾエは一八五三年に、息子のジュールとポールは一八六四年に世を去り、息子のエーメと娘のゾエだけが父親より長生きした。シャンポリオンの姉のマリーは彼の死の一年後の一八三三年に、ペトロニーユは十四年後に、テレーズは一八五一年末に亡くなった。マリーとテレーズとその両親が葬られた非常に質素な家族の墓はフィジャックの北の墓地にある。ラ・ブドゥケリ通りの家は一八五四年に売却され、翌年、本屋も売却された。ジャック＝ジョゼフの子孫はいまでもグルノーブル周辺にいるが、シャンポリオンの娘、ゾライードは一八四五年にアメリー・シェロネと結婚し、その子供の一人、ルネ・シェロネ＝シャンポリオンは、アメリカ人のメアリー・コービンと結婚して混血家庭をつくり、ニューヨークに定住した。

シャンポリオンを記念するものとしてちょっと変ったものもある。彼の名前をとった月のクレーターである。彼をはじめてヒエログリフに開眼させたジョゼフ・フーリエの名前がつけられたクレーターも、また、シャンポリオンの宿敵トーマス・ヤングの名前のつけられたクレーターもある。奇妙なことに、このようなことは、ヒエログリフの解読に緊密に係わった三人にとってはふさわしいことだと言える。というのは、古代エジプトでは月は、エジプトの神話でいくつかの役割を担《にな》っているトト神の領分であり、死者の保護というのがその役割のひとつだった。ヒエログリフは、シャンポリオンがそれを（トトメス――トト神に生れた者）という名前において、トト神を示すものと考えた際、解読の非常に重要な役割を果した。古代エジプトの宗教においてはトトは月と同一とされ、（月＝トト）としてたたえられた。エジプトのある地域では、死者はトト神に守られながら月に乗って空を行くと考えられていたが、さらに重要なことに、エジプト全土においてトトは書記の神であり、知識と真理の神であり、なによりも、ヒエログリフを発明した神と信じられていた。その多くの称号のひとつは（言葉と文字を与えし者）だった。

古代エジプト人は、ある人の名前はその人のもっとも大切な一部だと信じていた。名前を消すことはその人を消すことだった。シャンポリオンは、自分の名前と名声とを消すために全力を尽していたライバルや敵によって死ぬまで謗《そし》られていたが、しかし、自分の功績が最後には認められることを知っていた。古代エジプトの書記が自分たちの言葉は永遠に消えないと確信していたように、シャンポリオンは古代エジプト人の格言、「未来に向けて語るべし、それは必ず聞かれん」を信じていたのである。彼の真の記念碑は、彼の名前があの文明の再発見と永遠に結びつけられていることにある。古代エジプトを解く鍵《かぎ》は、またジャン＝フランソワ・シャンポリオン自身の歴史における名誉ある地位をあきらかにする扉を開く鍵でもある。

謝辞

この本を書くにあたってご助力いただいた多くの人と組織に感謝の言葉を申し上げるのは楽しいことである。まず最初に、エッダ・ブルシアン編『ジャン＝フランソワ・シャンポリオン――ゼルミールへの手紙』（一九七八）所収のアンジェリカ・パッリあての手紙の引用を許可された「ラジアテーク」に厚く感謝したい。「宰相プタハヘテプの教訓」の一部と「未来に向けて語るべし、それは必ず聞かれん」という言葉はともにR・B・パーキンソン編訳『紀元前一九四〇―一六四〇年のシヌへの物語およびその他の古代エジプトの詩』（一九九七）に収められていて、オックスフォード大学出版局の許可を得て引用した。同じく、ヘカナクトゥの手紙、子供を守る呪文《じゅもん》、死せる著者への讃辞《さんじ》はすべて、R・B・パーキンソン編訳『古代エジプトの声――中王国時代文集』（一九九一）に収められていて、その著作権は大英博物館、大英博物館出版局にある。呪文はR・B・パーキンソンによる『エジプトの声』の改訂版によった。

すべての図版の著作権は次の三点を除いて「レスリー&ロイ・アドキンズ・ピクチャー・ライブラリー」にある。ロゼッタストーンの写真は大英博物館の許可を得て、また、若きジャン＝フランソワ・シャンポリオンとジャック＝ジョゼフ・シャンポリオン＝フィジャックの写真は、エメ＝ルイ・シャンポリオン＝フィジャック『二人のシャンポリオン』（一八八七）所収のもので、大英図書館の許可を得て掲載した。

多くの図書館の職員から多大なご助力をいただいた。とくにロンドン図書館、ブリストル大学芸術および社会科学図書館、ワースリー化学図書館、グリフィス大学図書館、オックスフォード大学ボドリアン図書館、大英図書館。ロンドン図書館古物協会のバーナード・ナースおよびアドリアン・ジェイムズ、サマセット研究図書館のディヴィッド・ブロムウィッチ、グルノーブル市立図書館のマリー＝フランソワーズ・ボア＝ドラット。グルノーブルでは、ジャン＝ウィリアム・ドレイムおよびシャンポリオン協会、ヴィフ在住のシャトーミノア夫妻に感謝したい。フィジャックでは、シャンポリオン博物館のマダム・プレヴォ、市立図書館職員の方々、シャトー・デュ・ヴィギエ・デュ・ロワおよびタクシ・フリクー社から便宜をたまわり、楽しい滞在となった。

さまざまな情報を提供いただいた、大英博物館古代エジプト部門のリチャード・パーキンソン博士にはとくに感謝の言葉を申し上げたい。ナイジェル・ストラドウィック博士からはヒエログリフの文字の正確な書体について非常に有益なご助言をいただいた。実務面ではギルおよびアルフレッド・シムズを忘れてはならない。

出版元のハーパーコリンズ社では、ラリー・アシュミード、マイケル・フィッシュウィック、ケート・モリス、ソニア・ドビー、クリス・バーンスタインに謝辞を申し上げる。

最後に、われわれの感謝の言葉をパトリック・ウォルシュ 』にささげたい。彼なくしては本書もありえなかったであろう。

訳者あとがき

ヒエログリフの解読は、学問の世界でもひときわスリルに富む物語である。長年の難問をみごとに解いた一人のフランス人、シャンポリオンの生涯も波瀾《はらん》万丈だった。本書はヒエログリフとシャンポリオンをめぐる歴史と学問と人間の物語である。

聖刻文字あるいは神聖文字とも呼ばれる古代エジプトの絵文字、ヒエログリフは紀元前三千年以上も前から紀元四世紀のはじめまで使われていたという。人類がもっとも長い期間にわたって使っていた文字と言っていい。しかし、エジプト人がギリシア文字を使うようになると、ヒエログリフは忘れられ、解読できる者もいなくなっていった。ヨーロッパの学者がヒエログリフの解読に向うのは十七世紀以後のことで、はじめは、珍説、奇説のオンパレードだった。

ヒエログリフは普通の文字ではなく、それぞれ神秘的な意味を含んでいて、それを明らかにするには神秘的あるいは魔術的な知恵がいると考えた学者もいた。ヒエログリフの秘密を解くことは不可能だという考えが支配的だった。十八世紀の中頃には、ヒエログリフを中国語と結びつける学者もいた。それによると、かつて中国はエジプトの植民地であって、漢字はヒエログリフから生れたものであって、漢字を研究することによってヒエログリフは解読できる、というのである。中国はエジプトの植民地だったという推定じたい奇想天外きわまりない。学問の世界は珍説、奇説に事欠かないようで、いや実はその逆で、エジプト人およびその文化は中国から来たと考える者もいた。

ヒエログリフ解読を飛躍的に前進させたのが、ロゼッタストーンの発見である。ナポレオンのエジプト遠征中にナイル川河口のロゼッタで発見された石には、三種類の異なった文字が刻まれていた。上段にヒエログリフ、中段にのちにデモティクと呼ばれることになる文字、そして、下段にはギリシア文字。同一の内容が三種類の文字で表記されたものと推定され（事実、その通りだった）、ヒエログリフを解読する有力な手がかりとなった。

ロゼッタストーンのコピーがヨーロッパ中の関心ある学者の手に渡ったのは十九世紀のはじめの頃で、ここから、ヒエログリフ解読レースが開始することとなる。ロゼッタストーンのほかにも、ヒエログリフの記された多くの資料がエジプトから運ばれ、学者の研究に供された。ここで登場するのが本書の主人公ジャン＝フランソワ・シャンポリオンである。ロゼッタストーンが発見されたとき、彼はまだ十歳にもなっていなかった。

遅れ馳《ば》せながらこの解読レースに加わったシャンポリオンは、ライバルからの誹謗《ひぼう》や中傷、病弱な体質や貧困とたたかいながら、一八二二年、三十一歳のとき、みごとヒエログリフの謎《なぞ》の解明に成功した。その経過は本文に詳細に述べられているが、要点をひとことで言えば、ヒエログリフは表意文字であると同時に表音文字でもあることを、そして、ヒエログリフのアルファベットを発見したことにある。

シャンポリオンによるヒエログリフ解読によって、いままで神秘の幕で閉ざされていた古代エジプトに光がさしこみ、その歴史や文化、社会構造などが明らかにされた。古代エジプトについての正しい知識は、シャンポリオンからはじまると言うことができよう。本書の原題は「エジプトの鍵《かぎ》」（*The Keys of Egypt*）である。ながいあいだ閉ざされていた古代エジプトに通ずる扉を開く鍵の発見者、それがシャンポリオンだったというわけである。

シャンポリオンが生れたのは一七九〇年、フランス革命の翌年である。革命の動乱のなかで幼少時代をすごし、十代の頃、ナポレオンが帝位に就き、二十代の半ばでルイ王朝が復活し、世を去ったのは、一八三〇年の七月革命の二年後である。まさに激動の歴史のなかの生涯である。目紛《めまぐる》しく変化する歴史の背景とシャンポリオンに与えたその影響なども詳細に記されていて、本書は歴史物語としての面白さも兼ねそなえている。ナポレオンとシャンポリオンとの関係も興味深いエピソードのひとつである。エルバ島を脱出したナポレオンはパリに向う途中、シャンポリオンの住むグルノーブルに一時滞在したことがあった。シャンポリオンの兄、ジャック＝ジョゼフはナポレオンの秘書役を命じられ、シャンポリオンもナポレオンに会う機会があった。その会見を記した本文によると、ナポレオンはシャンポリオンの名前を、徴兵免除者リストに何度も載っていた関係でおぼえていたという。国民皆兵制度によってヨーロッパ最大の軍事力を誇っていたナポレオン時代のフランスは、戦争のたびに若者を徴兵したが、古代語を学んでいたシャンポリオンはそのたびに口実を設け、有力者の裏工作によって徴兵を免れていた。その徴兵免除者リストにまで皇帝たるナポレオンが目を通していたこと、しかも、そこに記されていた人名まで記憶にとどめていたというのは、歴史の細部を語る興味深いエピソードではなかろうか。

歴史のエピソードと言えば、ナポレオンとその妻ジョゼフィーヌとの関係や、ナポレオンのロシア遠征の顚末《てんまつ》、フランスとイギリスとの戦い、王党派と共和派の争いなど、当時の状況を彷彿《ほうふつ》とさせる出来事や情景が随所に折り込まれている。現在、ロゼッタストーンは大英博物館に所蔵されているが、それは、地中海での海戦でフランス軍がイギリス軍に敗れたため、戦利品としてイギリスに引き渡されたからである。

このシャンポリオンとヒエログリフの物語は兄弟愛の物語でもある。ヒエログリフの解読者としてのシャンポリオンの名前は有名であるが、彼に献身的な兄がいて、ヒエログリフ研究に多大な貢献をしていたことを、訳者は本書を通してはじめて知った次第である。そもそもヒエログリフの研究をシャンポリオンにすすめたのは兄のジャック＝ジョゼフだった。シャンポリオンにとって、十二歳年上の兄は、兄弟というよりも父親のような存在で、少年時代のシャンポリオンの教育を一手に引き受け（革命のために学校が閉鎖されていた）、その学費をすべてまかない、学者として進むための道を整えた。シャンポリオンがヒエログリフ解読の第一報を伝えた相手は、もちろん、この兄だった。本書の冒頭には、そのときの模様が描かれている。兄のジャック＝ジョゼフなくしては、ヒエログリフ解読はありえなかったと思われるほどである。しかも、ジャック＝ジョゼフは、シャンポリオンの死後、その遺稿の出版に尽力している。

本書はヒエログリフに親しむ入門書といった面もそなえている。解読の歴史や方法をたどるうちに、自然に、読者の頭のなかにヒエログリフについての知識が染《し》み込むことを著者は意図していたようにも思える。本書を訳すために、訳者はヒエログリフに関する文献をいろいろ調べたが、訳し終える頃には、ヒエログリフはぐっと身近に感じられ、いくつかの単語や文字を記憶にとどめているほどにもなった。幸いにも、日本でも一般向けのヒエログリフに関する本が何冊か出版され、ささやかながら「ヒエログリフ・ブーム」が生れていると聞く。そのブームが一時的なものではなく、かつての昔に栄えた古代文明を知るために、末ながくつづいてほしいものである。本書がそのために少しでも役立てば、というのが訳者の願いである。（なお本文中に挿入されたヒエログリフはすべて横向きになっている）

本書はLesley & Roy Adkins *"The Keys of Egypt: The Race to Read the Hieroglyphs"* (HarperCollins, 2000) の全訳である。原書には、ヒエログリフをさらに研究するための文献案内が三ページほどあるが、日本の読者にはとくに必要はないものと判断して割愛した。原題は「エジプトの鍵――ヒエログリフ解読競争」であるが、ロゼッタストーンがヒエログリフ解読の大きなきっかけとなったこと、また、古代エジプトの絵文字のシンボルとして広く知られていることを勘案して、邦訳名を

「ロゼッタストーン解読」とした。

著者のレスリー・アドキンズとロイ・アドキンズはともにイギリスの考古学者、古代史家で、共著で考古学および古代史関係の本を何冊か出版している。

木原武一

二〇〇八年四月

解説

吉村作治

講演会やトークショーの際の質問には、ヒエログリフに関することが多い。文字が生活の中心となっている現代社会では、当然のようになぜ文字が生まれたのかという疑問をもつのだろう。それも子供がその質問をする例が多い。日本では、ヒエログリフを聖刻文字とか象形文字と呼んでいるが子供たちにはどうしてそう訳されるかわからないようだ。

聖刻文字はヒエログリフをそのまま訳したもので、西欧というかギリシア人がこの文字が書かれている場所、すなわち「神殿など神々が宿る神聖なところに書かれている図形・文字」というような観点からつけたので、この文字自体が神聖であるとかないとかいうものではない。もちろんこの中には神の名の他、神、祈る、神々《こうごう》しいなどといった「神聖な」という意味をもつ文字もあるが、数千とあるヒエログリフ全体をみればほんの少しである。また、象形文字という意味は、自然の形、人間の眼で認識される形を簡略化し、その名の頭の音を読みにしていることを言っている。山とか水、川、太陽、天空などであるが、文字の中には抽象的概念を言葉で表わしているものが少なくないので、厳密に言うと象形文字とは言えないが、習慣で言っている。だから子供たちはよくわからず、よって興味をもつのだろう。

子供たちのあまりの熱心さにうたれて、ヒエログリフ学習の入門書だけではなく、ヒエログリフの代表的な文字を印章にした。これは若干お遊びで、自分や友達の名をヒエログリフの音を表わす文字（簡単に言うとアルファベット化）にしてゴム印を作ったものだ。しかしこのゴム印は子供たちに好評で、展覧会などの最終コーナーに置いておくと1時間くらいこれを使って遊んでいる。おそらく日本で使う漢字と同じフィーリングなのかもしれない。

文字には表音文字と表音表意文字があるのはご存知のことと思うが、実はヒエログリフには表意しか機能のない文字があるのだ。どういうことかと言うと、音のない文字、すなわち意味しかもっていない文字があるのだ。これは世界中の文字の中でヒエログリフにしか例がないと思う。しかし平仮名だって音のない音「ん」があるだろうと言われる方がいると思うが、正確には「ん」には音がないものの、一般的には人それぞれのやり方で発音している。それ以上「ん」には何の意味もないし、他の文字と組み合わせるしか仕様のない文字だ。

しかしヒエログリフにはこの無音、意味のみの文字である「決定詞」がたくさんあり、ヒエログリフの重要な役割を担《にな》っている。決定詞というのは何を決定するのかと言うと、その文字の前に書かれている文字または文字群の意味を決定的にさし示すという役割をもっている。何でこんなややこしいことをするかと言うと、同音異義語の分別を即座にするということからきている。

例えば日本語にも、「はし」という音の言葉があるが、これを漢字で書くと、「橋」「端」「箸」など多くの意味を表わす。日本人はこれをうまく利用して、駄ジャレという言葉遊びとして生活に利用した。中国語ではこれを防ぐために四声という発音の抑揚で意味を分別した。中国語を始めるとまずこの練習から入り、中国語にとって四声がいかに大切か、これをひとつ間違えると全く意味の違った文脈になってしまうと説教される。これほど各国語は同音異義語を区別することに苦心している。

それに対し、古代エジプト語ではこれをあっさり決定詞という存在で解決してしまっている。これがアルファベットのように表音文字と違うところだ。もっともたとえアルファベットといえども、もともとは象形文字であり、ひとつひとつの文字には意味があったということも忘れてはならないのだが。アルファとは牛のことであり、べットはベイトからきていて家という意味だ。だからアルファベットとは牛小屋という意味になり、もともと文字の始まりは牛を飼う文化のところで始まったということがわかる。

本書では、このヒエログリフ解読のプロセスがていねいに、エキサイティングに書かれている。たったひとつの文字文化を解くのにこのようなエネルギーが使われたことに感動するが、なぜフランス人のシャンポリオンが最終的に勝ったのかという謎《なぞ》が残る。一般的には、ヒエログリフを解くカギとなったロゼッタ石を発見したのはフランス人なのに、戦争に負け戦利品としてイギリス人がイギリスにもっていってしまった怨念《おんねん》からだと言われている。それを否定する気はないが、私はシャンポリオンがこの発音しない文字を発見というか認識したからだと思っている。それまでシャンポリオンはイギリス人のトーマス・ヤングに一歩も二歩も遅れをとっていたことは明白だが、この決定詞発見の時から一気にトーマス・ヤングを抜いていったのである。秀才は天才にかなわないという法則が、ここでも示されているのだ。

私たちエジプト学者は、シャンポリオンに足を向けて寝られないのだ。

（平成二十年四月、エジプト考古学者）

この作品は平成十四年三月新潮社より刊行された。

新潮文庫最新刊

青山文平著
泳ぐ者
別れて三年半。元妻は突然、元夫を刺殺した。理解に苦しむ事件が相次ぐ江戸で、若き徒目付、片岡直人が探り出した究極の動機とは。

佐藤賢一著
日蓮
人々を救済する――。佐渡流罪に処されても、信念を曲げず、法を説き続ける日蓮。その信仰と情熱を真正面から描く、歴史巨篇。

諸田玲子著
ちよぼ
―加賀百万石を照らす月―
女子《おなご》とて闘わねば――。前田利家・まつと共に加賀百万石の礎を築いた知られざる女傑・千代保。その波瀾の生涯を描く歴史時代小説。

梶よう子著
江戸の空、水面の風
―みとや・お瑛仕入帖―
腕のいい按摩と、優しげな奉公人。でも、なぜか胸がざわつく――。お瑛の活躍は新たな展開に。「みとや・お瑛」第二シリーズ！

藤ノ木優著
あしたの名医
―伊豆中周産期センター―
伊豆半島の病院へ異動を命じられた青年産婦人科医。そこは母子の命を守る地域の最後の砦だった。感動の医学エンターテインメント。

山本幸久著
神様には負けられない
26歳の落ちこぼれ専門学生・二階堂さえ子。職なし、金なし、恋人なし、あるのは夢だけ！つまずいても立ち上がる大人のお仕事小説。

新潮文庫最新刊

河野裕著
さよならの言い方なんて知らない。8
月生亘輝と白猫。最強と呼ばれる二人が、七十万もの戦力で激突する。人智を超えた戦いの行方は？　邂逅と侵略の青春劇、第8弾。

三田誠著
魔女推理
―嘘つき魔女が6度死ぬ―
記憶を失った少女。川で溺れた子ども。教会で起きた不審死。三つの死、それは「魔法」か「殺人」か。真実を知るのは「魔女」のみ。

三川みり著
龍ノ国幻想5
双飛の闇
最愛なる日織に皇尊《すめらみこと》の役割を全うしてもらうことを願い、「妻」の座を退き、姿を消す悠花。日織のために命懸けの計略が幕を開ける。

J・ノックス
池田真紀子訳
トゥルー・クライム・ストーリー
作者すら信用できない――。女子学生失踪事件を取材したノンフィクションに隠された驚愕の真実とは？　最先端ノワール問題作。

塩野七生著
ギリシア人の物語2
―民主政の成熟と崩壊―
栄光が瞬く間に霧散してしまう過程を緻密に描き、民主主義の本質をえぐり出した歴史大作。カラー図説「パルテノン神殿」を収録。

酒井順子著
処女の道程
日本における「女性の貞操」の価値はいかに変遷してきたのか――古今の文献から日本人の性意識をあぶり出す、画期的クロニクル。

Title : THE KEYS OF EGYPT
Author : Lesley & Roy Adkins

ロゼッタストーン解《かい》読《どく》

新潮文庫　シ－38－15

Published 2008 in Japan
by Shinchosha Company

平成二十年六月一日発行
令和五年十一月五日七刷

著者　木《き》原《はら》武《ぶ》一《いち》

発行者　佐藤隆信
発行所　株式会社 新潮社
郵便番号　一六二—八七一一
東京都新宿区矢来町七一
電話 編集部(〇三)三二六六—五四四〇
読者係(〇三)三二六六—五一一一
https://www.shinchosha.co.jp
価格はカバーに表示してあります。
乱丁・落丁本は、ご面倒ですが小社読者係宛ご送付ください。送料小社負担にてお取替えいたします。

印刷・大日本印刷株式会社　製本・加藤製本株式会社

ISBN978-4-10-216831-8 C0120